LE DIEU
DES PREMIERS CHRÉTIENS

ESSAIS BIBLIQUES

Collection dirigée par Jérôme Cottin
avec la collaboration de Samuel Amsler, Christiane Dieterlé
et Pierre Wyss

1. Bernard Gillèron, *Le Saint-Esprit, actualité du Christ.*
2. Robert Martin-Achard, *Et Dieu crée le ciel et la terre.*
3. Pierre Crapon de Caprona, *Ruth la Moabite.*
4. Roland de Pury, *Job ou l'homme révolté.*
5. Jean Burnier-Genton, *Ézéchiel fils d'homme.*
6. Frantz-J. Leenhardt, *La mort et le testament de Jésus.*
7. Suzanne de Dietrich, *Le dessein de Dieu.*
8. *Mort de Jésus.* Dossier pour l'animation biblique.
9. Samuel Amsler, *Les actes des prophètes.*
10. *Jérémie.* Dossier pour l'animation biblique.
11. Christophe Senft, *Jésus de Nazareth et Paul de Tarse.*
12. Wilhelm Vischer, *L'Écriture et la Parole.*
13. *Chrétiens en conflit.* Dossier pour l'animation biblique.
14. Gérard Lohfink, *Enfin je comprends la Bible.*
15. Robert Martin-Achard, *La mort en face selon la Bible hébraïque.*
16. Daniel Marguerat, *Le Dieu des premiers chrétiens.*
17. Jérôme Cottin, *Jésus-Christ en écriture d'images.*
18. *Peuple parmi les peuples.* Dossier pour l'animation biblique.
19. Christophe Senft, *L'Évangile selon Marc.*
20. *Jacob. Les aléas d'une bénédiction.* Dossier pour l'animation biblique.
21. *La Bible : une pomme de discorde* (U. Luz, éd.).
22. Henri Lindegaard, *La Bible des contrastes.*
23. André Lelièvre, *La sagesse des Proverbes.*
24. Michel Bouttier, *Visages de l'Évangile.*
25. Albert de Pury, *Homme et animal, Dieu les créa.*

ESSAIS BIBLIQUES N° 16

Daniel Marguerat

LE DIEU DES PREMIERS CHRÉTIENS

Deuxième édition revue et augmentée

LABOR ET FIDES

Du même auteur :

Le jugement dans l'Évangile de Matthieu, Genève, 1981.

J'habiterai chez toi, Le Mont-sur-Lausanne, 1985.

Vivre avec la mort. Le défi du Nouveau Testament, Aubonne 1990.

Parabole, (Cahier Évangile 75) Paris, 1991.

La mémoire et le temps. Mélanges offerts à Pierre Bonnard (édité en collaboration avec Jean Zumstein), Genève 1991.

L'homme qui venait de Nazareth. Ce qu'on peut aujourd'hui savoir de Jésus, Aubonne 2e éd. 1993.

ISBN 2-8309-0607-1

Si vous souhaitez être tenu au courant de nos publications,
il suffit de nous le signaler à notre adresse

A Michel Bouttier
en vue de son septantième anniversaire
(il dirait soixante-dix),
en signe d'amitié
et de reconnaissance pour son œuvre d'exégète
du Nouveau Testament ;
car l'érudition, le sens critique et la spiritualité
s'y conjuguent avec la poésie,
et à ce carrefour des sens
naît une forte lecture croyante.

PRÉFACE

Nous partons pour un pays connu et inconnu.

Deux raisons poussent à faire le voyage maintenant. La question de Dieu fait son retour. On était au bord de penser que Dieu était un produit vieilli, démodé par de nouvelles offres culturelles, et que seule la gourmandise religieuse de groupuscules dévots le faisait survivre. Erreur. La question de Dieu ressurgit en pleine modernité, souvent par la bande, parfois sauvagement, faisant savoir que le religieux est une dimension incontournable de l'humain. Mais qui est ce Dieu qui revient ? Ne le baptisons pas trop tôt, il pourrait nous réserver des surprises. Est-il le Dieu des premiers chrétiens ? Une seule façon de faire : aller voir. Ce livre propose d'explorer la patrie théologique des premiers chrétiens, ou si vous préférez, leur monde de convictions.

Ce monde, je disais, est connu et inconnu. Qui n'a pas ouï dire des miracles, de la résurrection, des paraboles, et de l'apôtre Paul, qui paraît-il n'aimait pas les femmes ? L'image que nous avons de Dieu est faite de traits accumulés : quelques paroles de Jésus gravées dans la mémoire, une émotion au souvenir d'un miracle, l'étourdissante lumière de Pâques, un savoir acquis avec Paul. Notre image de Dieu est le patchwork de notre mémoire de lecture. Mais Dieu ne sort-il pas amolli de cet effarant mélange ? C'est que le Nouveau Testament n'est pas un manuel, distillant page après page une doctrine uniforme. Il est un monde coloré, un jaillissement puissant d'images et de modes d'expression variés, bien plus audacieux que nos livres de catéchisme. Quel changement de l'évangile de Marc à l'épître aux Hébreux, des Actes des apôtres à l'Apocalypse ! Et pourtant, cette pluralité superbe des langages du Nouveau Testament dit une même conviction : la foi des premiers chrétiens. Mais quelle efflorescence des langages, quelle luxuriance, quelle immense diversité pour dire Dieu !

Voilà une seconde raison de partir maintenant : la recherche biblique en sait plus qu'avant sur la diversité des premiers chrétiens. La linguistique, la poétique, la narratologie, la rhétorique, la sociologie viennent en renfort aux outils plus classques pour ausculter le paysage multiple de leurs convictions. On sait maintenant qu'une connivence secrète lie une forme d'expression et son contenu : quelle image de Dieu transmettent les paraboles ? Et quelle image de Dieu portent au langage la prédication du jugement, ou la croix, la résurrection, les mystères de l'Apocalypse ? Le Dieu de l'Ancien est-il le Dieu du Nouveau Testament ? Ce livre invite à quitter les terres où l'on cultive les synthèses molles, les représentations de Dieu paresseusement composées, pour s'enfoncer à la découverte des convictions toniques et fortes des premiers chrétiens. N'est-ce pas le rôle de l'Écriture, finalement, de nous pousser à l'étonnement, de nous faire désapprendre ce que nous avions cru certain à propos de Dieu ?

Le voyage se structure en deux parties. La première : *Plusieurs langages pour une Parole.* On y cherchera quel Dieu la parabole de Jésus met en avant, quel Dieu est porté par les récits de miracle, par la prédication du jugement dernier, par les lectures chrétiennes de l'Écriture juive, par l'annonce de la résurrection. Il s'agira à chaque fois d'identifier le langage requis par les premiers chrétiens, qu'ils n'inventent pas, mais empruntent à leur milieu culturel et religieux. Et voici le défi pour eux : parler le langage de tous pour dire une expérience de Dieu à nulle autre pareille, acquise avec Jésus, dans une histoire de vie et de mort.

La seconde partie *(Le Dieu des uns et des autres)* n'inspecte pas les langages, mais les projets théologiques de quelques auteurs du Nouveau Testament. Le Dieu du Crucifié : pourquoi Paul ne retient-il de Jésus que sa mort ? Saint Paul et les femmes (il y a là un contentieux à régler). Inventer l'évangile pour raconter Dieu. Déployer Dieu dans l'histoire, avec les Actes d'apôtres. Dire l'espérance, avec l'Apocalypse. Chercher les liens entre l'Esprit et la parole.

On n'a pas cherché à tout dire ; on ne sillonne pas tout l'espace du Nouveau Testament. A dessein, la traversée est cavalière. Des langages et des profils théologiques ont été choisis, pour le défi qu'ils représentent, et parce que leur présence avait du poids dans le paysage du premier christianisme, sans crainte de revenir sur des sentiers battus. Le livre est organisé de telle sorte que chacun des chapitres est à peu près autonome ; le lecteur suit l'ordre proposé, ou bien il entre où il veut, il saute et il revient : c'est à choix.

Mais poussons plus profond les raisons d'entreprendre le voyage. Pourquoi revisiter cette tranche d'histoire qui fut le berceau du christianisme ? Est-ce un pèlerinage vers l'innocence chrétienne première ? un forage vers le spirituel brut, dont nous aurions quelque part la nostalgie ? L'envie de régresser vers une virginité de la foi est rarement absente de la quête historique. Mais on s'apercevra bientôt que les premiers chrétiens nous réservent autre chose qu'un paradis perdu. Ils ont déployé leur foi nouvelle dans un monde culturel éclaté, où la concurrence religieuse s'annonçait féroce : dieux romains remis au goût du jour (après un lifting orientalisant), cultes à mystère, mages et astrologues, cercles de la mouvance gnostique, Mithra et ses adorateurs masculins, Isis, Sérapis, Asclépios le dieu-médecin, et l'empereur progressivement divinisé. Cette nécessité de pénétrer un marché religieux saturé explique la vigueur, la créativité des premiers chrétiens, et leur volonté obstinée de chercher les langages adéquats à dire Dieu. Il y a, dans la société gréco-romaine du premier siècle, dans l'érosion des grandes religions officielles, dans la montée de spiritualités orientales axées sur la privatisation de la foi, dans le clivage qui s'accentue entre une bourgeoisie aisée et le prolétariat urbain, dans les résistances à une émancipation féminine, dans l'attrait des croyances sécurisantes s'offrant à endiguer la désespérance du temps — il y a, dans ces traits caractéristiques du monde gréco-romain au premier siècle, plus d'un paramètre commun à nos sociétés de fin du vingtième siècle. Dans ce pays inconnu, où nous allons, plus d'un paysage rappellera les nôtres.

L'enjeu de tels rapprochements n'est pas seulement historique, mais en dernier ressort, théologique. Il s'agit de comprendre pourquoi, contre quoi, avec quoi se forge une pensée théologique ; de quoi elle émerge. On constatera qu'en des conditions ici ou là similaires aux nôtres, et parfois très différentes, les premiers chrétiens ont déployé leurs compréhensions de Dieu et leurs choix de comportement en un foisonnement magnifique. Cette pluralité originaire, ensevelie dès la fin du second siècle sous le modèle de l'orthodoxie triomphante, va nous livrer ses charmes et son intelligence ; elle nous enseigne comment on peut, dans la diversité des théologies, se réclamer authentiquement et diversement du même Christ.

Mais qui sont les premiers chrétiens ? Comment fixer le portrait de ce premier christianisme aux contours théologiques imprécis, à la géographie discutée ? J'ai retenu pour l'appellation « premiers chrétiens » un profil classique et restrictif, désignant par là les croyants des deux premières générations chrétiennes. L'appellation couvre une période historique allant de Pâques aux années 90. Au-delà du premier siècle s'ouvre le champ des successions théologiques, et dans ce royaume des épigones, on passe de l'ordre du premier à l'ordre du second christianisme.

La première génération chrétienne, qui est la génération des apôtres, s'étend de Pâques (disons : l'an 30) à la mort des apôtres Jacques, Paul et Pierre (autour de 60). Le christianisme qui naît du mouvement de Jésus, en rapport étroit et conflictuel avec le judaïsme, connaît un essor éclaté. D'un côté, le judéochristianisme de Jérusalem, attaché au Temple, développe sous l'égide de Jacques une théologie de continuité sans faille avec Israël. D'un autre côté, un christianisme centré à Antioche, et fondé par le groupe helléniste de Jérusalem (Ac 6, 1), conduit une mission très active auprès des non-juifs ; son disciple le plus brillant est Paul de Tarse, avec qui l'Évangile passe des campagnes syro-palestiniennes aux grandes cités de l'empire romain. Par ailleurs, vraisemblablement en Syrie, une tradition se forge en référence à l'apôtre Jean.

La seconde génération chrétienne (de 60 à 90) est celle des premières synthèses. A la dualité Jérusalem-Antioche succède un triangle Rome-Éphèse-Antioche. Le christianisme attaché à Jérusalem, à la suite de la destruction du Temple et du resserrement du judaïsme sur l'orthodoxie rabbinique, s'étiole dans une progressive sectarisation. En revanche, l'occidentalisation de la chrétienté se confirme. Sur la ligne de la théologie helléniste-paulinienne, l'évangile de Marc surgit en 65, et au début des années 90, Luc-Actes. Matthieu, dix ans plus tôt, a rassemblé dans son œuvre à la fois la théologie libertaire de Marc et la prédication du jugement des prophètes charismatiques itinérants, chassés de Palestine par les convulsions de la Guerre Juive (66-73). A la fin de cette période, à Éphèse, la tradition de Jean articule à son enracinement juif des apports marqués de la spiritualité hellénistique. Toujours l'effort de synthèse. Par ailleurs, l'héritage paulinien est géré sur une trajectoire qui regroupe 2 Thessaloniciens, Colossiens-Éphésiens et les épîtres pastorales ; on entend ici des accents à la fois proches et nettement dissemblables de l'œuvre de Luc. Il sera utile de recourir aux écrits du deuxième siècle (épîtres de Clément, lettres d'Ignace, Actes apocryphes d'apôtres, Évangile de Pierre ou de Thomas), et on y recourra ici ou là, parce qu'ils concrétisent littérairement des courants présents au premier siècle, ou parce qu'ils en constituent l'aboutissement.

Voici le cadre historique posé, et aussi l'enjeu théologique de la recherche. Quelques indications pratiques pour conclure.

La substance de ce livre remonte à un cours donné dans le cadre de la Faculté de théologie de l'Université de Lausanne, durant l'hiver 1986/87, et destiné à un public large. Il en a conservé la visée, qui est de vulgariser les résultats récents de la science biblique, et de les inscrire en perspective théologique. C'est aussi pourquoi j'ai renoncé presque totalement aux notes en bas de page, ces précieux sacs à fouilles, où l'auteur entreprend de commenter son propre texte à la façon des targums juifs. Je le regrette sur un point : les notes permettent de dire sa reconnaissance aux auteurs qui vous ont éclairé, instruit ou irrité, bref, qui vous ont fait avancer. Je dis donc une fois, pour ne plus y revenir, ma dette à l'égard de la foule des chercheurs, qui comme moi scrutent l'Écriture. J'ai réservé les notes pour les cas d'urgence, soit parce qu'il fallait indiquer une référence, soit pour signaler à quel auteur j'empruntais ostensiblement quelque chose.

Quelques pages de ces textes ont paru ailleurs, sous une première version ; je le signale en note (chapitres 7, 8, 9 et 11). Le texte biblique est cité généralement selon la *Traduction Œcuménique de la Bible* (éditions du Cerf/Société biblique Française), Paris, 2e édition, 1988 ; il m'arrive de m'en écarter, et de dire pourquoi. Ma reconnaissance va à mon assistant, Marc Schoeni, pour l'aide et les conseils dans la correction des épreuves.

Et maintenant, allons-y, lecteur. Mon désir pour toi emprunte les mots de Grégoire le Grand (540-604) : *Scriptura sacra (...) aliquo modo cum legentibus crescit*[1], ce qui veut dire : l'Écriture sainte, d'une certaine manière, croît avec ceux qui la lisent. Magie de la lecture, qui fait grandir le texte, en grandissant aussi le lecteur...

Préface à la deuxième édition

Le rapide épuisement de la première édition a conduit à préparer cette deuxième édition, revue et augmentée. Un douzième chapitre s'est ajouté, comblant, dans ce panorama des théologies du Nouveau Testament, un manque que les critiques avaient (à juste titre) relevé : le quatrième évangile. La révision du texte est l'œuvre de mon assistante Emmanuelle Steffek, qui a pourchassé les coquilles typographiques incrustées ici ou là. La bibliographie a été mise à jour. Le livre est apprêté pour une deuxième lecture.

Lausanne, août 1993.

---

1. *Moralia in Job 20*, 1, 1.

PREMIÈRE PARTIE

PLUSIEURS LANGAGES POUR UNE PAROLE

Chapitre I

LE LANGAGE DU CHANGEMENT
(La parabole)

Où le lecteur commence par reconnaître ce qui fait la parabole — Jésus n'en est pas l'inventeur — Les attraits de l'allégorie — Mais quelle est la fonction de la parabole ? Une théorie de Jülicher à falsifier — Il faut distinguer comparaison et métaphore — La parabole-métaphore : une image fracturée, un pouvoir de choc — La parabole dans la stratégie de communication : sauver le dialogue — Jésus, Parabole de Dieu.

Rabbi Eliezer, un homme de la fin du premier siècle, enseignait de se convertir un jour avant sa mort. A quoi ses disciples lui ont rétorqué que l'homme ignorait le jour de sa mort. Le rabbi répondit : « A plus forte raison, qu'il se convertisse donc aujourd'hui, car peut-être il mourra demain ; et ainsi il passera tous les jours de sa vie dans la repentance. Salomon aussi a dit dans sa sagesse : "Que tes vêtements soient toujours blancs" (Qo 9, 8) ». Et Rabbi Eliezer de poursuivre en citant un grand maître du judaïsme, Yohanan ben Zakkaï, contemporain des évangélistes (il a vécu la destruction du Temple de Jérusalem en l'an 70) :

Parabole d'un roi qui invita ses serviteurs à un banquet, mais sans leur fixer un temps précis. Les sages parmi eux s'habillèrent et s'assirent à l'entrée du palais, disant : Manque-t-il quelque chose dans la maison du roi ? Les insensés parmi eux allèrent à leur travail en disant : Y a-t-il un banquet sans longue préparation ? Soudain, le roi fit appeler ses serviteurs. Les sages se présentèrent devant lui comme ils étaient, bien habillés, et les insensés comme ils étaient, sales ! Le roi se réjouit à la vue des sages et s'emporta contre les insensés. Il dit : ceux qui se sont habillés pour le banquet, qu'ils s'asseoient, qu'ils mangent et qu'ils boivent ; mais ceux qui ne se sont pas préparés pour le banquet, qu'ils restent debout et regardent ![1]

Cette parabole n'est pas de Jésus, mais elle pourrait l'être. La parenté avec la parabole du festin saute immédiatement à l'esprit (Lc 14, 15-24 ; Mt 22, 1-10). Mêmes protagonistes : un roi et ses invités, figure de la relation Dieu-hommes ; Yohanan insiste en faisant des hôtes les serviteurs. Même cadre de vie : les invitations à l'orientale et leur cérémonial. Même effet de concision narrative : l'histoire se résume aux traits indispensables à sa compréhension. Même effet de surprise, que Yohanan situe dans l'indétermination de l'heure du repas, tandis que Jésus le fixe dans le refus de tous les invités. Du point de vue du sens, il est clair que les esprits se séparent : tandis que la parabole du rabbi pointe sur la nécessité de la conversion, celle de Jésus révèle que le refus fait déchoir les justes de la grâce ; mais de part et d'autre, la parabole intrigue, la parabole amuse, la parabole crée la surprise, la parabole fait réfléchir.

Ce qui fait la parabole

Comme les rabbis, Jésus a été ce conteur dont les histoires ont intrigué, amusé, créé la surprise et fait réfléchir. Il a même raconté beaucoup d'histoires, si l'on en croit les évangiles, qui nous rapportent de lui une quarantaine de paraboles. Marc en regroupe plusieurs en son chapitre 4, Matthieu aux chapitres 13 et 24-25, Luc les dissémine au fil du récit. Ce chiffre de quarante est élevé, compte tenu de toutes celles qui se sont perdues ; encore n'ai-je pas compté les paroles-images, typiques du

---

[1] Cette parabole est rapportée par l'un des traités de la Mishna, dont on parlera plus loin, le traité Shabbat, 153a. On trouvera une traduction très légèrement différente de celle que je propose dans : *Paraboles rabbiniques*, présentées et traduites par D. de La Maisonneuve, Supplément au *Cahier Évangile* 50, Paris 1984, 39-40.

style hébraïque, dont regorgent ses propos, et qu'on regroupe sous le terme générique de *mashal* : « Gardez-vous du levain des Pharisiens » (Mc 8, 15) ; « Soyez rusés comme les serpents et candides comme les colombes » (Mt 10, 16) ; « Qu'as-tu à regarder la paille qui est dans l'œil de ton frère ? » (Lc 6, 41). Le mashal est tout à la fois la comparaison, la métaphore, le proverbe, la fable, l'allégorie et la parabole. Mais il faut distinguer : une parole-image n'est pas encore une parabole ; ce qui fait la parabole est l'image déployée en récit. La parabole développe toujours une intrigue, même courte : comment une femme prend du levain, l'enfouit dans la farine, et toute la pâte lève (Lc 13, 21) ; un personnage, une action qui s'étale dans le temps, les ingrédients sont suffisants pour composer un micro-récit.

Jésus n'est pas l'inventeur

La parabole a donc été un trait distinctif, et abondant, de la prédication de l'homme de Nazareth, mais Jésus n'était pas l'inventeur de la parabole. Il a emprunté cette pratique langagière aux enseignants de son temps, qui étaient les scribes. Sur ce point, comme sur bien d'autres, Jésus s'inscrit dans leur héritage.

Mais avant d'aller plus loin dans la comparaison se pose une question d'information, qui divise actuellement les spécialistes : que savons-nous au juste de la catéchèse synagogale au temps de Jésus ? Malheureusement, nous ne disposons d'aucune attestation directe, et pour tout dire, les citations des rabbins antérieurs à la catastrophe de l'an 70 sont rares. La parabole de Yohanan ben Zakkaï nous est connue par le traité Shabbat, l'un des 63 (originellement 60) que compte la Mishna, cette anthologie de l'exégèse rabbinique de la Torah, achevée à la fin du second siècle par Rabbi Yehuda Ha-Nasi. Deux siècles d'écart entre le temps de Jésus et la fixation littéraire de la Mishna... la distance chronologique est forte, surtout si l'on sait que moins de quarante ans séparent la mort de Jésus des premières consignations écrites de ses paraboles (Lc 13, 18-27 ; Mc 4, 1-9. 14-20. 26-32). Quant aux commentaires rabbiniques des Écritures, les *midrashim*, ils n'offrent qu'un écho différé de l'enseignement des anciens maîtres, puisqu'ils datent au plus tôt du IVᵉ siècle.

D'un autre côté, il faut compter avec la stabilité de la tradition rabbinique et la fiabilité de la transmission orale, et de plus, selon une opinion souvent citée[2], le travail de Rabbi Yehuda s'appuyait sur une chaîne faite des compilations antérieures de Rabbi Méir, lui-même dépendant de son maître Aqiba (mort vers 135).

Que conclure de ces indications contradictoires ? La réponse ne peut être que nuancée, à mon avis, et révisable. A défaut de nous documenter valablement sur la pratique des scribes des années 30, l'âge de la littérature rabbinique autorise à comparer deux filières traditionnelles qui se côtoient au premier siècle : la transmission des paraboles de Jésus chez les premiers chrétiens et, dans l'académie rabbinique, la mémoire de l'enseignement des maîtres. L'une et l'autre luttent contre l'altération, ou pire, contre l'oubli de leur trésor de paroles. La comparaison de ces deux faits de tradition se situe bien dans le registre historique qui est le nôtre, à savoir la gestion de l'héritage de Jésus.

Comme les rabbis, et à leur modèle, Jésus a puisé la matière de ses paraboles dans la vie quotidienne ; mais il l'a fait encore plus délibérément. Alors que la parabole rabbinique évolue dans une gamme stéréotypée de personnages-clefs (le roi et ses sujets, le roi et son fils, le maître et les serviteurs), les paraboles de Jésus élargissent le champ et mettent en scène une foule de figures plus populaires : un semeur dans son champ, des pêcheurs sur le rivage, une femme à son pétrin, un père et son fils, un contremaître et des ouvriers, un berger qui perd une brebis. Il y a là, nous y reviendrons, un choix de dire Dieu par des histoires qui, ensemble, recomposent le monde quotidien des auditeurs. En l'occurrence, ce monde correspond à une société rurale de petite et moyenne propriété.

---

[2] Traité Sanhédrin 86a.

Les attraits de l'allégorie

La parabole de Yohanan ben Zakkaï et celle de Jésus ont un autre point de ressemblance : elle ne sont pas des allégories. On dit allégorie un récit dont chaque élément réclame, pour lui-même, une transposition sur un plan non figuré. Les évangiles opèrent cette transcription point par point pour la parabole du semeur.

> Écoutez. Voici que le semeur est sorti pour semer. Or, comme il semait, du grain est tombé au bord du chemin ; les oiseaux sont venus et ont tout mangé. Il en est aussi tombé dans un endroit pierreux, où il n'y avait pas beaucoup de terre ; il a aussitôt levé parce qu'il n'avait pas de terre en profondeur ; quand le soleil fut monté, il a été brûlé et, faute de racines, il a séché. Il en est aussi tombé dans les épines ; les épines ont monté, elles l'ont étouffé, et il n'a pas donné de fruit. D'autres grains sont tombés dans la bonne terre et, montant et se développant, ils donnaient du fruit, et ils ont rapporté trente pour un, soixante pour un, cent pour un. » Et Jésus disait : « Qui a des oreilles pour entendre, qu'il entende ! » (Mc 4, 3-9)

On lit un peu plus loin dans l'évangile de Marc (4, 14-20) qu'à la demande des disciples, Jésus « explique » la parabole : la semence signifie la Parole, les différents types de terrains représentent des catégories de croyants, les oiseaux picoreurs sont figure de Satan, etc. Cette « explication » correspond à *une* lecture allégorique (d'autres seraient possibles) d'un récit qui était, à l'origine, une parabole. Or, une parabole est à comprendre comme un tout, c'est son intrigue qui parle comme telle, et l'intrigue est faite ici d'une rafale d'échecs préludant à la richesse d'une moisson. En revanche, l'allégorie démembre le récit pour doter chacun de ses composants d'une signification. L'allégorie a ses attraits : elle permet de guider la compréhension d'une parabole, disons plutôt de la dicter, en appliquant l'histoire à une situation donnée. Les premiers chrétiens ont adopté les règles du déchiffrement allégorique, en plus de la parabole du semeur, pour l'ivraie dans le champ (Mt 13, 24-30. 36-43) et pour le filet (Mt 13, 47-48. 49-50). A chaque fois, la parabole de Jésus est appliquée à un problème devenu aigu pour la première chrétienté : pourquoi la défection de certains croyants ? pourquoi la coexistence dans l'Église de justes et de méchants ? et comment intervenir ? Cette procédure d'actualisation d'une parole de Jésus dans le contexte de l'Église primitive a affecté plus ou moins la relecture de toutes les paraboles ; leur texte porte les traces, soit des préoccupations éthiques des premiers chrétiens, soit de l'installation dans une histoire où le retour du Seigneur n'est plus attendu pour bientôt (le temps s'allonge : Mt 25, 19). Dans les trois cas d'allégorisation qui nous intéressent, l'allégorie vient exorciser les rêves de pureté de la communauté, et explique l'ambiguïté de l'Église par le combat que s'y livrent Dieu et Satan.

Mais quelle est la fonction de la parabole ?

Voilà le mot lâché : l'allégorie explique. L'allégorie démontre. Elle enseigne. Mais le but de la parabole est-il d'enseigner ? Quelle est au vrai la fonction de la parabole ? La question est aiguisée par l'abondance des paraboles évangéliques. Les rabbins ont certainement prononcé bien plus de paraboles que n'en a retenues le Talmud. On dit de Rabbi Méir qu'il savait 300 paraboles animales[3] ; or le Talmud en rapporte quelques dizaines, ce qui donne à réfléchir : la tradition juive a retenu la parabole comme une forme d'expression des rabbins, mais une forme accessoire, tandis que la tradition chrétienne la restitue comme une pratique privilégiée de Jésus. Quel effet les premiers chrétiens ont-il reconnu aux paraboles de Jésus, qui a conduit à les conserver en profusion ?

Repartons des rabbins. La parabole a chez eux une visée nettement didactique ; elle est sertie dans un enseignement qu'elle vient illustrer, et cet enseignement consiste à commenter l'Écriture. On l'a vu à propos de Rabbi Yohanan ben Zakkaï, dont la parabole de l'invitation au festin commente une parole de Qoheleth. Les rabbins usent donc de la parabole comme d'une forme d'exégèse narrative, dans l'intention de faciliter l'assimilation de leur enseignement. Le *Cantique Rabba* dit joliment

---

[3] Traité Sanhédrin 35a (Talmud babylonien).

cette fonction utilitaire de la parabole : « Nos maîtres ont dit : Que le mashal ne soit pas une petite chose à tes yeux, parce que, grâce à lui, l'homme peut comprendre les paroles de la Torah. Parabole d'un roi qui, dans sa maison, a perdu une pièce d'or ou une pierre précieuse. Ne la cherche-t-il pas avec une mèche qui ne vaut pas plus d'un sou ? Ainsi le mashal ne doit pas être une petite chose à tes yeux, parce que, grâce à lui, on peut pénétrer les paroles de la Torah » (I, 7-8). La parabole est comme une mèche, dont la lueur fait retrouver des merveilles ! Belle expression. La parabole participe de la sorte au grand dessein rabbinique, qui est de mettre la Torah à la portée de tous ; sa simplicité parle aux simples.

Les érudits juifs du Talmud pensent que la parabole, au premier siècle, n'était pas nécessairement congénitale à l'interprétation de la Torah, et que le rattachement systématique à une citation scripturaire pourrait être un fait tardif de tradition. Ils ont peut-être raison, mais il est symptomatique que jamais les premiers chrétiens n'ont mis une parabole de Jésus en regard d'une citation d'Écriture ; Jésus ne l'avait donc pas fait lui-même. Mais si la parabole évangélique n'est pas intégrée au commentaire de la Loi, dans quel contexte trouve-t-elle sa place ?

La réponse classique, popularisée au début du siècle par l'exégète allemand Adolf Jülicher, puise son inspiration dans la rhétorique ancienne[4] : la parabole de Jésus n'est-elle pas ce procédé didactique vieux comme le monde et décrit par Aristote, à savoir une comparaison, qui fait comprendre par une histoire simple une réalité complexe ? Ou mieux : la parabole fait saisir par le concret une entité abstraite, qui est le Règne de Dieu. Son contexte est la prédication eschatologique de Jésus. Voyez la parabole du semeur (Mc 4) : le contraste entre la série impressionnante d'échecs et la riche mission doit faire comprendre le Royaume proche, qui viendra dans la splendeur, mais que l'on perçoit aujourd'hui dans le registre de l'échec, de la fragilité et des petits commencements. La parabole est ainsi per-

---

[4] A. JÜLICHER, *Die Gleichnisreden Jesu I-II*, 1888-1899, rééd. Darmstadt 1976. Le cadre de pensée adopté par cet auteur est la Rhétorique d'Aristote, et le modèle de la parabole est fourni par la fable d'Ésope.

çue comme une comparaison, et la comparaison procède d'un transfert d'évidence, allant du signifiant (semailles et moisson) au signifié (disons : le Royaume). L'évidence acquise au niveau agricole (on semait ainsi, à la volée, sur le sol pierreux de Palestine) est transférée par voie d'analogie sur le plan de l'abstraction théologique. Jésus apparaît dans la foulée comme ce bon pédagogue, attentif au niveau de son auditoire, ce brillant causeur habile à faire saisir aux simples les arcanes de la théologie.

Une incompréhensible bévue des disciples ?

Jésus fut sans doute un bon pédagogue, mais pour d'autres raisons. A examiner de près cette compréhension classique de la parabole, on est en effet surpris d'une chose : l'absence de formule introductive pour la plupart des paraboles. Je m'explique. Une comparaison, pour fonctionner, requiert par définition deux éléments qu'elle juxtapose : le signifiant (l'image) et le signifié (le Royaume). Dans la comparaison, le signifiant n'est qu'une béquille pour accéder au signifié, qui seul compte. Or curieusement, la majorité des paraboles du Nouveau Testament manque de cette introduction qui nomme le signifié. L'histoire commence à nu : « Voici, le semeur sortit pour semer » (Mc 4, 3), « Un homme descendait de Jérusalem à Jéricho » (Lc 10, 30), « Lequel d'entre vous, s'il a cent brebis et qu'il en perde une... ? » (Lc 15, 4). Quelle réalité vise l'image ? La parabole, justement, ne le dit pas. Ici ou là, notamment dans le premier évangile, surgit la formule « Le Royaume des cieux est semblable à... » ; mais cette formule affecte un quart des paraboles seulement (11 sur 40), et sa multiplication dans l'évangile de Matthieu dénote le goût de cet évangéliste pour les clauses stéréotypées. Une analyse serrée montre que seules cinq paraboles portaient originellement une introduction nommant le Royaume : le grain de moutarde (Mc 4, 30-32), le levain (Mt 13, 33), la semence qui pousse d'elle-même (Mc 4, 26-29), le trésor et la perle (Mt 13, 44-46). Autrement dit : la plus grande part des paraboles évangéliques a été transmise dépourvue d'introduction.

Il serait tout de même fâcheux que l'élément décisif d'une comparaison, ce vers quoi elle tend, ce qui la légitime, se soit ainsi perdu ! Par quelle bévue ? Faut-il imaginer que les auditeurs de Jésus, en mauvais élèves mémorisant le problème et non la solution, auraient retenu le signifiant et oublié le signifié ? et que Matthieu ou sa tradition auraient suppléé à cette lacune coupable en rétablissant le signifié perdu ? Scénario invraisemblable. La théorie de Jülicher accréditerait plutôt le processus inverse, c'est-à-dire la mémorisation du signifié et l'abandon de l'image, comme on se débarrasse d'un ustensile usagé.

Ou alors, il faut abandonner cette théorie, et penser qu'à l'exception des cinq signalées tout à l'heure, les paraboles de Jésus n'étaient pas des comparaisons et ne nécessitaient pas de formule qui les surplombe. C'est la conclusion à laquelle sont parvenus des théologiens américains du nom de Amos Wilder, Robert Funk, Dan Via et John Dominic Crossan. Leur mérite consiste à aborder la parabole non plus à partir de la rhétorique, mais à partir de la poétique, et sous la conduite du philosophe français Paul Ricœur, ils voient dans la parabole une métaphore et non plus une comparaison. Une métaphore élargie en récit. Or, la métaphore signifie plus et autrement que la comparaison.

Il faut distinguer comparaison et métaphore

Quelle différence entre comparaison et métaphore ? Disons, pour faire court, que la comparaison juxtapose deux réalités : « Soyez rusés *comme* les serpents » (Mt 10, 16). La métaphore enjambe la comparaison et procède par voie de substitution : « Ne jetez pas de perles aux *pourceaux* » (Mt 7, 6). Alors que la rhétorique tient la métaphore pour une forme inappropriée de langage (au sens strict, les hommes impurs dont il est parlé ne sont pas des pourceaux), la poétique est sensible, justement, à cette tension que crée la métaphore dans le discours. Il y a dissonance en effet entre le sens propre du terme et le sens figuré que l'auteur lui assigne ; elle apparaît quand Jésus accuse les Pharisiens de « *dévorer* les biens des veuves » (Mc 12, 40). En même temps, à la différence de la comparaison qui explique, la métaphore dispose d'un pouvoir de choc qui agit sur l'imagination, parce qu'elle transmet immédiatement le signifié en s'épargnant le détour de la comparaison. En marge des métaphores courantes que charrie le langage, la poétique s'intéresse aux actes langagiers créateurs de métaphores nouvelles, qu'on appellera avec Ricœur des métaphores vives. La parabole est un de ces actes de langage.

Nous avons appris jusque-là trois caractéristiques de la métaphore : 1) qu'elle ne fonctionne pas par analogie, mais par dissonance ; 2) qu'elle dispose d'un pouvoir de choc qui stimule l'imaginaire ; 3) qu'elle n'argumente pas, mais procède souverainement par substitution. Reprenons ces trois traits pour les appliquer à la parabole.

La parabole vit d'une fissure

La parabole est un langage voilé, qui parle de Dieu, mais sans le nommer. Comment ? L'histoire restitue le cadre banal et quotidien de la vie : un patron embauche dans sa vigne, un semeur sème, un riche organise un festin. Or, dans ce cadra banal, la parabole introduit de l'insolite, du bizarre : les embauchés de la onzième heure sont payés autant que les premiers ; les échecs de la semence sont immensément nombreux ; sous des prétextes divers, tous les invités au festin se récusent au dernier moment. Dans cet écart, dans ce déplacement de perspective entre le quotidien et l'insolite, on perçoit à l'œuvre la dissonance métaphorique ; sa perception est d'ailleurs facilitée au lecteur par les traits extravagants du récit. La parabole vit de cette fissure aménagée entre l'histoire quotidienne et une histoire possible.

Je prends l'exemple de la parabole dite des ouvriers de la onzième heure, qu'on nommera plus justement la parabole du salaire égal (Mt 20, 1-16) :

> Le Royaume des cieux est comparable à un maître de maison qui sortit de grand matin, afin d'embaucher des ouvriers pour sa vigne. Il convint avec les ouvriers d'une pièce d'argent pour la journée et les envoya à sa vigne.
> Sorti vers la troisième heure, il en vit d'autres qui se tenaient sur la place, sans travail, et il leur dit : « Allez, vous aussi, à ma vigne, et je vous donnerai ce qui est juste. » Ils y allèrent.
> Sorti de nouveau vers la sixième heure, puis vers la neuvième,

il fit de même. Vers la onzième heure, il sortit encore, en trouva d'autres qui se tenaient là et leur dit : « Pourquoi êtes-vous restés là tout le jour, sans travail ? » « C'est que, lui disent-ils, personne ne nous a embauchés ». Il leur dit : « Allez, vous aussi, à ma vigne. » Le soir venu, le maître de la vigne dit à son intendant : « Appelle les ouvriers, et remets à chacun son salaire, en commençant par les derniers pour finir par les premiers. » Ceux de la onzième heure vinrent donc et reçurent chacun une pièce d'argent. Les premiers, venant à leur tour, pensèrent qu'ils allaient recevoir davantage ; mais ils reçurent, eux aussi, chacun une pièce d'argent. En la recevant, ils murmuraient contre le maître de maison : « Ces derniers venus, disaient-ils, n'ont travaillé qu'une heure, et tu les traites comme nous, qui avons supporté le poids du jour et la grosse chaleur. » Mais il répliqua à l'un d'eux : « Mon ami, je ne te fais pas de tort ; n'es-tu pas convenu avec moi d'une pièce d'argent ? Emporte ce qui est à toi et va-t-en. Je veux donner à ce dernier autant qu'à toi. Ne m'est-il pas permis de faire ce que je veux de mon bien ? Ou alors ton œil est-il mauvais parce que je suis bon ? »

Ainsi les derniers seront premiers, et les premiers seront derniers.

Il y a extravagance dans ce récit, qui tient à l'embauche fortement répétée : le patron engage à la première heure, puis à la troisième, à la sixième, à la neuvième heure, et enfin à la onzième, une heure avant le coucher du soleil ! Mais ce trait en cache un autre, l'effet de surprise, que le narrateur ménage finement en taisant dès la troisième heure les clauses de l'engagement des travailleurs ; le lecteur, apprenant qu'il sera versé « ce qui est juste » (v. 4), conclut implicitement à un salaire moindre. Or, au moment du règlement des comptes, la parabole le fait assister à une collision entre le monde quotidien, régi par une justice rétributive qui rend à chacun selon ses performances, et une autre manière de régler les rapports humains, où la gratuité de l'amour fait voler en éclats la logique rétributive. Ce monde nouveau, proposé comme un monde possible, n'est pas une chimère ; il ne flotte pas dans un au-delà mythique ; c'est le monde quotidien recomposé par la parabole, comme transfiguré par elle. Dan Via dit : « La parabole est une fenêtre, par laquelle nous pouvons regarder à neuf le monde[5]. » L'insistance marquée par Jésus à mettre en scène la vie quotidienne, plus que les rabbins, peut être réévaluée à partir de là, mais théologiquement : le monde quotidien est choisi parce qu'il est le théâtre de l'action de Dieu. La parabole ne dit pas le Royaume de Dieu comme l'utopie des apocalypses — qui, elles, préfèrent l'allégorie, champ ouvert à toutes les spéculations ; elle dit le Royaume comme un nouveau regard porté sur la réalité — et qui la change.

L'image fracturée

Dans les catégories forgées par l'école de Palo Alto en pragmatique de la communication, les paraboles correspondent à un langage de changement[6]. Paul Watzlawick qualifie ainsi un discours qui vise à persuader l'interlocuteur en changeant son système de valeurs, par re-cadrage de la réalité, alors que le discours le plus fréquent cherche le changement sans toucher au mode de penser ; il le renforce plutôt. Le re-cadrage consiste à briser l'image que l'autre se fait de la réalité, et, investissant la réalité d'un sens nouveau, à modifier le rapport entretenu avec elle. Pour les ouvriers de la première heure, la bonté du maître vient fracturer l'image d'un monde régi par un système rétributif sans faille.

Quel langage est approprié à promouvoir un tel changement ? Watzlawick note qu'il doit être plus émotionnel qu'argumentatif, ou si l'on veut, qu'un langage de type analogique (englobant l'affectif) s'avère plus performant qu'un langage de

---

[5] D.O. VIA, *The Parables*. Their Literary and Existential Dimension, Philadelphia 2e éd., 1974, p. 88.

[6] Je renvoie le lecteur, pour un exposé théorique sur la pragmatique de la communication selon l'école de Palo Alto, à P. WATZLAWICK, J.H. BEAVIN, DON D. JACKSON, *Une logique de la communication,* Points 102, Paris 1972. Pour l'application : P. WATZLAWICK, J. WEAKLAND, R. FISCH, *Changements. Paradoxes et psychothérapie,* Points 130, Paris 1975 ; P. WATZLAWICK, *Le langage du changement.* Éléments de communication thérapeutique, Points 186, Paris 1980. J'ai proposé l'application de la pragmatique de la communication à un texte paulinien dans un article : « 2 Corinthiens 10-13 : Paul et l'expérience de Dieu », *Études théologiques et religieuses*, 63, 1988, p. 497-519.

type digital (purement informatif) ; l'aphorisme, la plaisanterie et la métaphore entrent dans cette définition. La tension métaphorique, par la concurrence qu'elle installe à l'intérieur de la parabole entre deux regards sur le monde, devient le ressort d'un langage de changement. Fracturant l'image d'un monde ancien, elle fait éclore un monde nouveau, créateur de nouveaux possibles et d'alternatives insoupçonnées. La parabole du festin fait surgir l'inouïe liberté de Dieu ; la parabole du semeur instaure la possibilité d'espérer ; la parabole du salaire égal bouscule la justice comptable par l'événement de l'amour.

Un pouvoir de choc

D'où vient cette autorité de la parabole-métaphore à mettre en crise l'image quotidienne du monde ? Où s'origine ce pouvoir de faire changer ? Loin d'être une maxime universelle, pour tout dire un *mashal*, la parabole porte au langage un événement dont Jésus se savait participant : la proximité du Règne ; c'est la présence du Dieu proche, ressentie intensément par Jésus, qui génère et autorise la mise en jugement du quotidien. Mais il faut aller plus loin : la parabole n'est pas un langage *sur* le Royaume, elle est le langage *du* Royaume. Elle ne vient pas meubler notre esprit d'arguments inédits, nous faisant bénéficier, comme le ferait une comparaison, d'un surplus de connaissance. La parabole crée une tension entre le quotidien et le Royaume de Dieu, et de cette tension naît le présent, avec sa charge de changements possibles. Elle instaure le Royaume au moment même où elle le dévoile, déployant un espace qui pose les conditions d'un authentique changement.

Pour comprendre ce phénomène, les linguistes nous viennent en aide, avec leur distinction entre la parole constative et la parole performative[7]. Je peux constater que « cette fenêtre est fermée » ; mais « je vous demande de fermer la fenêtre » est une parole performative, qui ne fait pas que dire, mais installe

---

[7] La mise en évidence de la fonction performative du langage remonte à J.-L. Austin, *Quand dire, c'est faire*, Paris 1970.

mon interlocuteur dans une situation nouvelle, créée par ma demande, à laquelle il est contraint d'obtempérer ou de résister. L'auditeur de la parabole est placé devant semblable alternative : ou bien comprendre la parabole, et c'est acquiescer à ce nouveau regard par lequel l'histoire recompose sa réalité, ou bien rejeter la parabole, et se fermer au Règne de Dieu. Les paraboles sont ainsi « des événements de langage où l'auditeur doit *choisir entre des mondes*. S'il choisit le monde parabolique, il est invité à s'engager dans la concrétisation de la réalité prescrite dans la parabole, et à s'aventurer dans l'avenir, sans point de repère mais sous l'autorité de la parabole ». Cette citation de Robert Funk décrit avec bonheur le pouvoir de choc de la parabole et son effet[8].

La parabole est le langage qui convient au Royaume. Ni Jésus, ni les premiers chrétiens n'ont usé d'une autre forme de discours pour le décrire. Car le Royaume advient comme la parabole, voilé, énigmatique, mobilisateur, comme un mystère à percer, comme un dérangement à accueillir, comme une liberté à saisir.

Le dialogue à sauver

Nous avions relevé une troisième caractéristique de la métaphore : elle n'argumente pas. La parabole s'inscrit dans une stratégie de communication, et mieux que le langage discursif, elle a la faculté de surmonter les impasses du dialogue.

L'incident intervenu chez Simon le Pharisien éclaire bien cette potentialité (Lc 7, 36-50). Au grand scandale de Simon, une femme, pécheresse, pénètre dans la salle du repas, baigne les pieds de Jésus de parfum et de larmes, qu'elle essuie de ses cheveux. L'exégèse de l'Église ancienne s'est empressée d'attribuer à cette femme un délit sexuel, mais elle pouvait tout aussi bien être femme de berger ou estropiée, incapable dès lors de respecter les règles strictes du code de pureté. Quoi qu'il en soit, Simon est choqué, car la femme rompt la séparation du pur

---

[8] R.W. FUNK, *Language, Hermeneutic, and Word of God*. The Problem of Language in the New Testament and Contemporary Theology, New York 1966, p. 138.

et de l'impur. L'immensité du geste de la femme se réduit dans sa pensée à un délit : « elle le touche » (7, 39, avec les séquelles de contamination possible pour lui et pour ses convives. Que fait Jésus ? Il n'argumente pas sur la question des rites de pureté ; la dialectique pharisienne qui lui aurait été opposée ne lui laissait aucune chance ! Jésus ne plaide pas non plus la tolérance ; ce serait noyer le poisson. Il raconte une histoire de créancier et de débiteurs, apparemment sans lien aucun avec le conflit qui se noue :

> Un créancier avait deux débiteurs ; l'un lui devait cinq cents pièces d'argent, l'autre cinquante. Comme ils n'avaient pas de quoi rembourser, il fit grâce de leur dette à tous les deux. Lequel des deux l'aimera le plus ? Simon répondit : « Je pense que c'est celui auquel il a fait grâce de la plus grande dette. » Jésus lui dit : « Tu as bien jugé. » (Lc 7, 41-43)

Par sa réponse, Simon est entré dans le jeu de la parabole ! Il faut dire que le thème était bien choisi : c'est un honneur pour un Pharisien de n'avoir pas de dette d'argent. Il s'est tissé entre Jésus et lui un accord, presque une connivence. L'effet de la parabole se mesure dans le transfert du récit fictif à la situation présente, où il s'avère que le récit, apparemment étranger, avait au contraire tout à voir avec l'affaire en cause. Les gestes de cette femme, explique Jésus, sont les manifestations d'amour que le Pharisien n'a pas eues à son égard ; Dieu donne à cet amour le nom de pardon, et à sa liberté le nom de foi : « Ta foi t'a sauvée, va en paix. »

Notez la performance : évitant le blocage sur le conflit d'opinion, Jésus a retourné le regard de Simon sur la situation ; le comportement de la femme n'est plus considéré comme une transgression du code de pureté, mais comme l'attestation du pardon reçu de Dieu. Subtile démarche : par le détour de la parabole, Jésus a posé sa foi en un Dieu qui fait primer l'amour sur la peur.

On retrouve ici les trois particularités de la parabole-métaphore que nous venons de décrire. L'histoire des deux débiteurs a fonctionné comme un langage de changement, déconstruisant, au nom de l'amour, une vision du réel structurée par la défense de sa propre pureté. En second lieu, la parabole a joué comme un énoncé performatif ; l'événement de parole a placé Simon devant une alternative incontournable : ou bien maintenir les prescriptions de pureté et douter du pardon de Dieu, ou bien consentir à ce pardon et mettre en cause la Torah cérémonielle. La parabole n'a pas communiqué à Simon un savoir sur le Royaume, mais lui a ouvert la possibilité d'y entrer dans l'instant. Enfin, par le truchement de la fiction narrative — ou disons-le plus simplement, par le côté charmeur du récit — Jésus a renoué un dialogue menacé de se figer.

Cette inscription de la parabole dans un dialogue — selon toute probabilité, une construction des évangélistes — revient à trois reprises : la parabole du Samaritain relève d'un dialogue avec un légiste (Lc 10, 25-37) ; l'histoire des deux fils (Mt 21, 28-32) comme celle des métayers révoltés (Mt 21, 33-41) sert à débattre avec les autorités religieuses. Le modèle vient de l'Ancien Testament, où le prophète Natan présente à David, en vue de le convaincre de sa faute, le cas exemplaire du pauvre spolié par le riche (2 S 12, 1-15). On se rend compte que le fonctionnement de la parabole ne correspond pas exactement, selon ce modèle, à la tension métaphorique que nous avons décrite. La surprise n'est pas orchestrée à l'intérieur du récit ; il va de soi en Luc 7 que le gros débiteur sera plus reconnaissant que le petit, et le même statut d'évidence vaut pour les cinq paraboles dont nous avons dit qu'elles étaient originellement pourvues d'une introduction nommant le Royaume (Mc 4, 26-32 ; Mt 13, 33. 44-46). La surprise survient, non pas générée par le récit comme tel, mais par son application à la situation.

Jésus, Parabole de Dieu

Le Dieu des paraboles. Il induit un nouveau regard sur le monde, ou plus modestement sur une portion du monde, et cette parole intrigue ; elle est faite aussi pour amuser. Mais justement, par la magie de l'histoire racontée, qui amuse et intrigue, le Dieu des paraboles renoue avec l'homme un dialogue qui se rompait ; et sa parole, pour ceux qui comprennent, est un choc.

En confessant que « Jésus est le Christ », les premiers chrétiens acquiesçaient à ce Dieu-là. Ils confessaient aussi que Jésus était par excellence la « Parabole de Dieu »[9], car l'appeler Christ, c'est dire qu'en lui s'est manifestée, proche et cachée, la présence transformante de Dieu.

---

[9] J.D. CROSSAN, *In Parables*. The Challenge of the Historical Jesus, New York 1973, p. XIV : « Jesus proclaimed God in parables but the primitive church proclaimed Jesus as the Parable of God. »

Chapitre 2

UNE PROTESTATION CONTRE LE MAL
(Le récit de miracle)

Où l'on distingue cinq catégories de miracles — Le Dieu des miracles : il ouvre des possibles, il s'émeut, il est présent au corps de l'homme — Bultmann et Theissen : la forme littéraire du récit de miracle dans l'antiquité — Langage religieux et offre d'espoir — Quelle originalité aux miracles de Jésus ? Contre la résignation, la mémoire des miracles.

La parabole est un langage, qui donne à voir un Dieu innomé. Peut-on en dire autant du récit de miracle ? Les miracles de Jésus sont-ils un langage, et pour dire quoi ? La question, à mon avis, est à prendre en deux temps. Tout d'abord : les gestes parlent ; et les gestes thérapeutiques de Jésus sont singulièrement parlants : quel Dieu donnent-ils à voir ? Mais cette interrogation en cache une autre, qui a trait à l'événement même du dire. Les premiers chrétiens ont raconté les miracles de Jésus, et nous continuons après eux ; pourquoi l'ont-ils fait ? Ils ont même beaucoup raconté ; les évangiles fourmillent de prodiges et d'allusions à la pratique thérapeutique de Jésus ; dans quelle intention ? Nous verrons que le récit de miracle est un langage religieux connu de l'antiquité, et qu'il est porteur d'une ambition bien plus forte que de rappeler un fait merveilleux du passé ; ce langage vit de protester contre le mal.

Cinq catégories à distinguer

Que racontent les récits de miracle ? Souvent, une guérison : un aveugle peut voir à nouveau (Mc 8, 22-26 ; 10, 46-52) ; un paralysé se lève de sa civière (Mc 2, 1-12) ; dix lépreux sont purifiés (Lc 17, 11-19) ; même la vie éteinte peut être ranimée (Mc 5, 21-43). Ces miracles de guérison sont les plus nombreux, mais on rencontre à côté d'eux quatre autres catégories : l'exorcisme, l'instauration de norme, l'acte de délivrance et le miracle de générosité. En exorciste, Jésus affronte le démon qui s'est emparé d'une personne, le soumet malgré ses protestations (Mc 1, 24 ; 5, 7) et l'expulse, rendant l'homme à lui-même. Face aux normes : les évangiles présentent Jésus transgressant la règle du sabbat, pour délivrer de son mal un homme paralysé (Mc 2, 1-12) ou une femme courbée (Lc 13, 10-17) ; la visée n'est jamais de mettre en pièces le repos sabbatique, comme s'il était mauvais par lui-même, mais, par ce geste provocateur, de poser la supériorité de l'amour sur la Loi : « *c'est la miséricorde que je veux, non le sacrifice* » (Mt 9, 13 et 12, 7 citant Osée 6, 6). Les deux derniers types de miracle étaient autrefois groupés sous l'appellation imprécise de « miracles de la nature » (mais tous les miracles ne touchent-ils pas la nature ?) : les actes de délivrance, sur le lac, où éclate la terreur des disciples (Mt 8, 23-27), et les miracles de générosité (le rassasiement des foules ou les noces de Cana : Mc 6, 30-44 ; Jn 2, 1-11).

Le Dieu qui ouvre des possibles

Qu'ils soient guérison, exorcisme, délivrance, acte de générosité ou instauration de norme, les miracles ont un point commun : à chaque fois, une limite qui enferme l'individu dans une situation d'impuissance est levée par Jésus. Limite physique, psychologique ou économique. Et c'est ici le merveilleux du miracle : qu'une femme ou un homme, acculés à une limite, enfermés dans une impasse faite de maladie, de pauvreté, de disette ou de peur, puissent être délivrés de cette limite par l'intervention puissante de Dieu. La merveille, dans le miracle, ne tient pas à une dimension spectaculaire — tout compte fait, les miracles de Jésus le sont assez peu ; la merveille est que Dieu vient créer du possible, là où l'humain ne voit pas d'issue et ne peut rien. Le miracle dit en geste ce que la parabole dit en mot.

Les entrailles de Jésus

Pourquoi Jésus accomplissait-il des miracles ? Quel facteur déclenchait chez lui le geste qui sauve ? La tradition évangélique, qui s'est bien gardée de se livrer à la psychologie de Jésus, est avare de renseignements à ce sujet. Ici ou là transperce néanmoins la réflexion des premiers chrétiens. Ainsi, quand Matthieu conclut sa séquence des chapitres 8 et 9 consacrée aux miracles de Jésus : « *Voyant les foules, il fut pris de pitié pour elles, parce qu'elles étaient harassées et prostrées comme des brebis qui n'ont pas de berger* » (9, 36). En grec, le terme utilisé pour dire « pris de pitié » est un verbe barbare à prononcer, et qui se rapporte aux entrailles : *splagchnizesthai*. Il vaudrait mieux traduire que Jésus fut « pris aux entrailles » à la vue de la foule. Ce verbe est d'ailleurs présent dans quelques récits de miracle : devant le lépreux (Mc 1, 41), devant la foule affamée (Mc 6, 34 ; 8, 2), devant deux aveugles (Mt 20, 34) ou la veuve de Naïn (Lc 7, 13), Jésus est pris aux entrailles. Le miracle intervient quand il se laisse traverser par la compassion de Dieu, bouleverser par le malheur d'une femme ou d'un homme mutilés dans leur humanité. Jésus se fait alors l'instrument d'un Dieu qui s'émeut de voir sa créature diminuée par le malheur.

Dieu présent au corps

Le compte a été fait : dans ses dix premiers chapitres, c'est-à-dire jusqu'à la Passion, l'évangile de Marc est composé à 40 % de récits de miracle. Supprimez les miracles, il reste de cet évangile un tissu de paroles et quelques gestes provocateurs. Le « Dieu qui ouvre des possibles » et le « Dieu qui s'émeut » pourraient se dire autrement, l'un par les paraboles, l'autre par les gestes d'accueil de Jésus. Mais il manquerait le Dieu présent au corps de l'homme et de la femme, présent à leur destinée concrète et historique. La tradition des miracles vient barrer la route à toute réduction du christianisme à une croyance ou à un code de morale ; il y va, dans les gestes thérapeutiques de Jésus, de la destinée de tout l'homme, de son corps, de ses relations, de son être social et économique.

Il y va de tout l'homme, dans les miracles. La raison est simple : lorsque la Bible parle du corps, elle dit la personne tout entière. Sur ce point, le Nouveau Testament reçoit l'héritage de l'Ancien : le corps n'est pas perçu à la manière des Grecs, comme l'enveloppe matérielle de l'esprit, coquille à mépriser ou à idolâtrer. Pour les croyants d'Israël comme pour les premiers chrétiens, l'humain n'*a* pas un corps. Il *est* un corps. Le corps est le mode de présence, à autrui et à Dieu. Par le corps, je suis. Sans corps, je n'existe pas. Le corps est le lieu du « moi », et par le corps l'humain se taille une présence dans le monde. C'est pourquoi la tradition juive, et à sa suite le Nouveau Testament, n'imagineront pas une résurrection sans corps ; à vie nouvelle, corps nouveau, forcément. Israël a ainsi légué au christianisme une conscience de la corporéité de l'existence humaine, qui se concrétise en hébreu par la réquisition du vocabulaire corporel pour dire les sentiments ; sous la plume des auteurs du Nouveau Testament également, le cœur est le siège de la délibération (et non des sentiments), les sentiments se logent au niveau des entrailles, tandis que l'esprit est le lieu du dialogue avec Dieu. Longtemps reléguée au rang des croyances primitives, cette conscience que le corps est à la fois le théâtre de l'existence et la mémoire de l'histoire personnelle ne fait plus sourire aujourd'hui que les ignorants.

Lorsque Jésus guérit le corps, c'est donc la personne entière qu'il transforme : sa relation à elle-même, sa relation aux autres, son rapport à Dieu. Gardons-nous de médicaliser les récits de guérison ! On sait d'ailleurs que la maladie au premier siècle était perçue comme un phénomène à la fois physique, social et religieux. A l'instar des cultures qui l'entouraient, Israël a considéré la dégradation de la santé comme un effet de la malédiction divine, et le malade se trouvait de ce fait marginalisé, socialement et religieusement. « *Rabbi, qui a péché pour qu'il soit né aveugle, lui ou ses parents ?* » ; la question des disciples à Jésus, rapportée en Jean 9, 2, restitue bien la problématique juive de la maladie. C'est pourquoi les guérisons de Jésus réinstallent la personne dans son corps autant qu'elles le rendent à un réseau de relations humaines, et le réintègrent dans la communion avec Dieu. On est bien loin d'un toucher thérapeutique à résonnance magique… d'ailleurs, comme pour se garder de cette ambiguïté, les récits évangéliques de miracle mentionnent très rarement un geste thérapeutique de Jésus[1], bien plus rarement que ce ne fut effectivement le cas ; l'intention est théologique, à dire vrai, et si le plus souvent dans l'évangile Jésus guérit par sa simple parole, ce n'est pas par répugnance corporelle, mais parce que dans le présent de la communauté chrétienne, la force thérapeutique n'appartenait plus aux gestes de Jésus, mais au pouvoir de sa parole.

Un malentendu à dissiper

Cette saisie de toute la personne dans le miracle dissipe un malentendu qui surgit à la lecture de Marc 2, 1-12. Le scénario est connu : un paralysé, que ses quatre porteurs de civière ne peuvent approcher de Jésus tant la foule est dense, est descendu dans la maison par une brèche pratiquée dans le lattis du toit. Voyant la foi de ces hommes, dit le texte, Jésus dit au paralysé : « *Mon fils, tes péchés sont pardonnés* » (2, 5). Une compréhension rétrécie du corps ferait croire à un exercice de mystification, Jésus accordant au malade une bonne parole en guise de guérison ! Mais pas du tout. Jésus le thérapeute réconcilie cet homme, raidi dans sa paralysie, avec Dieu et avec lui-même. Il atteste solennellement à cet homme qu'il n'est pas un maudit de Dieu, et qu'il n'a pas à se maudire lui-même pour être religieusement intégré. Alors, comme une concrétisation du pouvoir libérateur du pardon, accordé sous la réprobation des scribes présents, Jésus lui déclare : « *Lève-toi, prends ta civière et va dans ta maison* » (2, 11). Est-il invraisemblable de penser qu'un homme dont l'identité vient d'être

---

[1] Un geste de Jésus est mentionné en Mc 1, 31.41 ; 5, 41 ; 7, 33 ; 8, 23 ; Lc 7, 14 ; 13, 13 ; 14, 4 ; Jn 9, 6. La recherche d'un toucher thérapeutique de Jésus, ou d'un contact corporel, est attestée en Mc 3, 10 ; 5, 27 ; 6, 56. C'est dire que la grande part des récits de miracle met en avant, dans l'acte thérapeutique, la parole puissante de Jésus.

ainsi changée, parce qu'il a expérimenté le pouvoir libérateur du pardon, change aussi de relation avec son corps ?

Nous nous demandions, dans un premier temps : quel Dieu donnent à voir les miracles de Jésus ? Le Dieu des miracles est signataire d'un bonheur qui arrache l'homme aux fatalités pesant sur son destin. Les miracles déploient le pouvoir libérateur de Dieu dans les impasses où l'homme se trouve jeté par ses maladies, par ses peurs, par son sentiment d'impuissance, par sa conscience d'avoir peu, par le poids paralysant de la religion quand elle prétend séparer les purs des impurs. Nous voici conduits à une seconde question : comment les premiers chrétiens ont-ils raconté les miracles de Jésus, et pourquoi l'ont-ils fait ?

Bultmann et Theissen

La lecture des récits de miracle a puissamment progressé à la suite des travaux, de type structural, qui ont été consacrés à leur forme littéraire. Il s'est avéré que dans la variété de leurs motifs et de leurs personnages, ces récits se présentaient comme les variations infinies d'un même genre, stéréotypé, que l'on retrouve en abondance dans la culture gréco-romaine. La conséquence de cette découverte, que l'on doit essentiellement à Rudolf Bultmann[2], est qu'il faut distinguer entre les actes miraculeux de Jésus et la forme littéraire, stéréotypée, utilisée pour les propager. Les premiers chrétiens, pour raconter les miracles de Jésus, se sont servis d'un genre littéraire répandu dans le milieu où ils ont lancé leur première mission. Comme Jésus l'avait fait pour la parabole, mais puisant cette fois dans le réservoir culturel du monde hellénistique, ils ont mis à profit un langage religieux de leur temps pour dire leur foi nouvelle.

Les travaux de Bultmann ont été poursuivis il y a quinze ans par un exégète de Heidelberg, Gerd Theissen, qui s'est intéressé à inventorier les traits caractéristiques du récit de miracle au premier siècle[3]. Il a comparé les innombrables ex-voto des

---

[2] R. BULTMANN, *L'histoire de la tradition synoptique* (1921), Paris 1973, p. 270-299.

[3] G. THEISSEN, *Urchristliche Wundergeschichten*, StNT 8, Gütersloh 1974. On trouvera une présentation synthétique de ses résultats dans une contribu-

sanctuaires d'Asclépios (le médecin-dieu), à Pergame ou à Épidaure, aux récits des rabbins thaumaturges, les faiseurs de miracle, que rapporte le Talmud. Ou encore les hauts faits des guérisseurs charismatiques, Empédocle (Vᵉ siècle avant J.-C.), Apollonios de Tyane (contemporain de l'apôtre Paul), et les chroniques de Tacite et Suétone sur les prodiges attribués à l'empereur Vespasien (69 à 79 de notre ère). La Vie d'Apollonios de Tyane a été rédigée vers 217 à la demande de l'impératrice Julia Domna par Philostrate, un rhéteur athénien, tandis que Tacite et Suétone sont chronologiquement plus proches des évangélistes, leur activité historiographique se situant au tournant du premier siècle.

L'enquête conduite par Gerd Theissen confirme que le modèle des récits évangéliques de miracle est à chercher dans le langage religieux du premier siècle ; les récits de miracle de l'Ancien Testament — peu fréquents au demeurant — n'ont eu guère d'impact sur la mise en forme des récits néotestamentaires, sinon dans la configuration de quelques épisodes par les évangélistes. En revanche, le récit de miracle s'affirme, au sein de la société gréco-romaine contemporaine des premiers chrétiens, comme un vecteur privilégié de la propagande religieuse.

Ce qui arriva à Ambrosia la borgne

A titre d'exemple, voici l'histoire de la guérison miraculeuse d'Ambrosia, une femme d'Athènes, borgne. Son ex-voto figure sur l'une des six stèles du IVᵉ siècle avant J.-C., que le géographe grec Pausanias pouvait encore lire en 165 de notre ère au sanctuaire d'Asclépios à Épidaure. Trois de ces stèles ont été retrouvées en 1883, qui énumèrent les « actes » du dieu. La tradition voulait que le fidèle se retirât le soir venu dans un dortoir sacré pour vivre en songe le rite de l'incubation, qui est la visitation nocturne du dieu.

Elle vint en suppliante vers le dieu et, comme elle faisait le tour du hiéron (sanctuaire), elle se moqua de quelques-unes des

tion de X. Léon-Dufour, *Structure et fonction du récit de miracle*, in : J.-N. Aletti, etc., *Les miracles de Jésus*, (Parole de Dieu), Paris 1977, p. 289-353.

guérisons disant qu'elles étaient invraisemblables et impossibles, et que des boiteux et des aveugles ne pouvaient pas avoir été guéris simplement pour avoir vu une vision. Là-dessus, ayant fait l'incubation, elle vit une vision : elle rêva que le dieu se tenait auprès d'elle et lui disait qu'il allait sans doute la guérir, mais qu'il lui demandait comme salaire de suspendre au sanctuaire un cochon d'argent en mémorial de sa sotte ignorance. Ayant ainsi parlé, il lui fendit l'œil malade et y versa un collyre. Le jour venu, elle s'en alla rétablie[4].

L'effet propagandiste est évidemment redoublé par le motif du doute initial, qui occupe près de la moitié du récit ; la guérison prend ainsi la figure à la fois d'une disparition du mal et d'une victoire sur l'incroyance. Un tel récit, notons-le, n'est pas concevable dans les évangiles, où le miracle ne vient pas forcer la foi, mais répondre à son attente. On relèvera aussi le surprenant mélange de rite religieux (l'incubation) et de pratique chirurgicale (l'incision de l'œil), dont le visiteur du musée d'Épidaure se convainc en voyant se côtoyer ex-voto et instruments de chirurgie des prêtres-médecins ; la croyance n'éprouvait donc pas de gêne à recevoir comme un bienfait du dieu le succès chirurgical de ses servants !

Les archéologues évaluent à 160 le nombre de chambres de cure offertes, au début du second siècle, aux pèlerins fréquentant ce complexe qu'était devenu Épidaure. Le chiffre signale l'essor prodigieux que connaît à l'époque le culte des dieux guérisseurs : Zeus, Sérapis, mais surtout Asclépios, à Épidaure (où se localise la légende de sa naissance miraculeuse), à Pergame ou à Kos. Cet essor s'explique par l'échec de la médecine et de la religion officielle à répondre à la demande de santé et de bonheur. Les dieux guérisseurs deviennent le recours des malades et des âmes en détresse, et la saga des mythes grecs cède la place, dans les milieux populaires, à ces récits merveilleux de guérisons miraculeuses qu'on nomme arétalogies. Asclépios, le dieu-guérisseur, se mue peu à peu, comme Osiris ou Sérapis, en dieu du salut et de l'immortalité. Les sanctuaires des dieux thaumaturges deviennent ainsi le lieu où se forge un

---

[4] Ce texte est emprunté à : Récits de miracles en milieux juif et païen, présentés par H. COUSIN, Supplément au *Cahier Évangile* 66, Paris 1988, p. 46.

genre littéraire encore flou au IVᵉ siècle avant notre ère : le récit de miracle.

Ajoutons que les histoires miraculeuses émanaient encore au premier siècle de deux circuits religieux, qu'il faut bien appeler parallèles, même marginaux, par rapport aux sanctuaires. Le premier est le milieu de la magie, où devins et sorciers répondaient par une activité semi-clandestine aux demandes de pouvoirs bénéfiques ou maléfiques ; Simon, dont parle Actes 8, est un spécimen représentatif. Second milieu : les guérisseurs charismatiques, dont l'enseignement s'accompagne de gestes extraordinaires ; parmi eux Pythagore, Empédocle, les rabbins thaumaturges, Jésus de Nazareth et Apollonios de Tyane.

« Tout le monde est content, sauf Hanina »

Nous viendrons plus tard à Apollonios. Pour ce qui concerne les rabbins, les plus anciens prodiges dont le Talmud ait gardé la mémoire ont trait aux sources et à la pluie. De Hanina ben Dossa, qui vécut entre 20 et 70, le traité Ta'anith (24b) dit ceci[5] : « Rabbi Hanina ben Dossa marchait sur une route, portant un panier de sel ; la pluie se mit à tomber. Il s'adressa à Dieu : "Souverain de l'univers, tout le monde en ce moment est content, sauf Hanina." La pluie cessa. Une fois rentré chez lui, il dit : "Le monde entier est dans l'ennui, sauf Hanina." La pluie se remit alors à tomber ». Comme Élie, Hanina détient les clefs de la pluie. Mais le Nouveau Testament ne compte pas de textes où pointe ainsi l'humour ; de miracles dont le thaumaturge est bénéficiaire, il ne compte point non plus. Par contre, du même rabbi, le traité Berakhot (34b) rapporte une guérison qui présente bien plus d'affinités avec les guérisons évangéliques :

> Nos rabbis racontent : le fils de Rabban Gamaliel était tombé malade. Rabban Gamaliel envoya deux disciples chez R. Hanina ben Dossa pour lui demander d'implorer la miséricorde divine pour son fils. Dès que R. Hanina les vit arriver, il monta tout

---

[5] Ce texte et le suivant sont tirés de : Récits de miracles en milieux juif et païen, présentés par H. Cousin, Supplément au *Cahier Évangile* 66, Paris 1988, p. 22 et 23.

en haut (de sa maison) et se mit à prier le Miséricordieux pour le malade. En redescendant il dit aux deux disciples :

— Vous pouvez aller, la fièvre l'a quitté.

— Tu es donc prophète ?

— Je ne suis ni prophète ni fils de prophète, mais j'ai une tradition qui me vient de mon grand-père : si ma prière coule aisément de mes lèvres, je sais qu'elle est acceptée, sinon je sais qu'elle est annulée.

Ils s'assirent et consignèrent par écrit l'heure exacte (où R. Hanina leur avait fait cette prédiction). Lorsqu'ils revinrent chez Rabban Gamaliel, celui-ci leur affirma :

— C'est juste à cette heure (que vous dites), ni plus tôt ni plus tard, que la fièvre l'a quitté et qu'il nous a demandé à boire.

Le phénomène des guérisons à distance n'est pas inconnu des évangiles : la guérison du fils du centurion de Capernaüm présente ce trait (Mt 8, 5-13 ; Lc 7, 1-10 ; à relever la parenté entre ce texte et la version johannique : Jn 4, 52-53). Hanina s'efface devant le pouvoir de Dieu ; à l'inverse, l'Église primitive n'hésitera pas à rapprocher l'activité miraculeuse de Jésus du titre de prophète[6].

Langage religieux et offre d'espoir

Situer les récits évangéliques de miracle dans le paysage culturel du premier siècle nous livre quelques clefs de lecture.

On comprend que le récit de miracle n'est pas un langage de type historique, mais de type religieux ; il n'entend pas faire savoir l'événement comme tel, dans un but d'archivage ; il fait œuvre de propagande religieuse. C'est pourquoi ces récits vont se multiplier au sein de la tradition chrétienne, se gonfler de traits merveilleux, en vue de publier avec toujours plus d'éclat la puissance du Seigneur. Ce dépassement d'une finalité purement historiographique se vérifie d'ailleurs au moment de la rédaction des évangiles, car chaque évangéliste va intégrer la tradition des miracles à un projet théologique qui la dépasse. Ainsi Marc fait-il des guérisons le lieu de la manifestation paradoxale

---

[6] Lc 7, 16 ; Mt 12, 28 ; Lc 24, 19 ; Jn 6, 14 ; 9, 17.

du Fils de Dieu, qui demande le silence sur ses actes (1, 43-45 ; 5, 18s.43 ; 7, 36s ; 8, 26). Ainsi Matthieu, retravaillant les dialogues entre Jésus et ceux qui viennent à lui, développe-t-il le thème de la foi salvatrice (8, 13 ; 9, 29 ; 15, 28). Ainsi la recension lucanienne, dans une perspective légèrement apologétique, force-t-elle dans ces récits la grandeur incomparable du thaumaturge (5, 17 ; 6, 19 ; 7, 16 ; 13, 17 ; etc.). Pour l'évangéliste Jean, c'est l'identité du Christ qui est en cause, et une foi captée par les prodiges ne parviendrait en aucun cas à la percer (voir 2, 23 - 3, 8 et le ch. 9).

L'attention portée au genre littéraire des récits de miracle fait aussi apparaître plus nettement leur fonction. On l'a dit, ils ne sont pas racontés pour distraire. Ils ont pour toile de fond l'expérience dure de la maladie, de l'impuissance, du chagrin ou de la solitude. Ils s'adressent à des hommes et des femmes lassés, qu'ils incitent à ne pas se tenir battus par la souffrance, mais à risquer une nouvelle tentative pour sortir de l'impasse. Qu'ils proviennent des sanctuaires, des cercles magiciens ou de l'arétalogie d'un « homme divin », les récits de miracle défatalisent la souffrance et offrent un espoir à qui les entend.

On comprend aussi que le récit de miracle, s'il répond à un dessein missionnaire, soit centré sur la personne du thaumaturge ; c'est son œuvre qu'il importe de mettre en évidence. Voilà pourquoi les récits de miracle dans l'évangile ne racontent pas ce qu'il est advenu, après, des bénéficiaires du miracle ; l'attention se concentre en revanche sur l'effet de l'acte miraculeux.

Un marché religieux saturé ?

Il est devenu évident qu'au moment où ils propagent des récits de miracle, les premiers chrétiens ne font pas œuvre originale. Ils recourent à un genre littéraire dont nous venons d'établir qu'il sert à la propagande religieuse, qu'il véhicule un espoir pour des êtres désarmés par le mal, et qu'il met en avant la personne du thaumaturge plutôt que la destinée du souffrant. Si c'est le lot de tous les récits de miracle au premier siècle, on est en droit de s'inquiéter : la spécificité des actes de Jésus n'est-elle pas menacée de se dissoudre ? Jésus ne serait-il qu'un produit de plus, si j'ose dire un produit normalisé, sur le marché religieux de l'antiquité ?

Qu'on se rassure. Comparés aux récits analogues provenant de la littérature juive et païenne, les miracles de Jésus se singularisent de plusieurs manières : par le renvoi systématique (ne serait-ce que par la mention de la foi) à Celui qui est à l'origine du miracle, Dieu et non Jésus ; par l'effet libérateur du miracle ; par la gratuité de l'intervention (à la différence des guérisons de sanctuaires) ; par son intention exclusivement bénéfique (à l'encontre des maléfices des magiciens) ; par la méfiance déclarée de Jésus face aux demandes de signes qui viendraient légitimer son autorité[7]. Mais l'essentiel se joue ailleurs : *la nouveauté absolue de la tradition évangélique est d'intégrer le fait du miracle à la venue du royaume.*

On mesurera les implications de ce rapprochement sans précédent à la lecture de deux récits de réanimation de morts, choisis en fonction même de leur proximité : l'histoire de la fiancée romaine, narrée par Philostrate dans sa *Vie d'Apollonios de Tyane* (IV, 45)[8], et la réanimation du fils d'une veuve aux portes de Naïn, rapportée par Luc dans son évangile (7, 11-17). L'un et l'autre des récits respectent la structure conventionnelle qui appartient au genre littéraire du miracle : I : L'exposé des circonstances (entrée en scène des personnages). II : La situation de détresse (parfois dialogue avec le thérapeute). III : L'intervention du guérisseur. IV : Les réactions du public.

Philostrate :

I. Et voici un miracle d'Apollonios : une jeune fille passa pour morte au moment de son mariage,

Luc :

I. Or, Jésus se rendit ensuite dans une ville appelée Naïn. Ses disciples faisaient route avec lui, ainsi qu'une grande foule. Quand il arriva près de la porte de la ville,

---

[7] Mc 6, 4-5 ; Mt 4, 1-11 ; 12, 38-40. Jésus se dérobe quand la foule le recherche comme faiseur de miracles : Mc 1, 45 ; 6, 30-33 ; 6, 45-46. Des guérisons suscitent la controverse dans l'évangile de Marc : 3, 1-6 ; 3, 20-30 ; 8, 11-13.

[8] Je cite le texte dans la traduction de P. GRIMAL, *Romans grecs et latins* (Bibliothèque de la Pléiade), Paris 1958.

II. et le fiancé suivait le brancard, se lamentant de ces noces inachevées, et Rome entière gémissait avec lui, car il se trouvait que la jeune fille appartenait à une famille consulaire. Apollonios, témoin de ce deuil, approcha et dit : « Posez le brancard, car je vais arrêter les larmes que vous versez sur cette jeune fille. »

III. Et en même temps il demanda comment elle s'appelait. Les assistants pensèrent qu'il allait leur adresser un discours, comme ceux qui sont de tradition et qui provoquent des lamentations, mais il ne fit rien d'autre que toucher la jeune fille et prononcer sur elle quelques paroles mystérieuses ; et il éveilla la jeune fille de ce qui semblait être la mort, et la jeune fille prit la parole et revint dans la maison de son père, comme Alceste ressuscitée par Héraclès.

IV. Et lorsque les parents de la jeune fille lui offrirent un présent de 150 000 sesterces, il dit qu'il les donnait à la jeune fille comme dot. Découvrit-il en elle quelque étincelle de vie qui avait échappé à ceux qui lui rendaient les derniers devoirs — on raconte en effet qu'il tombait une pluie fine et qu'une vapeur s'élevait de son visage —, ralluma-t-il et restaura-t-il la vie qui était éteinte, il est impossible d'en décider, et cela demeure mysté-

II. on portait tout juste en terre un mort, un fils unique dont la mère était veuve, et une foule considérable de la ville accompagnait celle-ci. En la voyant, le Seigneur fut pris de pitié pour elle et il lui dit : « Ne pleure plus. »

III. Il s'avança et toucha la civière ; ceux qui la portaient s'arrêtèrent ; et il dit : « Jeune homme, je te l'ordonne, réveille-toi. » Alors le mort s'assit et se mit à parler. Et Jésus le rendit à sa mère.

IV. Tous furent saisis de crainte, et ils rendaient gloire à Dieu en disant : « Un grand prophète s'est levé parmi nous et Dieu a visité son peuple. » Et ce propos sur Jésus se répandit dans toute la Judée et dans toute la région.

rieux, non seulement pour moi,
mais cela le fut même pour les
assistants.

La proximité de ces deux textes est si fascinante qu'on a
pensé un temps à une copie de Philostrate sur l'évangile de Luc.
Mais on notera que ce voisinage touche exclusivement les trois
premières parties, où seuls diffèrent le contexte sociologique
(richesse d'un côté, dénuement de l'autre) et la pratique thérapeutique (un toucher et du mystère d'un côté, une parole claire
de l'autre). Changement du tout au tout pour la dernière partie : alors que Philostrate étale son scepticisme et avance une
hypothèse rationnelle, Luc rapporte la crainte religieuse et la
louange de la foule. Or le récit culmine dans sa conclusion, où
se déploie l'interprétation du geste merveilleux ; l'étroite proximité du corps du récit débouche en finale dans un désaccord
interprétatif total, Philostrate et Luc engageant la réflexion de
leur lecteur sur des registres incompatibles.
    L'acclamation finale du texte lucanien est de première impor-
tance, car elle fait transparaître le contexte primitif du récit de
miracle : le culte. Au niveau du texte, l'ovation conclusive est
destinée à provoquer l'admiration du lecteur ; mais en-deçà du
texte, elle restitue l'acclamation de la communauté des fidèles,
qui s'émerveille de la toute-puissance de son Dieu ; en quelque
sorte, elle représente l'amen de la communauté croyante. Il
s'ensuit que l'énonciation du récit de miracle était à l'origine
un acte liturgique ; plus encore, elle prend la signification d'un
acte symbolique où le fidèle affirme sa foi en un Dieu qui prend
en charge le réel de la souffrance, et par là-même transforme
sa propre relation à la souffrance. Comment cela se fait-il ?
Pour répondre dans les termes de Luc : il s'avère qu'au travers du miracle, « Dieu a visité son peuple » (7, 16).

Contre la résignation, la mémoire des miracles

    « Dans l'histoire des religions, c'est là un cas unique, Jésus
relie deux mondes : d'un côté l'attente apocalyptique d'un salut
universel à venir, de l'autre la réalisation présente du salut,

manifestée dans les actes miraculeux[9]. » Par la thérapie libératrice des miracles, c'est en effet le Royaume qui devient événement. « Si c'est par le doigt de Dieu que je chasse les démons, alors le Royaume de Dieu vient de vous atteindre » (Lc 11, 20). Transmettre le récit de miracle — et continuer à le faire aujourd'hui — est à percevoir comme un acte symbolique de communication, où se ritualise le renouvellement de la réalité qu'apporte le Royaume. Par la puissance thaumaturgique qu'il célèbre, et surtout par l'acclamation qu'il requiert en finale, le récit de miracle rend en effet l'auditeur/lecteur participant de cette destruction de la souffrance que réalise Jésus dans la guérison ou l'exorcisme. Bref, c'est une compréhension nouvelle de soi et de la réalité que le récit de miracle porte au langage, où les fatalités qui pèsent sur l'existence humaine sont dénoncées par le Christ et dépossédées de leur pouvoir d'aliénation. Les rites religieux, fussent-ils les plus sacrés, doivent s'effacer lorsqu'ils coupent tout espoir à la détresse ; quand Jésus choisit le sabbat pour guérir, il démontre l'absurdité des religions lorsqu'elles s'accommodent du malheur (Lc 13, 14-16), ou lorsqu'elles sont prêtes à tuer l'homme sous prétexte de le sauver (Mc 3, 4).

Le récit de miracle fonde et atteste historiquement l'irruption d'un monde nouveau, c'est-à-dire l'avènement d'un nouveau regard sur le réel. Du point de vue de leur fonction sociale, la différence est nette avec les récits circulant dans les cercles magiciens et dans les sanctuaires des dieux guérisseurs. L'activité des magiciens est requise par la haine, la méfiance ou le sentiment de frustration des petites gens ; l'assouvissement de ces désirs s'inscrit dans une perspective anti-sociale. A l'inverse, les lieux saints des dieux guérisseurs sont des institutions publiquement reconnues ; ils alimentent les forces de conservatisme et d'intégration sociale. Le récit évangélique de miracle conteste le réel en échappant à l'alternative du conservatisme ou de la désintégration sociale. Il construit une vision du monde dans laquelle l'existence humaine est entièrement revendiquée par la compassion de Dieu, la grâce pour tout dire, et arrachée par

---

[9] X. Léon-Dufour, in : J.-N. ALETTI, etc., *Les miracles de Jésus*, (Parole de Dieu), Paris 1977, p. 344.

elle à ses limites et à son dénuement. Par l'acte symbolique qu'est la transmission du récit de miracle, un nouveau rapport à soi, une nouvelle identité sont ouvertes au lecteur : l'espérance de voir changer la réalité est célébrée, non plus comme un fantasme d'apocalypse, mais comme une réalité que concrétise l'action du Christ.

Jésus le thérapeute

A répéter les récits de miracle, le croyant ne se résignera ni à la faim, ni à l'impuissance, ni à la maladie, ni au chagrin. Car la foi de celui qui se jette aux pieds de Jésus, espace ouvert dans le récit pour que le lecteur s'y loge, est un acte de confiance : la vie n'a donc pas dit son dernier mot dans la souffrance. La mémoire de Jésus le thérapeute vient quêter l'espérance du lecteur, en dé-fatalisant la souffrance et en creusant sa protestation contre le mal.

Chapitre 3

LE DIEU DU JUGEMENT

Où l'on part du baptistère de Saint-Jean à Florence pour s'interroger sur la légitimité de la théologie du jugement — Le langage du jugement remonte de Matthieu à Jésus, et de Jésus aux prophètes — Pas de terrorisme : le Christ de Matthieu adresse la menace du jugement universel aux seuls croyants — Le jugement instaure l'homme en régime de responsabilité — Dieu n'est pas sucré — Le drame d'Israël en l'an 70 lu par l'évangéliste Matthieu — Le Dieu-Juge est indispensable à la théologie.

A Florence, le touriste est guidé vers un petit bâtiment à coupole, non loin du dôme. A l'ombre de l'imposante cathédrale, il ne paie pas de mine ; c'était pourtant le passage obligé. Sitôt passées les portes de bronze, on entre dans un univers de mosaïques byzantines qui recouvre la coupole, monde coloré et foisonnant, jouant de ses ors, éclatant, superbe. Voilà où les petits d'hommes venaient recevoir le baptême, avant de rallier le Dôme et se fondre dans la masse des fidèles : le baptistère de Saint-Jean. Mais que leur faisait-on voir, à ces nourrissons endimanchés et à leurs familles ?

La félicité et l'horreur

Face à l'entrée, imposant, définitif, le Christ-Juge. Il tend les mains et on peut y reconnaître les stigmates, sa tunique est pourpre, son siège est d'arc-en-ciel : le Christ dans sa fonction de Juge du monde à la fin des temps. Sous lui, comme attirés par une main puissante, les tombeaux s'ouvrent et les morts sortent, nus. De part et d'autre du Christ gigantesque, trois bandeaux horizontaux reconstituent l'univers étagé que se figuraient les anciens. En haut, les anges musiciens animent la louange perpétuelle de Dieu. Au centre, les apôtres siègent, mais derrière eux se profilent d'autres visages ; à voir, il s'agit de saintes femmes. En dessous, la symétrie est rompue. A la droite du Juge, des séraphins accueillent les ressuscités pour les introduire dans un monde de félicité ; mais l'œil est attiré de l'autre côté, à la gauche du Juge. Ah, l'horreur ! Un monde grouillant de corps nus, torturés, vraie fourmilière humaine de suppliciés. Au milieu de ce magma trône un monstre vert à tête cornue, de ses oreilles sortent des serpents dévoreurs d'hommes, et ce Moloch lui-même déguste un corps. Alors que les anges, au ciel, et la rangée d'apôtres distillent le calme et l'harmonie, le monde des enfers pullule de corps disloqués, poursuivis par des bêtes immondes, lézards et crapauds ; à droite, une femme est embrochée comme un gigot sur un grill et rôtit dans les flammes. Répugnant.

Le message est clair : tremblez, mortels, à la vue du sort qui attend les damnés ! Car en prenant un peu de recul, il devient évident que toute la mosaïque de la coupole tourne sur cette opposition tranchée du paradis et de l'enfer. Voilà le pécheur avisé : l'horreur est à ses trousses ! Ainsi en allait-il de la peur de l'au-delà autour du treizième siècle : la mort n'effraie pas, mais le jugement qui la suit. La piété médiévale tentera d'enrayer cette frayeur en introduisant un moyen terme, qui aura du succès, entre le salut et la perte : le purgatoire, ultime échappatoire à la glissade dans les marmites bouillantes...

Nietzsche accusera le christianisme de tromper l'homme en faisant de son agonie l'attente terrifiée du jugement dernier : « N'oublions jamais que le christianisme fut le premier à faire du lit de mort un lit de torture. » La critique semble avoir réussi : où prêche-t-on, aujourd'hui, le Dieu du jugement ? A part quelques prédicateurs de conversion, oiseaux de malheur usant de la menace du jugement comme d'un argument terroriste, la prophétie du jugement a disparu du discours chrétien au profit d'un Dieu qui pardonne et innocente chacun. Aux oubliettes, aussi, les représentations médiévales de l'après-mort, répudiées comme une quincaillerie démodée, survivance de superstitions archaïques. La critique rationaliste a tout balayé sur son passage : démons à queue fourchue, anges du ciel et croyance au jugement. La visite du baptistère de Florence n'émeut plus les consciences, mais le sens esthétique.

La paille et le grain

Or, par malheur, ce grand nettoyage n'a pas fait le détail entre le grain et la paille. La paille, c'est l'imagerie de l'au-delà fixée par les mosaïstes et les sculpteurs, fruit d'une saisie mythique de la réalité ; l'imaginaire collectif y a trouvé son compte. La conception d'un monde souterrain des morts prend place dans la vision biblique d'un univers étagé, qui n'est plus celui de la modernité ; la description du sort des élus et des damnés n'a rien de biblique, mais ressort des fantasmes de l'humanité médiévale. Bref, il y a la paille, dont il faut décoder le sens lorsqu'il s'agit de l'imagerie biblique, ou qu'il faut écarter s'il s'agit des excroissances d'un imaginaire religieux excité par l'angoisse.

Mais il y a le grain. A vouloir dénier le message du jugement, on ampute le Nouveau Testament d'une conviction qui traverse toutes ses traditions théologiques, des lettres de Paul à l'évangile de Matthieu, de Luc aux épîtres de Pierre, de Jacques aux écrits de Jean[1]. « *Tous, nous comparaîtrons devant*

---

[1] La présence constante du motif du jugement de Dieu à la fin des temps est attestée dans les Actes (Ac 2, 33-36 ; 3, 20-21 ; 10, 42 ; 17, 31), dans la littérature paulinienne (1 Th 1, 3.10 ; 2, 19 ; 3, 13 ; 4, 6 ; 5, 9. 1 Co 3, 8.12-15 ; 4, 4-5 ; 5, 5 ; 8, 11 ; 9, 24-27 ; 11, 31-32. 2 Co 5, 10 ; 9, 6. Ph 3, 19 ; 4, 17. Rm 2, 1-16 ; 3, 6 ; 5, 9-10 ; 5, 15-19 ; 8, 33-34 ; 14, 10-12), dans les écrits du paulinisme tardif (2 Th 1, 4-10 ; 2, 11-12. 2 Tm 4, 1.8. Tite 3, 7.11), dans l'épître aux Hébreux (He 6, 2 ; 9, 27-28 ; 10, 26-31 ; 12,

le tribunal de Dieu », rappelle l'apôtre Paul aux Romains (Rm 14, 10). Il faudra « *rendre compte à Celui qui est prêt à juger les vivants et les morts* », renchérit 1 Pierre 4, 5. « *Il a en effet fixé un jour où il doit juger le monde avec justice par l'homme qu'il a désigné, comme il en a donné la garantie à tous en le ressuscitant d'entre les morts* » (Ac 17, 31). Cette croyance, commune aux premiers chrétiens, s'est déposée dans le Symbole des apôtres : « Il s'est assis à la droite de Dieu, le Père tout-puissant, et il viendra de là pour juger les vivants et les morts. »

Comment un tel déficit a-t-il pu se produire ? Pourquoi la prédication d'un Dieu tout-bon a-t-elle occulté cette dimension constitutive du Dieu biblique, qui est son office de Juge ? Le Dieu-Juge est-il incompatible avec le Dieu des paraboles et le Dieu des miracles ? Je dis tout de suite que ce verdict témoigne, à mon avis, d'une lecture fautive des textes du jugement dernier. Et je veux le montrer à partir de l'évangile de Matthieu, témoin le plus marquant de cette croyance, qui, de Jésus, a passé aux premiers chrétiens.

De Matthieu à Jésus...

Plus que ses voisins Marc et Luc, l'évangile de Matthieu regorge de références au jugement dernier[2]. La plus fameuse est cette scène où le Christ-Fils de l'homme sépare les nations comme un berger sépare les brebis des boucs, accueillant à sa droite les élus dans le Règne et vouant les damnés, à sa gauche, aux tourments éternels (25, 31-46) ; la scène s'étale au porche de nombre d'églises romanes, ou alors, comme à Florence, sous-tend la représentation du jugement. Mais la menace du jugement s'insinue comme un fil rouge tout au long de l'évangile, à commencer par la prédication du Baptiste : « *Engeance de vipères, qui vous a montré le moyen d'échapper à la colère*

---

29), dans l'épître de Jacques (Jc 1, 11-12 ; 2, 12-13 ; 4, 10.12 ; 5, 9) et les épîtres de Pierre (1 P 1, 17 ; 2, 23. 2 P 3, 1-13), et bien évidemment dans l'Apocalypse de Jean.

[2] Je renvoie à mon étude : *Le jugement dans l'Évangile de Matthieu*, (Le Monde de la Bible), Genève 1981. Inventaire des mentions matthéennes du jugement aux p. 13-50.

qui vient ? » (3, 7). Le Sermon sur la montagne est truffé d'évocations de la fin de l'histoire, par le biais d'une imagerie diversifiée : la récompense ou le salaire à recevoir (5, 12), l'entrée dans le Royaume des cieux (5, 20), la chute dans la géhenne (5, 29), le trésor à accumuler dans le ciel (6, 20), la porte étroite à passer (7, 13), l'arbre jeté au feu (7, 19), la maison qui s'effondre sous la tourmente (7, 27). Malheur à Capharnaüm, qui refuse la prédication de Jésus et sera traitée, au jour du jugement, avec plus de rigueur que le pays de Sodome (11, 24) ! Nous avons vu, concernant les paraboles, que plusieurs d'entre elles sont lues au chapitre 13 comme des allégories du jugement (13, 40-43.49s) ; elles sont ponctuées par le refrain matthéen du jugement : « *Là seront le pleur et le grincement de dents* » (13, 42.50 ; 8, 12 ; 22, 13 ; 24, 51 ; 25, 30 ; cf. Lc 13, 28). La parabole du serviteur impitoyable, condamné pour n'avoir pas pardonné à son tour, s'achève sur sa damnation (18, 32-35). La parabole du festin respire la colère de Dieu (22, 1-14). L'impressionnant réquisitoire du chapitre 23, « *Malheur à vous, scribes et pharisiens hypocrites* », les voue au jugement, et le discours des chapitres 24-25 est tout entier axé sur le retour du Fils de l'homme, Juge du monde, à la fin des temps (24, 30s.36-51 ; 25, 1-46).

De cette traversée cavalière du premier évangile, deux impressions ressortent. D'abord, la profusion des références au jugement : pas moins de soixante ! Leur répartition dans tout le texte dénote que le jugement n'est pas un thème accessoire de la réflexion chrétienne, relégué à la question de l'avenir, mais une perspective constitutive de l'existence chrétienne. On pourrait dire que la condition croyante chez Matthieu se construit à partir de deux souvenirs : la mémoire de la venue passée de Jésus et le souvenir du futur, que représente le jugement dernier.

Seconde impression : l'extraordinaire diversité de l'imagerie convoquée pour signifier le jugement. Tantôt il est vu comme un procès, tantôt comme un tri, comme un ouragan, une reddition de compte, une moisson, un jour de colère, une porte qui s'ouvre ou qui se claque... Le plus souvent, la composante négative domine. Mais l'analyse de ce langage figuratif permet de conclure que Matthieu n'est pas, comme on le lit trop souvent, un théologien obsédé par le jugement, ou alors, un chrétien mal dégrossi de sa judaïté qui aurait gauchi le message de son Maître. Car Matthieu n'innove pas. La prédication de Jésus compte sur le jugement comme celle de Jean-Baptiste (Mt 3, 2 ; 4, 17), même si, à la différence de Jean, l'homme de Nazareth ne prêche pas la conversion en vue d'échapper à la colère de Dieu (Lc 3, 7-9), mais plutôt un Dieu qui demande à être accueilli dans le présent. Il n'en reste pas moins que l'horizon du jugement constitue l'arrière-fond du message de Jésus.

... et de Jésus aux prophètes

Ce faisant, le Nazaréen s'inscrivait dans la lignée séculaire des prophètes d'Israël ; la prophétie de jugement remonte en effet à l'époque de la royauté (II Samuel 7). Mais si je vois bien, même avec Amos, où pour la première fois la menace du jugement passe du roi au peuple tout entier (Amos 2-5), le jugement chez les prophètes marque une étape de l'histoire entre Dieu et son peuple, non pas sa fin. Il faut attendre l'émergence de la sensibilité apocalyptique[3], à partir du IIIe siècle avant J.-C., avec sa conception d'une histoire qui se hâte vers sa fin, pour transférer les assises de Dieu aux derniers temps ; le jugement clôt l'histoire et inaugure le Règne de Dieu (Joël 3 ; Zacharie 13 ; Ézéchiel 38s)[4]. Au tournant de l'ère chrétienne,

---

[3] Question de vocabulaire : quelle différence entre eschatologie et apocalyptique ? Le terme d'eschatologie s'applique globalement à toute espérance projetée non pas au-dedans de l'histoire, mais à la fin des temps ; en Israël, elle commence avec les prophètes Amos et Osée. Le terme d'apocalyptique désigne plus spécifiquement un courant littéraire et théologique, dont la foi et la réflexion se portent sur l'interprétation de l'histoire en vue d'en prédire la fin prochaine : l'apocalyptique affectionne la vision ; elle vit d'espérer l'imminence de cette fin, où Dieu châtiera les impies et sauvera les élus. J'y reviendrai aux chapitres 5 et 10. On lira avec profit, à ce sujet, *Lumière et Vie* 160, Lyon 1982 : Écriture apocalyptique.

[4] Je me laisse instruire ici par C. WESTERMANN, *Théologie de l'Ancien Testament*, (Le Monde de la Bible), Genève 1985, p. 157-173 et 189-193. Du point de vue de l'histoire des religions, la perspective d'aller-au-devant d'un verdict divin n'est pas l'apanage d'Israël ; on la retrouve dans les Livres des morts de l'ancienne Égypte, dans l'orphisme grec (auquel puisera Platon), et dans les croyances iraniennes après Zarathoustra (VIIe siècle avant J.-C.) ; l'eschatologie juive, qui est la conception juive des temps derniers, se distin-

innombrables sont les écrits apocalyptiques qui nourrissent la foi juive avec leurs descriptions furieuses de la fin des tyrans et la réhabilitation des justes opprimés. Parmi bien d'autres[5], ce passage du 4e livre d'Esdras, dont la rédaction est contemporaine de l'évangile de Matthieu, manifeste une forte unité de langage avec la tradition chrétienne du jugement :

> Alors le Très-Haut paraîtra sur le trône du jugement.
> La miséricorde s'en ira, la pietié s'éloignera,
> la longanimité se retirera.
> Le jugement seul restera, la vérité demeurera,
> la foi s'affermira.
> Les œuvres auront une suite, le salaire apparaîtra,
> les œuvres de justice s'éveilleront,
> celles de l'injustice ne s'endormiront pas.
> La fosse du tourment apparaîtra ; en face sera le lieu du repos ;
> on verra la fournaise de la géhenne, en face le paradis de délices.
> Alors le Très-Haut dira aux nations ressuscitées :
> « Voyez et connaissez celui que vous avez renié, que vous n'avez pas servi,
> et dont vous avez méprisé les commandements.
> Regardez d'un côté et de l'autre :
> Ici la joie et le repos, là le feu et les tourments. »
> Ainsi leur parlera-t-il au jour du jugement. (4 Esd 7, 33-38)

Au temps de Jésus, des promesses comme celle-ci, multipliées, ont chauffé la foi juive jusqu'à l'incandescence, et grossi les rangs de la rébellion contre le tyran romain. La prophétie apocalyptique du jugement pose en effet le pouvoir absolu de Dieu, qui conteste les pouvoirs humains, et leur demandera

---

gue toutefois par une double particularité : elle ne s'enracine pas dans une réflexion sur la destinée de l'homme après la mort, mais dans la foi au Dieu maître de l'histoire, disposant souverainement de son origine et de sa fin ; elle prend d'autre part un essor considérable dans la foi d'Israël, au tournant de l'ère chrétienne, liée à l'attente du châtiment des Romains occupant la Palestine.

[5] Voir Psaume de Salomon 17. 4e livre d'Esdras 7, 26-32 ; 7, 45 - 8, 3. Apocalypse syriaque de Baruch (2 Baruch) 13-14 ; 24-28 ; 49-52 ; 83. 1er livre d'Hénoch 5, 4-9 ; 38-39 ; 45 ; 48, 8 - 51, 5 ; 53-58 ; 61-64 ; 90, 20-39. On trouvera une présentation commentée de ces écrits dans : *La Bible. Écrits intertestamentaires*, éd. A. DUPONT-SOMMER et M. PHILONENKO (Bibliothèque de la Pléiade), Paris 1987.

compte incessamment de leurs exactions. Dieu jugera, car le dernier mot sur l'histoire lui appartient. La vérité dans l'histoire est masquée, trahie, torturée. Le juste est écrasé et l'impie glorifié. Dieu est dénié. Pour qu'émerge la vérité, il faudra que Dieu lui-même l'installe, et ce sera le jugement. Les représentations sont identiques dans l'évangile : même affirmation de l'indiscutable souveraineté de Dieu, même opposition des élus et des damnés, même scénario judiciaire, même lien avec la résurrection (nous y viendrons plus tard, dans notre chapitre 5), même conception du jugement comme d'un opérateur de vérité (la vérité de l'homme mis à nu par la parole du Juge est représentée, à Florence, par la nudité des ressuscités).

Né de la tradition prophétique, le jugement s'est donné dans l'espérance apocalyptique un langage riche et coloré. Son émergence dans la tradition chrétienne est donc un héritage. C'est dire que pour un croyant de formation juive, au premier siècle, l'annonce du jugement ne constitue aucune originalité ; l'intérêt se cristallise en revanche sur deux points : qui sera condamné, et qui grâcié ? quels seront les critères du jugement ? Une rupture s'annonce ici, car dans l'évangile de Matthieu, le jugement n'est pas cette expédition punitive contre le monde décrite avec jubilation dans le 4e livre d'Esdras.

Terrorisme absent

Dans la présentation matthéenne de l'enseignement de Jésus, qui sont les justiciables, et sur quelles bases seront-ils jugés ?

La parabole bien connue du serviteur impitoyable (18, 23-35) nous fera avancer sur la première question. Visiblement, nous avons affaire à un scénario à répétition. Premier acte (v. 23-27) : un potentat oriental convoque ses satrapes pour faire avec eux le bilan de l'administration financière de ses provinces. L'un d'eux doit lui verser des redevances pour un montant de dix mille talents ; l'énormité de la somme (quelques dizaines de millions) a pour corollaire — et voilà l'important — l'énormité de la grâce qui lui est faite : « pris de pitié » (en grec, *splagchnistheis*) devant ce serviteur, qui le supplie d'épargner à sa famille et à lui-même le marché aux esclaves, le roi lui fait don de sa dette. Second acte (v. 28-34), qui amène le renversement tragique : le satrape n'accorde pas la réciproque à un de ses compagnons, qui lui doit une petite somme d'argent ; ses compagnons le dénoncent alors au roi, qui, dans sa colère, le livre aux bourreaux. Ce verdict cinglant (v. 34) est une image transparente de la condamnation eschatologique, avec les tourments effroyables qu'elle réserve aux damnés.

Effectivement, le jugement fonctionne comme un opérateur de vérité : la violence que subit finalement le serviteur est le retour, sur lui, d'une violence qu'il a lui-même exercée sur son compagnon, qu'il a « pris à la gorge », qu'il « serrait à l'étrangler » (v. 28) et qu'il a fait jeter en prison sans entendre ses supplications. Il est insuffisant de dire que lorsqu'il châtie le serviteur impitoyable, le roi se fait protecteur ou vengeur du faible. La vérité plus profonde que recèle le texte est que le jugement de Dieu démasque une autre violence, première, celle de l'homme qui s'érige en bourreau d'autrui. Le serviteur périt de la torture qui lui avait été initialement épargnée, mais qu'il a infligée ; il meurt de ce verdict qui avait été levé pour lui, mais qu'il a posé. Le jugement dernier se fait miroir de la violence de l'homme sur l'homme. Jésus insiste ailleurs sur cette règle eschatologique : « *C'est la mesure dont vous vous servez qui servira de mesure pour vous* » (Mt 7, 2).

A qui est destinée la proclamation du jugement ? Le justiciable, dans la parabole, est figuré par un homme à qui une dette colossale a été remise ; on pense immédiatement à la condition du croyant. Matthieu confirme ce point de vue, en concluant l'histoire par un avertissement : « *C'est ainsi que mon Père céleste vous fera, si chacun de vous ne pardonne pas à son frère du fond du cœur* » (18, 35). On est passé du couple roi/compagnon au couple Père céleste/frère, qui inscrit la parabole dans le cadre de la vie communautaire qui préoccupe tout le discours du chapitre 18. Or ce discours est adressé aux disciples (18, 1), représentatifs dans le premier évangile du lecteur croyant. On peut généraliser le constat : le Christ de Matthieu — l'aviez-vous remarqué ? ne brandit jamais le jugement devant les foules incroyantes. Jamais la menace du jugement ne vient presser l'appel à la conversion. L'échéance ultime de l'histoire est évoquée à l'intention des seuls disciples. Le langage du jugement est donc un langage interne, destiné à l'Église. Il ne sert pas une stratégie de terrorisme missionnaire, mais rappelle aux chrétiens que Dieu se prononcera un jour sur leur fidélité.

Insistons. Conformément à la tradition apocalyptique, le jugement attendu est d'envergure universelle (Jl 4, 2 ; Es 66, 18 ; Ez 38, 21s ; Dn 7, 14 ; 4 Esdras 7 ; 1 Hénoch 60-64 ; 2 Baruch 13-14). Dieu convoquera à son tribunal les nations du monde. De même, dans le premier évangile, le champ du jugement est le monde. Le Christ-Fils de l'homme rétribuera « chacun selon sa conduite » (16, 27) ; il procédera à la séparation finale de l'ivraie et du bon grain dans l'espace du monde (13, 38) ; « toutes les tribus de la terre » se lamenteront à sa venue (24, 30) ; « toutes les nations seront assemblées devant son tribunal » (25, 32). Matthieu ne congédie pas cet universalisme en provenance du livre de Daniel, bien au contraire, puisque les textes que je viens de citer lui appartiennent en propre. Mais une curieuse dialectique se fait jour : sans exception, les destinataires de ces évocations du jugement sont les disciples. Et non les foules[6]. Qu'est-ce à dire, sinon que le jugement universel intéresse l'évangéliste dans la mesure seulement où *il qualifie le présent vécu par les croyants* ? La comparution eschatologique de l'humanité n'est jamais envisagée ou décrite pour elle-même, et l'on chercherait en vain chez Matthieu une allusion au sort ultime des non-croyants. C'est aux croyants, engagés dans une relation avec le Christ, que sont destinées promesses et menaces relatives à la comparution ultime de l'humanité devant le Juge du monde.

L'homme adulte

Pourquoi eux ? Pourquoi est-ce aux croyants que la promesse et la menace du jugement sont destinées ? Parce que, à l'instar du serviteur impitoyable, ils ont expérimenté le pardon de Dieu. Ils ont été accueillis sans condition dans l'alliance de Dieu (Mt 4, 18-22 ; 11, 28-30). L'annonce du jugement ne construit pas un nouveau légalisme ; elle prend force dans un évangile où la préoccupation majeure — nous sommes autour de l'an

---

[6] Je renvoie encore le lecteur à mon livre : *Le jugement dans l'Évangile de Matthieu* (Le Monde de la Bible), Genève 1981, p. 83-100.

80 — n'est plus d'instiller l'enthousiasme des débuts, mais d'assurer la vie chrétienne dans la durée. Que feront les croyants de la grâce reçue ? Vont-ils répercuter le pardon sur autrui, ou se pelotonner frileusement sur la certitude de leur salut, manifestant la même inconséquence que le satrape ? Vivront-ils la paix reçue comme un plaisir solitaire, ou comme un fruit que l'on partage ? Voilà l'urgence que répète, inlassablement, l'échéance du jugement : il importe, sous peine de périr devant Dieu, que la grâce déclenche dans la vie du croyant une dynamique de transformation. La grâce n'éteint pas la responsabilité, elle la fonde (Mt 25, 14-30).

Rétorquera-t-on que meubler l'horizon d'attente de l'Église par la comparution devant un tribunal divin, comme le fait Matthieu, génère l'infantilisation de la foi ? Il y a encore erreur de lecture. Car l'homme n'est pas invité à capituler devant l'absolutisme d'un tyran, qui en définitive, décidera de tout. Au contraire. Le satrape est convoqué par son maître, qui lui dévoile son inconséquence (18, 32s). L'homme convoqué au jugement n'est aux yeux de Dieu ni un enfant, dont on sourit lorsqu'il fait des sottises, ni l'adolescent instable et capricieux, mais un adulte, appelé à répondre de ses actes. Le jugement institue l'humain en être responsable. « *Je vous le dis : les hommes rendront compte au jour du jugement de toute parole sans fondement qu'ils auront proférée* » (12, 36). Devant le Dieu du jugement, on devine que le moi ne se dissout plus dans le jeu embrouillé des circonstances qui façonnent, favorablement ou défavorablement, la vie. Toute vie sera jugée ; elle n'est donc ni le fruit du hasard, ni le jouet des nécessités, mais une somme de choix, ma vie, dont le Seigneur entend que le « je » réponde. On retrouve le Dieu interpellateur des paraboles.

Conclusion : le langage du jugement est universaliste (Dieu revendique le monde !), mais ce discours n'alimente pas la joie du croyant à la perspective du supplice réservé aux tyrans, contrairement aux apocalypses, qui s'en délectent[7]. Sur ce point,

---

[7] Les apocalypses juives s'appesantissent sur la responsabilité, mais des seuls pécheurs, et décrivent jusqu'à la délectation le châtiment réservé aux impies. Je cite le 1er livre d'Hénoch : « Je vous le jure, pécheurs : de même qu'un mont n'est jamais devenu et ne deviendra jamais un serviteur, ni une

Matthieu fait subir à la tradition apocalyptique du jugement une réorientation décisive ; elle ne flatte plus les élus en noircissant le supplice des impies, mais génère positivement la mise en responsabilité du croyant. L'annonce du jugement contribue à l'émergence du « je ». La question se fait alors d'autant plus pressante : quels seront les critères du Dieu-Juge ?

Regardez les fruits !

Aucun texte n'est plus limpide sur la norme du jugement qu'un passage du Sermon sur la montagne, où le Christ de Matthieu polémique contre les « faux prophètes » (7, 15-20) ; entendez sous cette appellation un groupe de croyants qui revendiquent, dans l'église de Matthieu, une théologie jugée déviante parce qu'elle s'écarte de la Loi.

> Gardez-vous des faux prophètes, qui viennent à vous vêtus en brebis, mais qui au-dedans sont des loups rapaces. C'est à leurs fruits que vous les reconnaîtrez. Cueille-t-on des raisins sur un buisson d'épines, ou des figues sur des chardons ?
> Ainsi tout bon arbre produit de bons fruits, mais l'arbre malade produit de mauvais fruits. Un bon arbre ne peut pas porter de mauvais fruits, ni un arbre malade porter de bons fruits. Tout arbre qui ne produit pas un bon fruit, on le coupe et on le jette au feu. Ainsi donc, c'est à leurs fruits que vous les reconnaîtrez.
>
> (Mt 7, 15-20)

Peu importent les faux prophètes ; c'est la règle fixée pour les identifier qui nous intéresse ici. Jésus appelle à un examen attentif de leurs « fruits » — une métaphore classique depuis l'Ancien Testament pour désigner les actions de l'homme. C'est

---

colline une servante, de même le péché n'a pas été envoyé (d'en haut) sur la terre, mais ce sont les hommes qui l'ont établi d'eux-mêmes, et ceux qui le font sont voués à une grande malédiction... Je vous le jure, pécheurs, par le Saint, le Grand : chacun de vos méfaits sera découvert dans le ciel, aucun acte inique ne restera caché. Ne croyez pas en votre âme, ne croyez pas en votre cœur qu'on ne connaît pas vos méfaits, qu'on ne les voit pas, qu'ils ne sont pas observés, ni inscrits devant le Très-Haut. Sachez désormais que tous vos forfaits sont inscrits jour après jour, jusqu'au jour de votre jugement. » (98, 4.6-8).

donc au comportement qu'il faut regarder. La règle est appuyée par une évidence, avancée sous la forme d'une question rhétorique : « *Cueille-t-on des raisins sur un buisson d'épines, ou des figues sur des chardons ?* » (v. 16). L'expérience quotidienne enseigne que l'on est en droit ni d'attendre, ni d'espérer cueillir des fruits nobles sur des buissons épineux. Ce thème de l'incompatibilité est ressaisi positivement par le motif de l'arbre et ses fruits, dont la pointe est la fiabilité des fruits dans l'établissement d'un diagnostic : si l'arbre est bon, les fruits sont bons ; si l'arbre est mauvais, les fruits le sont aussi. Il y a identité entre le producteur et le produit.

Derrière cette évidence agricole se loge la conception hébraïque de l'homme, foncièrement pragmatique : le faire révèle l'être. La vérité de l'homme émerge de ce qui se voit, car l'homme et ses actes forment une unité indissociable. La fréquence chez Matthieu du verbe « faire » atteste que l'évangile partage cette donnée anthropologique : la personne est inséparable de son faire. Dans ce qu'il fait et dans ce qu'il veut, dans ses projets et dans ses soucis (6, 25-34), l'homme est tout entier. Ainsi, l'attitude que prend l'individu révèle ce qu'il est — fondamentalement et définitivement. L'intention non investie dans un comportement n'intéresse pas l'Hébreu ; de même, la foi se traduit par une attitude de vie, ou elle n'est pas (Mt 7, 24-27).

Dieu n'est pas sucré

Si le comportement fournit un indice péremptoire pour évaluer la personne, si les actes sont une charge nécessaire et suffisante pour juger la qualité de l'individu, on saisit pourquoi, toujours et sans exception, le jugement dernier selon la croyance juive sera un jugement sur les œuvres. Le Nouveau Testament se range sans hésiter à cette ligne de pensée : le Christ-Juge appelle le croyant à répondre, non de ses méandres intérieurs, mais de son dire et de son faire. « *L'œuvre de chacun sera mise en évidence*, rappelle Paul aux Corinthiens ; *le jour du jugement la fera connaître, car il se manifeste par le feu, et le feu prouvera ce que vaut l'œuvre de chacun* » (1 Co 3, 13). Même dans la pensée paulinienne, l'éthique est la pierre de touche de la foi.

Quand il parle de l'œuvre de l'homme, ou de ses fruits, Matthieu comprend l'agir du croyant guidé par la Loi telle que le Christ l'interprète ; un agir récapitulé dans le commandement d'amour (voir 5, 21-48). La fonction rhétorique dévolue au rappel du jugement, placé en clôture de chacun des discours de Jésus qui ponctuent son évangile, se comprend à partir de là ; Matthieu fait savoir que dans l'écoute des paroles de Jésus et dans leur mise en pratique, il y va de la vie ou de la mort du croyant (Mt 7, 24-27 ; 10, 40-42 ; 13, 47-50 ; 18, 23-35 ; 25, 31-46). La parole humiliée, entendue mais non agie, conduit à mourir devant Dieu ; elle échoue en effet à transformer la vie de l'homme. Ce rappel répété surplombe le lecteur comme une menace. Mais il fallait l'évangéliste Matthieu pour donner voix à cette vérité essentielle : parce qu'il tient à la vie des siens, Dieu n'est pas un dieu sucré.

Le drame d'Israël et ses conséquences

A comparer la théologie matthéenne à celle de Marc ou de Luc, il est possible de s'interroger sur la pertinence d'un usage aussi immodéré de la menace du jugement. Le Christ de Matthieu cède-t-il à la dramatisation en ajoutant menace sur menace ?

Qu'il y ait dramatisation est incontestable. Encore faut-il voir pourquoi[8]. La pensée théologique de Matthieu est dominée par une tragédie dont ni le christianisme ancien, ni le judaïsme ne se remettront vraiment : le ravage de la Ville sainte par les troupes de Titus et la mise à sac du Temple, point culminant de la Guerre Juive de 66-73. La reconstruction de l'identité juive, à laquelle Yohanan ben Zakkaï œuvra fortement, se fit par une stratégie de repli sur l'orthodoxie pharisienne et de rupture avec des courants taxés désormais de déviants ; parmi eux, les chrétiens. Au temps où Matthieu collationne les traditions de sa communauté pour rédiger son évangile, christianisme et judaïsme

---

[8] Pour ce qui suit, voir D. MARGUERAT, *Le jugement dans l'Évangile de Matthieu* (Le Monde de la Bible), Genève 1981, p. 239-407.

viennent de rompre. Il faut lire cet évangile sur le fond du traumatisme né de la proximité brisée avec le judaïsme ; le face-à-face des disciples de Jésus et d'Israël, dans le récit, reflète l'affrontement de deux frères devenus subitement ennemis, fragiles l'un comme l'autre : l'Église et la Synagogue. Comme tous les théologiens juifs de l'époque, Matthieu va consacrer une intense réflexion théologique à comprendre pourquoi s'est produit l'incroyable : la résidence de Dieu détruite par les mécréants.

Le résultat de cette réflexion s'est cristallisé au plus fort dans la parabole du festin (22, 2-7) et dans la lamentation sur Jérusalem (23, 37 - 24, 2). Aux yeux de Matthieu, la fin du Temple signe le décret de Dieu contre son peuple endurci. Le jugement a frappé dans l'histoire, Dieu a déserté le peuple choisi (23, 38). Le salut, désormais, s'il se reconnaît dans l'envoi du Messie à Israël (10, 6), s'ouvre aux nations. Du point de vue de la théologie du jugement, Matthieu considère donc le jugement d'Israël comme un fait du passé et le jugement universel comme un fait à venir. Mais c'est la leçon tirée par Matthieu de sa lecture de l'histoire qui est à retenir. Reprenant une tradition de facture deutéronomiste[9], l'évangéliste voit dans la mort de Jésus l'aboutissement d'une histoire d'infidélité, où Israël n'a cessé de rejeter les prophètes qui lui étaient envoyés. La trilogie parabolique de 21, 28 à 22, 14 lève le voile sur le drame d'Israël, vu par Matthieu comme un scénario récurrent d'échec.

Mais au lieu d'en rester là, et d'installer l'Église dans le statut et les prérogatives du peuple choisi — ce qui le rendrait suspect d'antisémitisme —, Matthieu reporte sur les chrétiens la menace du jugement de Dieu : la catastrophe qui a frappé Israël atteindra l'Église, si elle déroge à sa vocation d'obéissance. Nous y voilà. Il suffit de comparer la parabole du festin (Mt 22, 1-14) à la version lucanienne (Lc 14, 15-24) pour s'en convaincre : le jugement qui atteint les premiers invités rebelles (22, 7, lisez : l'incendie de Jérusalem) se retourne contre l'invité dépourvu d'habit de noce (22, 11-13, lisez : le chrétien qui n'est pas engagé

---

[9] Cette tradition a été identifiée par O.H. STECK, *Israel und das gewaltsame Geschick der Propheten*, WMANT 23, Neukirchen 1967.

résolument dans la fidélité éthique). Luc ne comporte pas cette finale, décisive pour comprendre l'insistance matthéenne sur le jugement : l'histoire pourrait se répéter, et faire déchoir les chrétiens de la grâce qui leur a été faite. Qu'une telle catastrophe puisse se produire, Matthieu l'a appris en regardant l'histoire d'Israël. C'est pourquoi l'Église n'est pas au bénéfice d'une sécurité quant à son salut : elle ne se confond pas avec le Royaume (21, 43). Il y a beaucoup d'appelés, mais peu d'élus au jour du jugement (22, 14). C'est pourquoi l'appel à la fidélité active, assorti de la menace du jugement, retentit dans son évangile, et avec quelle obstination. C'est pourquoi aussi Israël figure dans son récit, non pas l'ennemi, ni le maudit, mais l'exemple d'une déficience à ne pas répéter. Nuance. Malheureusement, les lecteurs antisémites de Matthieu n'ont pas su faire la différence. Il est vrai que Paul est allé plus loin (et plus juste ?) en affirmant explicitement le maintien des promesses de Dieu à Israël (Rm 11, 1-12.25-32).

Le Dieu-Juge : indispensable à la théologie

Nous sommes partis du baptistère de Saint-Jean, à Florence, pour nous interroger sur la pertinence d'une théologie du jugement. Le champ d'analyse a été l'évangile de Matthieu, avec son application à l'Église de la perspective du jugement universel. Il est apparu que, loin d'infantiliser la foi, l'échéance du jugement dernier instaure l'homme en régime de responsabilité. L'image du Dieu-Juge n'est donc pas le fruit d'un raturage judaïsant du message de Jésus ; elle est fortement tributaire du mode de penser apocalyptique, et ce lien de dépendance, que nous avions déjà relevé entre la parabole et la tradition rabbinique, pose la question de la relecture chrétienne des Écritures juives. C'est l'objet du chapitre suivant. Pour l'heure, il importe de dire que l'image du Dieu-Juge est indispensable à la théologie. Comment cela ?

Le Dieu-Juge est indispensable à notre théologie pour rappeler que la vérité n'est pas de ce monde, que la justice n'est pas immanente, mais que la vérité et la justice sont de Dieu. Comme l'histoire humaine trouve dans le jugement dernier son horizon et sa fin, tout pouvoir humain trouve dans le Dieu-

Juge sa limite et sa contestation. Il est devenu clair que le jugement sera moins un règlement de compte qu'une révélation de la vérité de chacun, cette vérité dont les apocalypticiens disent si fort qu'elle n'est pas apparente en ce monde. Le jugement ne confirmera pas des castes ou des privilèges, fussent-ils religieux ; il étonnera même ceux qui se croyaient à l'abri et surprendra les marginaux de la religion : « *Seigneur, quand nous est-il arrivé de te voir affamé ou assoiffé, étranger ou nu, malade ou en prison, sans venir t'assister ?* » (25, 44). On ne peut vouloir à la fois une existence au seul profit de ses satisfactions et s'étonner d'avoir à en payer le prix.

Le Dieu-Juge est aussi indispensable au respect du mystère de chacun. La vérité d'autrui n'est pas en ma possession, elle est de Dieu et à venir. Invoquer le Dieu-Juge devrait mettre un frein à deux perversions toujours renaissantes : pour l'individu, se prendre pour Dieu et juger autrui (Rm 14, 10-12) ; pour l'Église, anticiper le jugement et se prendre pour le Royaume des élus (Mt 13, 24-30).

L'ANCIEN ET LE NOUVEAU
(Les lectures chrétiennes de l'Ancien Testament)

Où l'on rappelle Marcion, qui voulait bannir toute trace d'Ancien Testament dans la foi chrétienne. Mais qu'en est-il des rapports entre Ancien et Nouveau Testament ? — La réflexion des premiers chrétiens se pétrit d'Écriture ; elle lit sélectivement la Bible hébraïque et l'interprète sur le mode du midrash — Jésus et l'Écriture : une inouïe liberté — Le rapport avec les Écritures juives n'est pas uniforme chez les premiers chrétiens ; trois modèles se dessinent : la continuité, la promesse réalisée et la rupture — Il faut conjuguer ces trois modèles ; laissé à lui seul, chacun a ses dérives théologiques.

Vers 85 naquit à Sinope en Paphlagonie, un port de la Mer noire, un homme qui allait faire trembler l'Église des Pères apostoliques. Cette Église est le christianisme de 100-150, un christianisme étalé dans tout l'empire romain (c'est-à-dire qu'il a fait le tour de la Méditerranée), mais un christianisme éclaté en credos discordants et en pratiques contradictoires. Or ce christianisme du deuxième siècle, qui n'est pas religion officielle de l'empire et qui a essuyé déjà plusieurs vagues de persécutions (Néron, Domitien), notre homme va le menacer, réussissant presque ce que la diversité et les persécutions avaient échoué à faire : attenter aux racines mêmes de la foi. Cet homme a pour nom Marcion, et la question qu'il pose brutalement ne va cesser de hanter l'Église jusqu'à nos jours : quel est le rapport entre le Dieu de l'Ancien Testament et le Dieu de Jésus ?

Marcion congédie l'Ancien Testament

Au moment où Marcion pose ce problème, le Nouveau Testament tel que nous le connaissons n'existe pas. Le canon des vingt-sept écrits qui le constituent commence à se stabiliser, à la fin du deuxième siècle, pour être arrêté dans l'Église d'Occident à la fin du quatrième. Les catégories Ancien et Nouveau Testament remontent à Tertullien (160-240). Mais nous sommes entre 100 et 150. Circulent dans les communautés des écrits que l'Église sélectionnera pour leur donner une autorité normative, ou qu'elle ne retiendra pas : des communautés se réfèrent aux lettres de Paul, d'autres à l'évangile de Jean, ou à la Doctrine des douze apôtres, à l'évangile copte de Thomas, aux épîtres de Pierre, au Pasteur d'Hermas, à l'évangile de Marc, aux lettres d'Ignace d'Antioche — selon les traditions locales, selon les moyens qu'ont les communautés de s'offrir beaucoup ou peu de manuscrits chrétiens. La référence aux écritures chrétiennes varie donc considérablement d'une Église à une autre. Par contre, *toutes lisent l'Écriture*. Toutes méditent l'Écriture et reconnaissent qu'elle est inspirée, mais ce que les premiers chrétiens nomment l'Écriture n'est pas le Nouveau Testament (qui n'existe pas), mais la Bible hébraïque, l'Ancien Testament. « *Toute Écriture est inspirée de Dieu* », lit-on dans 2 Timothée 3, 16, mais il s'agit de l'Ancien Testament. L'épître de Clément de Rome aux Corinthiens, écrite juste à la fin du premier siècle, cite 106 fois l'Ancien Testament qui est appelé « la sainte parole » et... deux fois seulement une parole de Jésus, la « parole du Seigneur » (13, 1 ; 46, 7). C'est dire à quel point les Écritures juives nourrissent la théologie chrétienne au deuxième siècle, et pas seulement la théologie : la liturgie, les hymnes, la foi, l'éthique des chrétiens.

Cette présence forte des Écritures juives en Église pose un problème théologique : quel rapport entre le destin d'Israël et l'histoire du christianisme ? Quelle continuité entre le Dieu de l'Exode, avec son bras puissant qui arrache les Hébreux du goulag d'Égypte, et le Dieu de la croix, vers qui monte le cri

« pourquoi m'as-tu abandonné ? » (Mc 15, 34) ? Marcion est un lecteur de Paul. Il croit défendre l'authentique paulinisme en militant pour un intégrisme paulinien, qui donne dans l'excès jusqu'à le dénaturer. Marcion est un ultra. Il lit chez Paul un rejet de l'Ancien Testament ; Dieu s'est dit à la croix en rejetant Israël ; il faut donc choisir : ou l'Évangile ou la Loi. Christ n'est-il pas « la fin de la Loi », comme le dit saint Paul en Rm 10, 4 ? Il faut donc congédier la Bible hébraïque, et de plus, expurger les écrits chrétiens qui ont falsifié l'Évangile en le re-judaïsant. De cette campagne, style Monsieur Propre, n'échapperont que dix lettres pauliniennes et un évangile, Luc, censuré il est vrai des passages marquant aux yeux de Marcion une dépendance fâcheuse de Jésus à l'égard de l'Ancien Testament.

Un modèle de rejet

Marcion proposait donc au christianisme du second siècle de résoudre le problème du rapport entre l'ancien et le nouveau par un modèle de rejet. L'ancien est vu comme le contre-modèle du nouveau ; on oppose le Dieu terrible d'Israël au Dieu de pardon, et l'universalisme chrétien au particularisme juif. Ce modèle marcionite connaîtra un succès immense. Marcion fonde en 144 une Église de réforme, dont les adeptes essaimeront de Rome à Alexandrie, et de Carthage en Asie Mineure. Il faudra l'énergie des Pères de l'Église, Tertullien, Irénée, pour sauver la place de l'Ancien Testament en régime chrétien, et pour récuser cette amputation dramatique des écritures référentielles de la chrétienté. Le marcionisme en tant que phénomène schismatique a été résorbé. La question théologique demeure, incontournable, et la rivalité que construit la foi populaire entre l'Éternel des armées et le Dieu de Jésus relève plus souvent qu'on ne le pense d'un marcionisme larvé. Quoi qu'il en soit, l'aventure marcionite montre que le débat sur son rapport à l'Ancien Testament affecte la foi chrétienne en son cœur même.

Fidèle à l'objectif de ce livre, je vais ausculter la littérature néotestamentaire pour examiner comment se noue le rapport à l'Écriture d'Israël, et tenter de saisir, dans son inscription littéraire, la conviction des premiers chrétiens. Dans un premier temps, je montrerai que le Nouveau Testament s'est construit dans un dialogue (souvent conflictuel) avec les Écritures juives ; ce dialogue et ce conflit s'enracinent dans l'attitude de Jésus. Dans un second temps, je veux montrer que récapituler le rapport Ancien/Nouveau Testament dans le scénario promesse-accomplissement revient à lui passer le licou ; cette formule représente un consensus mou, une réduction paresseuse, bien loin de recouvrir la pluralité des modèles de relecture chrétienne de l'Ancien Testament.

Une réflexion chrétienne pétrie d'Écriture

La question de la validité des Écritures juives pour le christianisme, telle que la formule Marcion, est typique du deuxième siècle ; la chrétienté du premier siècle ne la pose pas, car l'autorité de la « sainte parole » (Clément de Rome) va de soi. Les écrits chrétiens ne se démarquent pas de la littérature juive comme une Écriture nouvelle ; d'emblée et sans débat, le christianisme ancien s'est placé dans la continuité de la tradition juive. Et la présence croissante de chrétiens d'origine non-juive, notamment dans les églises pauliniennes, n'y change rien : la conscience d'une solidarité unique et congénitale avec l'Israël biblique n'est pas discutée.

La manifestation la plus éclatante est constituée par les innombrables citations d'Écriture qui émaillent les écrits de cette période, épîtres et évangiles. La composition majoritairement pagano-chrétienne de la communauté de Corinthe ne retient pas Paul d'appuyer sa conception des sacrements sur une lecture allégorique d'Exode 13-14 (le baptême), d'Exode 16 et Nombres 20 (la cène) ; le rocher de Nb 20, 8, qui « suivait » Israël au désert[1], est vu comme une préfiguration du Christ (1 Co

---

[1] Paul appuie sa lecture allégorique sur une tradition rabbinique de lecture des textes incriminés ; souvent, sa lecture est très proche des targoums, ces traductions commentées du texte hébreu faites pour la lecture et l'enseignement à la synagogue. On en conclura que Paul ne reçoit pas seulement l'Ancien Testament *de* la tradition juive, il le reçoit aussi *dans* la tradition juive de lecture.

10, 1-5). L'évangile de Matthieu, qui affectionne les formules stéréotypées, multiplie à l'envi les tournures « *tout cela arriva pour que s'accomplisse ce que le Seigneur avait dit par le prophète* », « *alors s'accomplit ce qui avait été dit par le prophète* », « *tout cela est arrivé pour que s'accomplissent les écrits des prophètes* » (Mt 1, 22 ; 2, 15.17.23 ; 3, 15 ; 4, 14 ; 8, 17 ; 12, 17 ; 13, 35 ; 21, 4 ; 26, 56 ; 27, 9). Matthieu travaille, comme les autres évangélistes, avec un recueil de *testimonia*, inventaire de textes d'Ancien Testament groupés par thèmes et utilisés dans la catéchèse des premières communautés[2]. Mais sous ces îlots que sont les citations, c'est le tissu même des évangiles et des épîtres qui est imprégné de la méditation des Écritures juives.

Les premiers chrétiens se sont en effet trouvés devant une tâche théologique énorme : comprendre ce qui s'était passé durant la vie de Jésus de Nazareth, à la lumière de la résurrection. Cet homme, suivi d'une poignée de disciples et mort lamentablement pour avoir défié l'autorité de la Loi, était-il vraiment Celui qu'on attendait ? Celui dont les autorités religieuses avaient fomenté la mort pour sauver l'honneur de Dieu, comment s'inscrivait-il dans l'histoire sainte ? Chercher réponse à ces questions conduit les premiers chrétiens devant les Écritures. Ils opèrent une lecture de l'Ancien Testament à partir de la foi en Jésus, et ce qu'ils lisent leur permet d'élaborer une christologie. Esaïe 53 est requis pour légitimer l'abaissement du Christ, le Psaume 110, 1 pour dire la filiation davidique, Michée 5 pour attester la naissance à Bethléem, Esaïe 6, 9s et Jérémie 5, 21 pour comprendre l'endurcissement d'Israël ; Esaïe 61, 1 signifie la présence de l'Esprit, Zacharie 9 interprète l'entrée de Jésus à Jérusalem (les Rameaux), le Psaume 22, 2 formule le cri de la croix. Un va-et-vient s'opère ainsi entre la foi des premiers chrétiens et l'Écriture, si bien que l'Ancien Testament est lu à partir de la foi messianique, tandis qu'en retour, le ministère de Jésus est éclairé de l'Ancien Testament et de l'histoire d'Israël. La clef de cette relecture chrétienne des Écritures est christologique. A preuve, le fait qu'on ne rencontre guère de

---

[2] On en trouvera une présentation chez C.H. DODD, Conformément aux Écritures, (Parole de Dieu), Paris 1968.

citations scripturaires dans le Nouveau Testament dont le choix ne soit pas guidé par la christologie. Mais comment opère cette lecture ?

Lecture sélective et midrashique

La lecture chrétienne de l'Ancien Testament a été dès l'origine sélective et midrashique.

La lecture est *sélective*, choisissant dans cet immense champ de littérature les matériaux dont elle a besoin. Le livre des Juges, Ruth, Esdras ou l'Ecclésiaste sont à peine effleurés, tandis que la Torah (les cinq premiers livres), la tradition prophétique et les Psaumes sont abondamment utilisés. Mais l'emprunt vétérotestamentaire n'est pas toujours apparent. La tradition du juste souffrant, probablement la plus ancienne interprétation de la mort de Jésus, constitue l'arrière-plan du récit de la crucifixion en Marc 15, 21-41. Le Psaume 22 est cité au v. 24 (tirage au sort des vêtements : Ps 22, 19), au v. 29 (les passants hochent la tête en signe de mépris : 22, 8) et au v. 34 (le cri de Jésus : 22, 2). Or, une lecture comparée du Psaume 22 et de Marc 15 révèle que l'influence est plus forte qu'un emprunt, et que le psaume fonctionne comme une matrice du récit : la scène de la crucifixion est calquée sur l'itinéraire du psalmiste, faisant se succéder le dénuement total du croyant (Ps 22, 2-3), la dérision à laquelle il est exposé (22, 13-19), la vigueur de la plainte qu'il adresse envers et contre tout à son Dieu (22, 4-12.20-22a), pour s'achever dans une commune découverte de la présence de Dieu au sein du silence et de l'abandon (22, 22b-32).

La lecture est *midrashique*. Je m'explique. Les chrétiens réquisitionnent des passages scripturaires, animés par la conviction que toute la tradition biblique reçoit son sens, ultimement, de la croix et de la résurrection. Ce faisant, les textes de l'Écriture vont endosser une signification souvent fort éloignée de celles qu'ils avaient reçue de leur écrit natif. Marc 1, 3 cite Esaïe 40, 3 : « *Une voix crie dans le désert : préparez le chemin du Seigneur* » ; le prophète envisageait, à partir de l'exil, le chemin du retour en terre d'Israël ; les chrétiens y lisent une prophétie de la venue du Christ. Matthieu 2, 15 cite Osée 11, 1 « *D'Égypte, j'ai appelé mon fils* », mais il ne s'agit plus du peuple d'Israël sortant d'Égypte ; l'histoire salutaire qui commence n'est pas celle du peuple choisi, mais celle de Jésus. Ce procédé de lecture, qui consiste à sortir un texte de son contexte pour le référer à un autre événement (en l'occurrence, le ministère de Jésus), est typique de l'exégèse juive ; on l'appelle le midrash. La lecture midrashique sollicite l'Écriture pour l'actualiser, persuadée que le texte ancien, inscrit dans un contexte historique précis, parle aussi dans une situation changée, parce qu'il porte la Parole éternellement vivante de Dieu. Il s'ensuit que le midrash ne se soucie point de ce que nous appelons le sens originel, allant, s'il le faut, jusqu'à modifier le texte pour en garantir l'actualité[3]. Le principe est formulé par la Mishna (Aboth 5, 22) : « Tourne-la et retourne-la (l'Écriture), car tout est en elle, contemple-la et que tes cheveux blanchissent, et ne bouge pas d'elle, car il n'est rien de mieux pour toi qu'elle. »

Les premiers chrétiens n'ont pas fait autrement que tourner et retourner l'Écriture, pour dénicher le sens inattendu, inouï, qu'elle reçoit de la vie et de la mort du Messie. Mais au sein de la logique midrashique, qui à la fois continue le texte et lui fait violence, les chrétiens mènent un jeu de continuité et de rupture avec la tradition juive, auquel ils se sentent autorisés par la liberté même de leur Maître.

L'inouïe liberté de Jésus

Face à une lecture juive de l'Écriture soucieuse de rattacher toute nouvelle interprétation à la chaîne des lectures anciennes, à la tradition des pères, Jésus agit avec une liberté téméraire qu'il paiera de sa vie.

Même reformulées au sein des premières églises, les controverses sur le sabbat, le pardon des péchés, le pur et l'impur, le mariage (Mc 2-3 ; 7 ; 10) sont éloquentes. Jésus appuie chaque fois son argumentation sur une exégèse, qui fait primer l'his-

---

[3] Un exemple classique : la citation d'Habaquq 2, 4 en Ga 3, 11 et Rm 1, 17. Le texte hébreu d'Ha 2, 4 dit : « Le juste vivra par sa fidélité » : la traduction grecque des Septante transcrit : « Le juste vivra par ma fidélité (celle de Dieu) ; Paul écrit : « Le juste par la foi vivra ».

toire sainte (1 S 21) sur le commandement du sabbat (Mc 2, 25s), la Loi écrite sur la tradition des hommes (Mc 7, 8.13). Sur la question du divorce, Jésus oppose un texte d'Écriture à un texte d'Écriture, Dt 24, 1 (l'octroi du certificat de répudiation) à Gn 2, 24 (l'unité du couple), et fait jouer la volonté originaire du Créateur contre la prescription mosaïque. Contre le dogme juif de la validité intégrale de la Torah, englobant ses signes les plus infimes (Mt 5, 18), il ose hiérarchiser les commandements et en choisit deux, qui récapitulent l'obéissance sous l'impératif de l'amour (Mc 12, 28-32). On retiendra que la lecture de Jésus n'est pas désinvolte ; à ce stade, il ne révoque pas le texte, mais adopte, pour se guider dans le maquis des lectures, un principe : Dieu, selon lui, fait primer une pratique morale (centrée sur autrui) sur une pratique rituelle (axée sur la défense de soi).

La séquence des antithèses (Mt 5, 21-48) montre qu'il est allé encore plus loin[4]. Le « mais moi je vous dis » congédie impertinemment le savoir séculaire des pères, la Torah orale, que l'on faisait remonter à Moïse et dont l'autorité se confondait avec celle de la Torah écrite (Mt 23, 2). Il contre même à deux reprises l'Écriture, en suspendant, outre la clause mosaïque du divorce (Mt 5, 31s ; cf Mc 10, 9), la loi du talion (Ex 21, 24 ; Lv 24, 20 ; Dt 19, 21). Pareille liberté, qui ne s'autorise de personne et ne se rattache à aucune école, est sans égale à l'époque ; elle met en œuvre le même canon herméneutique, l'amour d'autrui, mais radicalisé à l'exemple du Créateur par l'amour de l'ennemi (Mt 5, 43-48). Où s'enracine cette liberté unique ? C'est la proximité du Règne, la conscience de la présence pressante de Dieu, qui donne à Jésus l'audace de faire voler en éclats le délicat et compliqué appareil de lecture des rabbis, avec son réseau de précisions casuistiques (lire Mt 4, 12-17 avant Mt 5).

Il s'ensuit que le rapport de Jésus à l'Écriture est uniforme dans sa souveraineté, mais pluriel dans ses modalités. Tantôt

---

[4] Pour une étude de Mt 5, 21-48, voir J. ZUMSTEIN, *La condition du croyant dans l'évangile selon Matthieu*, OBO 16, Fribourg-Göttingen 1977, p. 309ss : D. MARGUERAT, *Le jugement dans l'Évangile de Matthieu*, (Le Monde de la Bible), Genève 1981, p. 142-151.

il choisit l'Écriture contre la tradition, tantôt un texte contre un autre, tantôt la volonté de Dieu contre le texte. Bref, il peut quêter la parole du Dieu proche dans l'Écriture, mais aussi en deçà de l'Écriture. Les premiers chrétiens vont user de cette liberté, et leur rapport à la Bible hébraïque va refléter la diversité qu'ils ont perçue chez Jésus. Disons que, tout comme la proximité du Règne a donné à Jésus la liberté d'accueillir ou de dénier le texte scripturaire, de même leur foi au Christ a donné aux premiers chrétiens la liberté d'user ou de rompre avec la Torah.

Je vois le rapport entre l'ancien et le nouveau se dessiner, chez les premiers chrétiens, selon trois modèles : la continuité, la promesse réalisée et la rupture[5].

Le modèle de continuité

Dans ce modèle, Christ est perçu comme la confirmation de la Loi. Le Dieu de l'ancien est le Dieu du nouveau. Israël et l'Église vivent la même rencontre du même Dieu dans sa Parole. Qu'est-ce que la lecture chrétienne de l'Ancien Testament ? L'Ancien Testament est lu chrétiennement comme le témoignage d'une foi qui prépare et permet, obscurément, le kérygme chrétien.

Exemple : les tentations de Jésus (Mt 4, 1-11 ; cf Lc 4, 1-13). Le récit est un midrash narratif brodé autour de quelques paroles d'Écriture. Quelles paroles ? Celles que Jésus adresse à Satan pour signifier son refus. Voyez la première tentation :

> Le tentateur s'approcha et lui dit : « Si tu es Fils de Dieu, ordonne que ces pierres deviennent des pains. » Mais il répliqua : « Il est écrit : Ce n'est pas seulement de pain que l'homme vivra, mais de toute parole sortant de la bouche de Dieu ». (Mt 4, 3-4)

Contre la suggestion de pervertir sa filialité en pouvoir magique, Jésus répond par une citation d'Écriture. Intéressant phénomène. Le Christ ne fait pas état de sa propre autorité (comme

---

[5] F. VOUGA propose une typologie un peu différente dans son intéressant article : « Jésus et l'Ancien Testament » *Lumière et Vie* 144, 1979, p. 55-71.

dans le « mais moi je vous dis ») ; il se range sous l'autorité de la Torah, ici Deutéronome 8, 3 (dans la version grecque des Septante) ; plus tard, il cite Deutéronome 6, 16 et 6, 13. Jésus se présente comme le croyant juif fidèle à la Loi, non pas qui l'interprète, mais qui l'observe et soumet chaque instant de sa vie à l'autorité du Dieu dont elle émane[6]. Le Christ renvoie donc Satan à l'Écriture : rien de nouveau, dit-il en substance, il y a longtemps que tout cela est écrit ! Du Deutéronome à l'évangile, qu'est-ce qui change ? Au fond, rien. Certainement, la relecture du Deutéronome dans le récit des tentations n'est pas insignifiante : Jésus résiste là où Israël, le peuple-fils de Dieu, a succombé. Au désert, Israël a réclamé et reçu la manne (Ex 16) ; citer entièrement Deutéronome 8, 3 fait apparaître la référence à la manne : « Il t'a mis dans la pauvreté, il t'a fait avoir faim et il t'a nourri de la manne, que tes pères ne connaissaient pas, pour te faire connaître que l'homme ne vivra pas de pain seulement, mais que l'homme vivra de toute parole sortant de la bouche de Dieu » (selon la Septante). Jésus ne réclame pas. Il ne force pas un nouveau don de la manne. Il réussit là où Israël a échoué. Mais de l'échec à la réussite, le schéma est linéaire. Il n'y a pas de « progrès religieux » à proprement parler si l'on passe du Deutéronome à l'Évangile, de l'Ancien au Nouveau Testament. Dit autrement : la tradition juive exerce ici à l'égard de l'Évangile une indéniable fonction matricielle. Cette même fonction a été relevée à propos du langage du jugement, qui christianise un donné de l'apocalyptique juive ; on verra au chapitre suivant qu'il en va de même pour la compréhension d'un événement situé au cœur du kérygme chrétien : la résurrection.

On retrouve le modèle de continuité en Romains 4, avec Abraham mis en avant comme le type du croyant. Dans le discours d'Étienne au sanhédrin (Actes 7), l'histoire d'Israël est revisitée comme un modèle d'incrédulité, dont la croix est la

---

6 Il est significatif que dans la construction des évangiles de Luc et de Matthieu, la tentation de Jésus figure au début ; la filialité divine proclamée au baptême est donc interprétée d'emblée comme un état d'obéissance au Père, et dans l'évangile de Matthieu en particulier, seule la soumission à la Parole confère à Jésus le droit de l'interpréter (Mt 5, 21-48).

continuation et l'apogée. Dans les récits de controverse et les débats d'école, le lecteur chrétien est renvoyé à la Torah pour élaborer son obéissance : le débat sur le premier commandement (Mc 12, 29s) cite le traditionnel *shema Israel* (Dt 6, 4) ; l'homme riche reçoit un résumé de la seconde table du décalogue (Mc 10, 19) ; le légiste de Luc (10, 27) est approuvé quand il résume la Loi dans les deux commandements de Deutéronome 6, 5 et Lévitique 19, 18 ; lors du débat sur la résurrection des morts (Mc 12, 26), la révélation de Dieu au buisson ardent est évoquée (Ex 3, 6) ; Matthieu conclut l'épisode des épis arrachés en invoquant Osée 6, 6 : « *C'est la miséricorde que je veux, non le sacrifice* ».

Dans tous ces textes, l'Écriture est réquisitionnée pour dire le Dieu de Jésus. Aussi ce modèle accrédite-t-il la continuité entre l'Ancien et le Nouveau Testament, mais échoue-t-il à faire voir quelle rupture la croix, et surtout la résurrection, instaurent. On identifie derrière ce modèle le judéochristianisme strict, héritier de Jacques, qui continuait à respecter la lettre de la Loi, y compris dans ses exigences ritualistes ; son évolution est mal connue, mais on pense qu'il disparaît au troisième siècle par émiettement ou en se refondant dans le judaïsme.

Le modèle de la promesse réalisée

C'est le modèle le plus courant, si j'ose dire, qui correspond à la conviction chrétienne originale : Christ accomplit la Loi. Le nouveau réalise l'ancien, ce qui implique qu'il l'accueille tout en le frappant de caducité. Du côté juif, la littérature chrétienne se constitue en excroissance apocryphe ; du côté chrétien, l'Écriture juive est lue comme promesse, mais seulement comme promesse, dépourvue de son accomplissement.

On pense aux innombrables citations d'accomplissement qui émaillent les évangiles. On pense à la prophétie d'Esaïe 40, 3 sur les lèvres du Baptiste, qui d'entrée de jeu, au début de l'évangile de Marc (1, 3), fait de Jésus le Seigneur attendu. On pense aux miracles, présentés en Matthieu 8, 17 comme l'accomplissement du temps messianique (Esaïe 53, 4). On pense à la fuite des disciples à l'approche de la croix, prophétisée à l'aide de Zacharie 13, 7 (Mc 14, 27). On pense aux multiples extraits du Psaume 118 (Mc 11, 9 ; 12, 10s ; Mt 11, 3 ; 23, 39 ; Hb 13, 6 ; 1 P 2, 7).

Les textes que je viens de citer émanent tous des psaumes et d'Esaïe : le modèle de la promesse réalisée revendique surtout les psaumes et la littérature prophétique, alors que c'est plutôt la Torah (le pentateuque) que le christianisme sollicite dans le modèle précédent. Le rapport à la Loi cherche la continuité, tandis que la lecture des promesses est en quête d'accomplissement.

Il n'est pas étonnant que ce modèle, qui déchiffre l'histoire d'Israël à l'ombre du Nouveau Testament, se soit imposé dans la grande Église, où s'érige l'orthodoxie du second siècle. Théologiquement, il présente l'avantage de prendre en compte le caractère dernier, ultime, eschatologique du ministère de Jésus. Son défaut : il réduit l'Ancien Testament à n'être que la préfiguration du Nouveau, et abolit la dimension de l'histoire. Peu importe l'histoire du Dieu des Juifs, puisqu'elle ne fait qu'annoncer l'événement christologique ! Dieu s'est déplacé du Temple au Fils (Mc 15, 38). La communauté chrétienne va de la sorte revendiquer la Bible hébraïque comme son Écriture, et la brandir contre le judaïsme ; on sait les débordements historiques de cette attitude.

Le modèle de la promesse réalisée se rencontre également, sous une forme que j'appellerais durcie, en des passages où l'Ancien Testament constitue l'architecture secrète du texte et guide en sous-main son avance. Le rôle du Psaume 22 dans le récit de la crucifixion (Mc 15, 21-41) a déjà été mentionné. Toute la séquence des chapitres 21 à 23 de Matthieu, qui va de l'entrée à Jérusalem aux invectives contre les scribes et pharisiens, a été composée par l'évangéliste sur le modèle de la tradition prophétique ; Jésus, avec une intensité croissante, s'y manifeste sous les traits du prophète contestataire et contesté. L'Évangile de l'enfance (Mt 1-2 ; Lc 1-2) est une vraie marqueterie de textes vétérotestamentaires ; tout se passe comme si l'Ancien Testament gouvernait le récit, et c'est bien le cas : après avoir été présenté comme le nouveau David (Mt 1), Jésus devient le nouveau Moïse (Mt 2) ; les citations prophétiques abondent dans le premier cycle, les références à l'Exode dans le second. Il ne faut pas ignorer non plus le poids de l'Ancien Testament sur des récits tels que la multiplication des pains, les noces de Cana ou la petite apocalypse de Marc 13.

Curieusement, une fois durci, le modèle de la promesse réalisée tend à rejoindre celui de la continuité. Il atteste que le salut vient des Juifs, et avertit l'Église qu'à renier ses racines historiques et spirituelles, elle se renie elle-même.

Le modèle de rupture

Christ est ici la fin de la Loi. Le nouveau clôture l'ancien et inaugure une nouvelle écriture (une deutéro-nomie), qui signifie la période neuve ouverte dans l'histoire de Dieu et des hommes. L'Ancien Testament est lu comme l'histoire d'un échec, non pas au sens matthéen où la Loi recentrée reste en vigueur (Mt 5, 17s), mais au sens paulinien, où la Torah cesse d'être le chemin du salut (Ga 3, 13). La croix périme la Loi et signe la faillite d'Israël.

Ce modèle est nettement amorcé dans le Nouveau Testament, mais sans aboutir, et pour cause, à un système de rejet. Le christianisme ne cesse de se construire au premier siècle dans un face à face, même conflictuel, avec le judaïsme. Mais le Christ de Marc commet un geste de rupture lorsqu'il déclare dans la controverse sur le pur et l'impur : « *Ne savez-vous pas que rien de ce qui pénètre de l'extérieur dans l'homme ne peut le rendre impur ?* » (Mc 7, 18) ; cette parole de Jésus congédie sans retour tout un pan de la Loi, la Torah cérémonielle, dont la fonction est de préserver la pureté du peuple saint en lui dictant un code alimentaire. Du coup, les interdits alimentaires de Lévitique 11 sont frappés de caducité ; cette mesure, qui casse la distinction entre le peuple choisi et les nations, ouvrira la porte à la mission universelle. Luc, dans le livre des Actes, s'est fait le narrateur de cette extension du salut aux non-juifs. Défend-il pour autant un modèle de rupture ? Non, dans la mesure où il ne cesse de montrer que le Dieu d'Abraham, d'Isaac et de Jacob est le Dieu de Jésus-Christ, et que la lecture correcte des Écritures devait conduire à reconnaître sa manifestation dans le Christ (Lc 16, 27-31 ; 24, 25-27.45s Ac 3,

17-26 ; 7, 51-53). Mais d'autre part, son découpage de l'histoire en périodes assigne à Israël et à l'Ancien Testament un temps révolu : « *La Loi et les prophètes vont jusqu'à Jean* » (Lc 16, 16) ; après, ils ne gardent d'actualité et de pertinence que rapportés au Christ. Autrement dit, ils sont devenus une grandeur périmée.

Il faut attendre de l'apôtre Paul une formulation plus incisive du modèle de rupture. Contrairement à ce que pensait Marcion, Paul ne récuse ni la solidarité native du christianisme avec le judaïsme (Rm 9-11), ni l'autorité de la Loi pour réguler l'éthique chrétienne (Ga 6, 2). Par contre, la Loi a cessé de conduire au salut ; la croix a libéré de la Loi un homme que le péché rend incapable de parvenir à son idéal d'obéissance (Rm 7, 7-12)[7]. En ce sens, la Loi est devenue malédiction, révélée par la croix, car elle coupe paradoxalement l'homme de Dieu (Ga 3, 12-14). En ce sens aussi, « *Christ est la fin de la Loi* » (Rm 10, 4) ; le terme qu'utilise Paul dans cette expression lapidaire, *telos*, signifie aussi bien le terme que l'accomplissement. Christ met-il un point final à la validité de la Loi, ou est-il celui vers qui pointe tout le témoignage de l'Ancien Testament, qu'il honore en l'accomplissant ? Dans la pensée de l'apôtre, Jésus est assurément les deux, mais le contexte du passage majore nettement le premier sens : Christ met un point d'arrêt à la justice qui vient de la Loi (Rm 10, 3-5).

Ce n'est qu'au second siècle que le modèle de rupture sera pleinement consommé, empruntant aux eaux troubles de l'anti-sémitisme antique. Nous avons présenté Marcion, dans sa lutte contre la grande Église suspecte de re-judaïser le christianisme ; il défend l'Évangile paulinien contre la Loi, l'amour sauveur contre l'exclusivisme et le Dieu de Jésus contre le Dieu-des-armées.

Une autre façon de congédier l'Ancien Testament, plus subtile, sera de le soumettre systématiquement à une interprétation allégorique. Son histoire et son étrangeté se résorbent ainsi dans les thèmes traditionnels de la dogmatique chrétienne. Voici par

---

[7] Nous aborderons ce texte plus loin, p. 109-113.
[8] J'emprunte l'exemple à F. VOUGA, « Jésus et l'Ancien Testament »,

exemple comment l'épître de Barnabé, rédigée vers 130 à Alexandrie, interprète Genèse 17, 23.27[8] : « *Et Abraham, est-il dit, circoncit dix-huit et trois cents hommes de sa maison.* » « *Quelle connaissance lui avait-il donc été accordée ? Apprenez-le. Il nomma d'abord dix-huit puis, séparément, trois cents. Dix-huit s'écrit : Iota* (dix), *êta* (huit). *Cela fait Jésus, IÊsous. La croix en forme de T devait apporter la grâce. Il ajoute donc trois cents* (= T dans la numérotation grecque). *Il exprime Jésus par deux lettres, la croix par la troisième* » (9, 8). On est ici bien au-delà de Paul ; la parole de l'Ancien Testament est muselée, convoquée à servir un autre maître, et son assujettissement se conjugue avec un anti-judaïsme qu'ignore l'apôtre.

Conjuguer nécessairement les trois modèles

Nous avions donc raison de ne pas nous satisfaire de réduire mollement le rapport de l'Ancien et du Nouveau Testament à un mode d'accomplissement. L'enquête conduite dans les évangiles et le paulinisme montre que ce rapport est riche et diversifié. Les trois modèles élaborés sont des modèles en tension ; chacun, pris pour lui seul, mène à des dérives théologiques. Il est remarquable qu'aucun des écrits considérés ne mette en œuvre un seul modèle : le paulinisme ne se résorbe pas dans un geste de rupture, et le premier évangile ne se contente point d'aligner Jésus sur la Torah.

Le modèle de continuité confesse l'irréductibilité et la valeur irremplaçable pour les chrétiens de l'expérience de Dieu vécue par Israël, vraie matrice de l'Évangile. Il avertit l'Église qu'à renier son enracinement spirituel dans le judaïsme, elle abjure sa propre foi. Pris isolément, ce modèle fait du christianisme une excroissance du judaïsme, et de Jésus, un prophète qui aurait mal tourné.

Le modèle de la promesse réalisée saisit l'Ancien Testament comme une attente tendue vers son accomplissement. Dieu se révèle progressivement dans l'histoire, et la clef de lecture se trouve non dans l'Exode, mais dans l'événement christique.

Lumière et Vie 144, 1979, p. 69-70. La traduction de l'épître de Barnabé provient de F. QUÉRÉ, *Les Pères apostoliques*, Points 22, Paris 1981.

Laissé à lui-même, ce modèle tend à faire de l'histoire d'Israël un préparatif, et de sa découverte de Dieu une expérience obsolète ; il efface subtilement la faille qui sépare Israël du christianisme, en intégrant le judaïsme dans une logique chrétienne de la rédemption. La particularité juive est niée.

Enfin, le modèle de rupture prend au sérieux le fait que toute affirmation théologique doit être mesurée, pour garder sa crédibilité, au lieu ultime de sa révélation : la vie et la mort du Messie. L'homme ne peut plus se comprendre devant Dieu hors du verdict de la croix. S'il n'est pas conjugué avec d'autres, ce modèle engendre l'oubli des Écritures juives et le rejet d'Israël.

CHAPITRE 5

ET LA RÉSURRECTION

Où l'on commence par voir les disciples douter, et d'autres aussi — La croyance dans la résurrection est une apparition tardive dans l'Ancien Testament — Les raisons de l'émergence de la foi résurrectionnelle au second siècle avant J.-C. : résurrection et jugement — Le riche langage de la résurrection dans le Nouveau Testament : langage de l'éveil, de la vie et de l'exaltation — Pâques, re-compréhension de la croix.

Douter. L'évangéliste Matthieu, avare de ce mot puisqu'il ne l'emploie qu'à deux reprises au long de son évangile, l'a placé en un endroit, à première vue, incongru : le chapitre de la résurrection[1]. Les onze disciples se sont rendus en Galilée, sur la montagne où le Christ vient les rejoindre, et là, quand ils voient le Ressuscité, « *ils se prosternèrent, mais certains doutèrent* » (28, 17). Curieuse mention. On attendrait plutôt l'unanimité dans l'allégresse des retrouvailles pascales. Matthieu dénoncerait-il quelques moutons noirs, mauvais élèves du Ressuscité, pour inciter sa communauté à une conviction sans faille ? Un petit fait, intervenu à peine plus haut dans le récit, appelle à voir les choses différemment.

---

[1] Autre mention du verbe « douter » dans le reproche fait à Pierre marchant sur l'eau, et prenant peur : « Homme de peu de foi, pourquoi as-tu douté ? » (Mt 14, 31).

On commence avec le doute

L'épisode en question, que Matthieu est seul à rapporter, se produit après la découverte du tombeau vide. La garde préposée à la surveillance de la sépulture rapporte la nouvelle aux grands-prêtres, qui après délibération, soudoient les soldats et les chargent de répandre le bruit que les disciples, durant leur sommeil, ont volé le corps de leur maître pour faire croire à sa résurrection (28, 11-15). Et Matthieu de conclure ainsi l'épisode : « *Ce récit s'est propagé auprès des juifs jusqu'à ce jour* ». Du point de vue de l'argumentation, l'évangéliste est d'une adresse consommée ; il contribue à répandre la rumeur, mais en la qualifiant de faux bruit, émanant des adversaires du Nazaréen ! Cette habileté rhétorique dénote la nécessité pour lui de contrer une rumeur connue de son église, active dans son milieu, et probablement même, jouissant d'un certain succès.

Joints au doute des disciples sur la montagne de Galilée, les ragots perfides des grands-prêtres jettent une lumière crue sur les difficultés qu'a soulevées dès l'origine la foi en la résurrection. Vous avez peut-être en mémoire les mésaventures de Paul à Athènes, selon Actes 17 : l'apôtre, au moment où il vient à évoquer « l'homme (que Dieu) a ressuscité d'entre les morts » (17, 31), se fait proprement interrompre à coup d'éclats de rire. « *Nous t'entendrons là-dessus une autre fois* » (17, 32). En-dehors de l'immortalité de l'âme, toute idée d'un au-delà paraît saugrenue à la culture grecque. L'apologétique de Matthieu nous fait savoir que l'affirmation de la résurrection de Jésus rencontrait des résistances aussi bien du côté juif que du côté grec, mais pour des raisons différentes ; elle nous apprend aussi que le doute s'est infiltré à l'intérieur de l'Église, où l'événement de Pâques est à la fois adoré et suspecté. Nous sommes avec Matthieu autour des années 80, et le dogme fondateur de la foi chrétienne est déjà devenu son maillon faible. Le temps n'arrangera pas les choses. Dès le second siècle, les grandes controverses anti-chrétiennes font leurs risées de la croyance résurrectionnelle, et Celse, le philosophe romain, niera la crédibilité d'un événement fondé sur le seul témoignage des convaincus. Ces polémiques préludent aux objections que la modernité oppose frontalement à la résurrection du Christ ; les arguments sont ici de type rationaliste (on ne peut faire intervenir une causalité miraculeuse pour suspendre la chaîne naturelle des causes et des effets), de type psychologique (la résurrection serait le résultat d'une hallucination collective rattrapant chez les disciples la catastrophe de la croix), ou de type sociologique (la mort de Jésus aurait été niée pour assurer la survie de la secte)[2].

De leur côté, exposés à cette agression en règle, les récits de résurrection se défendent mal. Les exégètes n'ont pas été les derniers à établir que Marc, Matthieu, Luc et Jean divergent considérablement dans leurs narrations pascales, que leurs récits d'apparition du Ressuscité sont franchement inconciliables, et que la concision extrême du plus archaïque credo de Pâques (1 Co 15, 3b-5) ne nous aide pas à trancher. L'historicité de ces récits a été pathétiquement discutée[3], et pour bien faire, il faudrait s'engager dans la dispute ; mais je pense que leur valeur documentaire est moins à défendre que la cohérence, entre les évangiles, d'une conviction théologique mise en récit. Je ne vais donc pas en débattre ici.

Revenons à la montagne de Galilée. Tout compte fait, savoir que le doute posé sur Pâques est plus vieux que l'évangile recèle pour nous une indication précieuse. Que Matthieu n'ait pas hésité à glisser le mot dans son chapitre 28 indique qu'à ses yeux, le spectacle du Ressuscité ne relève pas de l'évidence, comme nous l'imaginerions à la lecture des récits de Pâques. Mais s'il ne relève pas de l'évidence, de quel ordre est-il ? Une fois de plus, c'est poser la question du langage mobilisé par les textes. D'où vient le langage de la résurrection ? Que disait-il aux premiers chrétiens ? Quelles représentations mentales convoquait-il chez les lecteurs ?

---

[2] La critique la plus incisive est formulée par le philosophe et homme de science H. ALBERT, dans son ouvrage : *Das Elend der Theologie*, Hamburg 1979. En dialogue critique avec lui : P. PAROZ, *Foi et raison*, (Lieux théologiques 8), Genève 1985.

[3] Voir X. LÉON-DUFOUR, *Résurrection de Jésus et message pascal*, (Parole de Dieu), Paris 1971 ; N. PERRIN, *The Resurrection Narratives*, London 1977.

Pour faire le point

J'aimerais rappeler, pour résoudre ces interrogations, les résultats acquis jusque-là à l'examen des langages que nous avons considérés dans le Nouveau Testament. Ces résultats nous seront utiles pour guider l'étude du langage résurrectionnel, nettement plus complexe. Qu'avons-nous établi jusqu'à maintenant ?

1) Nous avons reconnu que ces langages n'étaient pas originaux au christianisme, mais *empruntés* à la tradition juive ou à la culture hellénistique populaire. Réquisitionnés pour véhiculer la foi nouvelle, ils sont reconnaissables à leur vocabulaire (paraboles), à leurs procédés (midrash, controverses), à leur structure (récits de miracle).

2) Nous avons découvert aussi que ces langages, de facture stéréotypée, n'étaient pas une structure creuse qu'un sens chaque fois nouveau viendrait remplir. Au contraire, leur forme, la forme comme telle, a déjà sens dans la communication. *La forme fait sens.* Le récit de miracle annonce un thaumaturge qui vient dé-fataliser la souffrance. La parabole porte au langage un Dieu brisant l'image du quotidien pour faire éclore de nouveaux possibles. La controverse doit fonder le droit de la communauté, en statuant qui, de Jésus ou des scribes, interprète correctement la Torah. Les langages requis par les premiers chrétiens ne sont pas des véhicules neutres ; ces formes littéraires sont chargées d'une fonction théologique et sociale, que les auditeurs du premier siècle saisissaient immédiatement, et qu'il nous appartient de reconstituer, sous peine de soumettre les textes à un questionnement qui les viole.

3) Ces langages cristallisent la réflexion chrétienne primitive sur *l'événement du Christ*. Les controverses, le midrash et les paroles d'accomplissement exposent la relecture de l'Ancien Testament opérée par les chrétiens sous le choc de la mort et de la résurrection de leur Seigneur. Les miracles disent la présence libératrice du Christ au corps de l'homme. Les paraboles font advenir la proximité mystérieuse et intriguante de Dieu révélée par Jésus.

Le discours sur la résurrection du Christ : s'agit-il aussi d'un langage emprunté ? d'un langage disposant en lui-même d'un potentiel de signification théologique ? d'un langage mis au service d'une théologie nouvelle ? La réponse est oui, et nous allons en faire la démonstration méthodique..

La venue tardive de la résurrection

La croyance en la résurrection des morts joue un rôle central dans le Nouveau Testament ; Paul l'apprenait déjà à des Corinthiens ahuris de l'entendre : privé de la résurrection, le christianisme succombe (1 Co 15, 13-17). Posture inverse pour l'Ancien Testament : la foi résurrectionnelle est une émergence périphérique et tardive dans la Bible hébraïque, périphérique parce que tardive[4]. On peut dire en gros que jusqu'au IIᵉ siècle avant notre ère, l'intérêt religieux des Hébreux se concentre entre les deux balises que sont la naissance et la mort. Le trépas n'inspire pas une interrogation sur l'au-delà, mais confère à l'existence son sérieux ultime : la vie est le lieu où se déploient les choix de l'humain et se noue sa relation à Dieu. Une fois mort, il est avalé par le shéol, monde souterrain des trépassés ; Dieu en est absent. Le Psaume 88 plaint les morts « couchés dans la tombe, et dont tu perds le souvenir car ils sont coupés de toi » (88, 6). Le Dieu d'Israël ne fraie pas avec le trépas. Mais si la mort engloutit puissants et pauvres dans le pays de l'oubli, elle n'est scandaleuse pour le croyant qu'en cas de venue brutale, ou précoce. L'homme rassasié de jours se retire sans bruit, à l'image des patriarches barbus, en empruntant « le chemin de tous les vivants » (1 R 2, 2 ; Jos 23, 14).

Or, au deuxième siècle, la croyance tourne. Israël, durant deux millénaires, n'avait pas ouvert la moindre fissure dans le mur opaque de la mort ; soudain, c'est la percée dans l'au-delà. Sous la poussée d'un milieu proche-oriental imbibé de spéculation dévote sur le sort des défunts, et pour des raisons qu'on découvrira plus tard, l'espérance de la résurrection des morts à la fin des temps s'infiltre dans la foi juive et s'y étale. Mais nous sommes ici dans les franges de l'Ancien Testament. La

---

[4] Je reprends dans la suite un thème déjà développé dans mon livre : *Vivre avec la mort*. Le défi du Nouveau Testament, Aubonne 2ᵉ éd. 1990, p. 23-25 et 54-56.

seule attestation indiscutable de la résurrection des morts se lit dans le plus jeune de ses écrits, le livre de Daniel, qui date d'environ 160 avant J.-C. Au chapitre 12, 1-2, qui est une évocation de la fin de l'histoire, on lit :

> En ce temps-là se dressera Michel, le grand Prince,
> lui qui se tient auprès des fils de ton peuple.
> Ce sera un temps d'angoisse, tel qu'il n'en est pas advenu depuis qu'il existe une nation jusqu'à ce temps-là.
> En ce temps-là, ton peuple en réchappera, quiconque se trouvera inscrit dans le Livre.
> Beaucoup de ceux qui dorment dans le sol poussiéreux se réveilleront,
> ceux-ci pour la vie éternelle,
> ceux-là pour l'opprobre, pour l'horreur éternelle.

Dans le calendrier de l'histoire qui touche à sa fin, la résurrection figure comme le grand réveil des trépassés, préludant à la vie éternelle ou à l'horreur sans nom. A partir du temps de Daniel, cette espérance va se répandre au galop dans la piété juive. Au tournant de l'ère chrétienne, le livre d'Hénoch, le 4e livre d'Esdras, l'Apocalypse syriaque de Baruch attestent à quel point le judaïsme contemporain de Jésus avait digéré cette croyance tard venue[5]. L'unanimité n'était pas faite pour autant, et l'incontournable diversité de la tradition juive doit nous préserver de massifier le diagnostic. La foi résurrectionnelle, fortement cultivée par les cercles apocalyptiques dont proviennent les écrits que je viens de citer, était aussi fermement rejetée par le parti sadducéen, dont le conservatisme intégriste sombrera avec la chute du Temple en l'an 70, et qui boudait cette idée nouvelle au nom de la lutte contre le modernisme (Lc 20, 27 a conservé la trace de ce veto). Le puissant mouvement pharisien croyait à la résurrection finale, qui de là investira la théologie rabbinique, tandis que la secte de Qumran reste attachée à une eschatologie militaire et nationaliste.

---

[5] Le lecteur s'en convaincra à la lecture de 1 Hénoch 22 et 2 Baruch 49-52 (comparer 2 Baruch 50, 1 - 51, 3.7-10 à 1 Th 4, 14-18, pour noter les fortes ressemblances !) Textes accessibles dans : *La Bible. Écrits intertestamentaires*, éd. A. DUPONT-SOMMER et M. PHILONENKO (Bibliothèque de la Pléiade), Paris 1987.

Comment on lisait les Écritures

Largement répandue mais sans faire l'unanimité, implantée dans les couches populaires où elle joue le rôle d'espérance compensatoire face à la dureté du présent, l'attente de la résurrection finale des morts va prendre au premier siècle un poids irrésistible. Sur quoi peut-on avancer ce constat ? L'indice est fourni par la lecture, à l'époque, de l'Ancien Testament : une référence à la résurrection est couramment introduite là où initialement le texte n'en comportait pas, mais permet de l'accrocher. Ainsi Esaïe 26, 19, qui n'émarge pas à l'espérance de la résurrection des défunts, mais annonce une restauration de tout Israël, y compris de ses morts, au Jour eschatologique : « *Tes morts revivront, leurs cadavres se relèveront. Réveillez-vous, criez de joie, vous qui demeurez dans la poussière !* » Le Targum de Jonathan, révision tardive d'une ancienne interprétation palestinienne, commente : « C'est toi qui fais (re)vivre les morts, toi qui ressuscites les morts, toi qui ressuscites les os de leurs cadavres. Ils vivront et ils chanteront devant toi, ceux qui avaient été jetés dans la poussière...[6] ». On est passé de l'espérance nationaliste au descriptif de l'au-delà.

La chaîne interprétative est plus nette encore dans le cas d'Osée 6, 2. Le prophète donne la parole au peuple, et cite, pour la mettre en pièces, sa conviction naïve que le courroux de Dieu à son égard s'épuisera sous peu.

> Au bout de deux jours il nous aura rendu la vie,
> au troisième jour il nous aura relevés
> et nous vivrons en sa présence.

Rendre la vie a ici valeur métaphorique, c'est améliorer le sort d'un peuple malmené par l'histoire ; les deux jours représentent simplement un court laps de temps (peut-être inspiré des mythes baaliques).

La version grecque des Septante traduit ainsi au IIe siècle avant J.-C. :

---

[6] Je cite le Targum de Jonathan selon P. Grelot, La résurrection de Jésus et son arrière-plan biblique et juif, in : P. DE SURGY, etc., *La résurrection de Jésus et l'exégèse moderne* (Lectio divina 50), Paris 1969, p. 38.

> Au bout de deux jours il nous rendra sains,
> au troisième jour nous serons relevés
> et nous vivrons en sa présence.

Et voici le commentaire du Targum de Jonathan :

> Il nous fera (re) vivre aux jours des consolations qui doivent
> venir ;
> au jour où il fera (re)vivre les morts, il nous ressuscitera
> et nous vivrons en sa présence.

Voyez-vous ce qui s'est produit ? D'une métaphore (rendre la vie), il a été fait une lecture matérielle (relever des morts). Un simple repère chronologique (au troisième jour) s'est mué en notation eschatologique : le troisième jour est devenu « jour des consolations » ou « jour de la vivification des morts » (comme le dit le Midrash Rabba), ce qui ne renvoie plus au surlendemain, mais à la fin des temps où se produira le relèvement attendu des morts.

Vous remarquerez qu'au fil de la démonstration, et à la seule lecture d'Esaïe 26, 19 et Osée 6, 2, s'est déjà constitué un petit vocabulaire résurrectionnel : réveiller, relever, vivre, le troisième jour. Deux de ces tournures figurent dans le credo archaïque cité par Paul en 1 Corinthiens 15 : « *Il a été relevé le troisième jour selon les Écritures* » (15, 4). Pour dire « ressusciter », le Nouveau Testament utilise les deux verbes que nous venons de noter : relever (*anistanai* en grec) et réveiller *(egeirein)*. Conclusion : les premiers chrétiens ont formulé la résurrection de leur Seigneur en empruntant le langage mis à disposition par la piété juive. Inutile de poursuivre la démonstration, qui pourrait s'étendre à l'ensemble du vocabulaire chrétien de la résurrection ; elle ne ferait que confirmer le constat qui tient en deux phrases : le langage chrétien de la résurrection reprend les codes et les métaphores de la tradition apocalyptique juive (par ex. : le troisième jour !) ; la conviction de la résurrection future des morts est commune au christianisme et au judaïsme, l'originalité chrétienne consistant dans l'application de cette espérance à l'histoire du Christ.

Soit, rétorquera le lecteur, mais alors ? En quoi cette trouvaille contribue-t-elle à notre compréhension de la résurrection de Jésus ? Elle y contribue justement, et puissamment, car à l'image des précédents, ce langage n'est pas une coque creuse, indifféremment disponible au remplissage du sens. Il est porteur d'une attente, il est gros d'une problématique théologique, qui nous renvoient l'une et l'autre à un paysage bien différent de celui que trace en français le mot résurrection.

L'abomination de la désolation est au pouvoir

Opérons un retour en arrière, jusqu'à la première attestation canonique de l'espérance de la résurrection des morts. Daniel 12. Pourquoi, alors que la pensée israélite ne nourrissait jusque-là aucune curiosité pour l'après-mort, la foi résurrectionnelle surgit-elle dans la prophétie de Daniel ? La pression des mythes de résurrection des dieux liés aux cycles saisonniers n'explique pas tout, ni le flux des croyances iraniennes en l'au-delà ; Israël n'avait-il pas résisté jusqu'alors ? Nous sommes au milieu du second siècle avant J.-C. La Palestine traverse une crise politico-religieuse déclenchée par les initiatives du souverain hellénistique Antiochus IV Epiphane, qui, le 2 décembre 167, profane le Temple de Jérusalem en y consacrant un autel à Zeus-Baal. Horreur et sacrilège. Le pays flambe de fanatisme religieux. La révolte des Macchabées éclate contre « l'abomination de la désolation » (Dn 11, 31 ; 12, 11). Féroce répression du pouvoir : des milliers de croyants tombent sous les coups des soldats.

La guerre sainte aura finalement raison de la réforme d'Antiochus. Mais la mort de cette foule de martyrs, dont la jeunesse a été fauchée par l'Impie, pose un problème théologique crucial : qu'en est-il de la justice de Dieu, si l'Impie vit et que les justes sont écrasés ? Le dogme de la rétribution, qui veut que Dieu récompense ou punisse hommes et femmes de leur vivant, est ici mis en échec. Quand ces hommes morts pour leur foi seront-ils récompensés de leur martyre ? Et voici la réponse de Daniel : « *Beaucoup de ceux qui dorment dans le sol poussiéreux se réveilleront, ceux-ci pour la vie éternelle, ceux-là pour l'opprobre, pour l'horreur éternelle* » (12, 2). La récompense ou la punition seront d'outre-tombe. Dieu réveillera les morts pour faire la balance des dettes et des mérites : honneur aux martyrs, damnation des bourreaux.

Les circonstances dans lesquelles Israël s'est ouvert à la promesse de la résurrection des morts dénotent à quelle demande répond cette promesse : la question de la justice. L'espérance de la résurrection ne satisfait pas une aspiration humaine à se survivre à soi, mais répond à l'inquiétude créée par le triomphe du mal et l'apparente passivité de Dieu. Nous touchons là une structure fondamentale, dont la théologie juive de la résurrection ne se départira pas, et qu'elle léguera — par la voie du langage, justement — au christianisme : *espoir de la résurrection et attente du jugement de Dieu sont consubstantiels*. La foi résurrectionnelle vit d'une urgence : ouvrir au terme de l'histoire un espace où se réalise la justice de Dieu, déniée par le présent.

Ne vous trompez pas de miracle !

La promesse de la résurrection ainsi comprise, notre lecture de l'événement de Pâques s'en trouve évidemment touchée.

Il devient clair que l'annonce de la résurrection du Nazaréen répond à la question : à qui Dieu donne-t-il raison ? Où discerner, dans l'histoire tragique de la croix, la vérité de Dieu ? Les évangiles ne divulguent aucune confidence sur la réanimation du corps de Jésus, sinon cette parole énigmatique de l'homme en blanc aux femmes du matin de Pâques : « *Il n'est pas ici* » (Mc 16, 6). C'est que l'enjeu n'est pas la destinée de la chair et des os, mais le pouvoir de Dieu ! Qui a raison ? Celui qui réalisait, par sa présence, ses paroles et ses gestes thérapeutiques, la proximité du Règne de Dieu ? Ou ceux qui, au nom de Dieu et pour sauver l'honneur de Dieu, l'ont pendu au bois ? La réponse imprévisible dont témoignent les récits de Pâques est que Dieu se range du côté de l'abandonné, du condamné que tous ont quitté. Dieu était présent dans le silence de cette mort, et Pâques est cette prise de parole qui le fait savoir.

Le miracle de Pâques est la révélation faite aux femmes, puis aux disciples, que Dieu se donne à voir jusqu'à la fin des temps dans le corps cloué de son fils. N'allons pas loger le miraculeux ailleurs, dans la mystérieuse métamorphose d'un corps. Encore une fois, les évangiles du Nouveau Testament ne nous livrent à son sujet qu'un constat d'absence, et une parole qui l'interprète : « *Il vous précède en Galilée* » (Mc 16, 7). Quelle discrétion exemplaire, pour tenter d'enrayer les débordements de notre imaginaire ! Pas plus que le prophète Daniel, les premiers chrétiens n'ont *décrit* le processus de la résurrection ; ils l'ont proclamé comme un agir puissant de Dieu qui reprend possession des siens. « *Le prince de la vie, que vous aviez fait mourir, Dieu l'a réveillé des morts — nous en sommes les témoins* » (Ac 3, 15). Mais la littérature chrétienne ne résistera pas longtemps à la formidable poussée de l'imaginaire. La retenue qui était celle des évangiles canoniques craque sous la pression, et au deuxième siècle, l'évangile apocryphe de Pierre brosse déjà ce tableau fantastique :

> Or, dans la nuit où commençait le dimanche, tandis que les soldats deux à deux prenaient leur tour de garde, il y eut une grande voix dans le ciel. Et ils virent les cieux s'ouvrir et deux hommes enveloppés de lumière en descendre et s'approcher du tombeau. Et cette pierre qui avait été jetée contre la porte, roulant d'elle-même, se déplaça de côté et le sépulcre s'ouvrit, et les deux jeunes gens entrèrent. (35-37)

La reprise amplifiée des traits matthéens est frappante : le rôle capital des gardes, témoins impuissants de l'événement (Mt 28, 4) et les êtres angéliques descendant du ciel (Mt 28, 2) ; les cieux qui s'ouvrent sont un motif apocalyptique classique (voir Ap 11, 9s). Mais voici comment la résurrection est narrée :

> Ils (les gardes) voient sortir trois hommes, et deux d'entre eux soutenaient l'autre, et une croix les suivait. Et la tête des deux premiers montait jusqu'au ciel, tandis que celle de celui qu'ils conduisaient par la main dépassait les cieux. Et ils entendirent une voix qui venait des cieux et qui disait : « As-tu prêché à ceux qui dorment ? » Et on entendit une réponse qui venait de la croix : « Oui ». (39b-42)

La stature gigantesque a valeur ontologique (voir Ap 10, 1-3) ; elle figure l'autorité cosmique des personnages. Quant au thème de la prédication aux morts, on le trouve attesté en 1 Pierre 3, 19 et 4, 6 ; mais, très proches de la rédaction de l'évangile de Pierre, Justin (Dialogue avec Tryphon 72, 4) et Irénée

(Démonstration de la prédication apostolique 78) le présentent aussi.

Un langage foisonnant

Les remarques qui viennent d'être faites sur les dérives de la tradition de la résurrection, et sur les risques de mécomprendre ce langage comme une prime offerte au besoin de survie — ces remarques ont de quoi laisser songeur. Les premiers chrétiens étaient-ils si peu conscients des déviances possibles de la lecture ? L'orientation de la chrétienté vers le bassin culturel hellénistique à partir d'Antioche, avec la mission paulinienne, ne conduisait-elle pas fatalement l'annonce chrétienne de la résurrection au malentendu, chez une population dont le fonds culturel ne comporte pas la mémoire de l'espérance apocalyptique ?

Les questions sont légitimes, mais l'inquiétude n'est pas de mise. Un examen attentif montre que les premiers chrétiens étaient tellement conscients de ce danger qu'ils ont recouru à une étonnante diversité de vocabulaires pour communiquer la nouvelle. Pour tout dire, on assiste, dans le champ de l'annonce de la résurrection, à un impressionnant foisonnement de terminologie ; cette arborescence langagière dénote un constant effort d'interprétation théologique de l'événement, et la recherche inlassable des catégories les mieux adaptées aux destinataires du message.

Le premier des vocabulaires usités nous est connu ; c'est le langage de l'*éveil* et du *lever*, dominant dans la tradition pascale des évangiles ; on trouve l'un de ces deux verbes partout où nos bibles françaises présentent le terme « ressusciter ». Paul connaît ce langage, à voir le credo de 1 Corinthiens 15 et les formules kérygmatiques qu'il insère dans ses lettres[7].

Le second vocabulaire usité est le vocabulaire de la *vie*. On l'a déjà rencontré en Actes 3, 15 : « *Le prince de la vie, que vous aviez fait mourir, Dieu l'a réveillé des morts.* » Mais Luc

---

[7] Les formules kérygmatiques sont de brèves formulations, traditionnelles, où se concentre l'annonce du salut dans le Christ : 1 Th 1, 10 ; 4, 14 ; Ga 1, 1b ; Rm 1, 4 ; 4, 24-25 ; 10, 9 ; etc.

l'insère aussi dans sa réécriture de la scène du tombeau vide, quand l'ange dit aux femmes : « *Pourquoi cherchez-vous le Vivant parmi les morts ?* » (24, 5). Le choix du vocabulaire de la vie n'étonne pas de la part de Luc, attentif à se faire comprendre d'un public grec que l'idée d'une résurrection corporelle répugne. La formulation lucanienne fait penser à la déclaration du Christ de l'Apocalypse : « *Je suis le Premier et le Dernier, le Vivant ; je fus mort, et voici, je suis vivant pour les siècles des siècles* » (Ap 1, 17s). Cette expression de l'Apocalypse prouve qu'il était possible au premier siècle de confesser la résurrection sans emprunter le langage de l'éveil ou du lever. Paul vient en appui à ce constat (Rm 14, 9) : « *C'est pour être Seigneur des morts et des vivants que Christ est mort et qu'il a repris vie.* »

La différence avec le vocabulaire des récits d'apparition saute aux yeux. Le langage de l'éveil et du lever circule sur un axe sémantique avant/après ; l'éveil succède à la mort et en annule l'effet ; la rupture est marquée. A l'inverse, le vocabulaire de la vie s'inscrit dans la continuité (« Je *suis* vivant ») : il se prête à dire que le Christ, actuellement, vit. Une complémentarité se tisse parfois entre ces langages, comme en témoigne Romains 6, 9s : « *Nous le savons en effet : réveillé des morts, le Christ ne meurt plus ; la mort sur lui n'a plus d'empire. Car en mourant, c'est au péché qu'il est mort une fois pour toutes ; vivant, c'est pour Dieu qu'il vit* »[8]. L'ordre de succession est symptomatique : le vocabulaire traditionnel de l'éveil vient en premier ; le langage de la vie le double ; sa présence est requise par l'argumentation du passage, centrée sur la fin du pouvoir de la mort et sur la vie nouvelle dont jouit le Christ, et avec lui, le baptisé.

Le troisième (et dernier) vocabulaire requis pour dire la résurrection de Jésus circule plutôt sur un axe sémantique haut/bas. On l'appellera le langage de *l'exaltation*.

---

[8] Autres connexions avec le langage de l'éveil : Lc 24, 5-6.23.24. Les expressions du langage de la vie : revenir à la vie (Rm 14, 9 ; Ap 2, 8), faire vivre (1 P 3, 18 ; Jn 5, 21 ; Rm 4, 17 ; 8, 11 ; 1 Co 15, 22), le vivant (Lc 24, 5 ; Ac 1, 3 ; He 7, 25 ; Ap 1, 18), il vit (Mc 16, 11 ; Lc 24, 23 ; Jn 14, 19 ; Ac 25, 19 ; Rm 6, 10 ; 2 Co 13, 4 ; He 7, 8), le premier-né d'entre les morts (Col 1, 18 ; Ap 1, 5).

Il (Christ) a été manifesté dans la chair,
  justifié par l'Esprit,
Contemplé par les anges,
  proclamé chez les païens,
Cru dans le monde,
  exalté dans la gloire.

Ce fragment d'un cantique chrétien cité par l'auteur de 1 Timothée (3, 16) est bâti sur une structure contrastée : chair/Esprit, anges/païens, monde/gloire. Chaque antithèse oppose le monde des hommes au monde de Dieu, sans qu'une linéarité chronologique soit induite ; il y a plutôt simultanéité entre ce qui se passe dans le monde des hommes (le Christ se manifeste, la mission païenne post-pascale se déploie) et ce qui se passe dans le ciel (le Fils est justifié, adoré, exalté). Finalement, le langage de l'exaltation dit en verticalité ce que le langage de l'éveil exprime en horizontalité, ou si l'on veut, exprime dans la temporalité.

Les émergences du langage de l'exaltation au long du Nouveau Testament sont innombrables et multiformes. L'hymne christologique cité par Paul en Philippiens 2, 6-11 est un superbe spécimen. Mais on rencontre à profusion des formules dont la résonance pascale n'est pas toujours perceptible à première lecture : « *Il a été enlevé pour le ciel* » (Ac 1, 11), « *Dieu l'a fait asseoir à sa droite dans les cieux* » (Ep 1, 20), « *Parti pour le ciel, il est à la droite de Dieu* » (1 P 3, 22), « *Il a traversé les cieux* » (He 4, 14), « *Dieu l'a exalté par sa droite comme Prince et Sauveur* » (Ac 5, 31), « *Je contemple les cieux ouverts et le Fils de l'homme debout à la droite de Dieu* » (Ac 7, 56)[9]. Une fois de plus, Luc se montre friand de ce vocabulaire, ce qui n'étonne pas après ce qu'on a dit de son auditoire ; son

---

[9] Le langage de l'exaltation peut être réparti en trois catégories thématiques : a) Jésus a été enlevé, il est parti au ciel : Mc 16, 9 ; Lc 24, 51 ; Ac 1, 11 ; 2, 34 ; 3, 21 ; 7, 56 ; Ep 1, 20 ; 2, 6 ; 4, 10 ; He 4, 14 ; 9, 24 ; 1 Tm 3, 16 ; 1 P 3, 22 ; Ap 12, 5. b) Jésus a été élevé, exalté : Ph 2, 6-11 ; Jn 20, 17 ; Ac 2, 33 ; 5, 31. c) Jésus a été établi à la droite de Dieu, il a été fait Seigneur : Mc 14, 62 ; 16, 19 ; Ac 2, 32-33 ; 5, 31-32 ; 7, 55-56 ; Rm 1, 4 ; 8, 34 ; 10, 9 ; Ep 1, 20-22 ; Col 3, 1 ; He 1, 3 ; 8, 1 ; 10, 12 ; 12, 2 ; 1 P 3, 21-22 ; Ap 2, 26 ; 3, 21.

double récit de l'Ascension (Lc 24, 51 ; Ac 1, 9) a d'ailleurs tous les traits d'une exaltation narrativisée.

Chaque vocabulaire a ses forces et ses carences. Le vocabulaire de l'exaltation se meut dans des catégories cosmiques plutôt qu'historiques ; il excelle à déployer l'effet universel de la résurrection, mais se prête mal à ancrer Pâques dans l'irréductibilité d'une histoire. Sa carence notoire est l'absence de référence à la mort : Jésus n'est pas dit arraché au trépas, mais intronisé dans le monde de Dieu.

Lequel, au commencement ?

Nous avons sillonné le vaste espace langagier couvert par l'effort interprétatif des premiers chrétiens sur l'événement pascal. Il est significatif qu'aucun des grands auteurs du Nouveau Testament ne se soit replié sur une filière homogène : tout un jeu de complémentarité, de connexion et d'interpénétration se perçoit au contraire, au gré des besoins de l'argumentation ou de l'identité culturelle de l'auditoire. Il serait excitant de savoir lequel de ces trois vocabulaires peut revendiquer la priorité historique. Comment les premiers chrétiens ont-ils commencé à (se) dire la résurrection de leur Maître ? La fréquence du langage de l'éveil dans les formules kérygmatiques prépauliniennes prouverait-elle sa plus grande ancienneté ? Je pencherais plutôt à attribuer la priorité au langage de l'exaltation, en raison de son enracinement dans le motif apocalyptique de l'exaltation du Juste souffrant (1 Hénoch 90 ; 4 Esdras 26 ; Ass. de Moïse), en raison aussi de la relecture messianique des psaumes d'intronisation royale (Ps 2, 7 ; 110, 1), attestée au premier siècle[10]. Une conceptualité se présentait là, dont s'est emparée la tradition chrétienne primitive. Est-ce à dire que des communautés chrétiennes de la première génération ont pu confesser le Christ glorifié sans avoir connaissance de la tradition du tombeau vide et des récits d'apparition ? Les formules kérygmatiques prépauliniennes ne s'y opposeraient pas en ce qui concerne la chré-

---

[10] La discussion est présentée par W. THÜSING, *Erhöhungsvorstellung und Parusieerwartung in der ältesten nachösterlichen Christologie*, BZ 11, 1967, p. 95-108. 205-222 ; 12, 1968, p. 54-80. 223-240.

tienté hellénistique d'Antioche, dans la mesure où leur langage de l'éveil ne postule pas la connaissance des récits évangéliques. Mais c'est entrer dans l'hypothèse pure, et ceci est une autre histoire...

Notre enquête sur le langage (on peut dire maintenant : pluriel et différencié) de la résurrection annonçait une démarche en trois étapes[11]. Nous avons parcouru la première, qui a fait percevoir à quel point le langage résurrectionnel est redevable du milieu qui fut la matrice de la pensée chrétienne : l'apocalyptique juive. Nous avons achevé la seconde étape, non sans un détour qui a permis d'établir que le langage de la résurrection, dans ses diverses filières, est lesté d'une problématique théologique bien précise : la question de la justice de Dieu. Reste à profiler la performance chrétienne dans l'emploi de ce langage ; c'était le troisième point annoncé dans la démarche.

Une folie impensable

Ce que prophètes et apocalypticiens prévoyaient pour la fin de l'histoire, le rétablissement des justes et l'écrasement des impies, les premiers croyants l'ont discerné *dans* l'histoire. La folie chrétienne est de croire que le futur de Dieu est commencé. On rejoint le message des paraboles : dans la fragilité des petits commencements, l'avenir de Dieu nous atteint. Mais du coup, les chrétiens pliaient le langage apocalyptique à un usage pour lequel il n'était pas prévu : évoquer un monde nouveau qui n'est pas au-delà de l'histoire, mais dedans l'histoire. Pour l'espérance juive du futur, la chose est impensable, note Michel Bouttier, « tant que l'injustice, la guerre ou la maladie ne sont point vaincues, la mort écrasée. Le salut constitue une telle plénitude qu'il est indivisible »[12]. La conséquence de cette distorsion dans l'usage des catégories apocalyptiques pour la résurrection de Jésus est double.

D'une part, le langage est fait pour décrire le monde d'après. Aussi la fin des évangiles (Mc 16 ; Mt 28 ; Lc 24 ; Jn 20-21)

---

[11] Voir plus haut, p. 88-89.

[12] M. BOUTTIER, « Le sens de la résurrection dans la vie des premiers chrétiens », *Lumière et Vie* 107, 1972, p. 81.

mentionne-t-elle sans hésiter la présence d'anges auprès du tombeau vide, et montre-t-elle le Ressuscité apparaissant et disparaissant sans crier gare. *Le langage est celui, poétique, de la vision.* Il imprègne d'innombrables apocalypses juives et chrétiennes ; ses images font deviner, plutôt qu'elles n'expliquent, l'incroyable. Sur le fond, le choix était d'une absolue justesse : c'est d'une poétique de la résurrection, autant que d'une historiographie de Pâques, que la foi avait besoin.

Corollairement, si l'histoire est ré-ouverte par la pierre roulée, Pâques n'instaure pas le nouvel âge, et la résurrection de Jésus n'est point encore celle des croyants. Le défi immédiatement posé aux théologiens du christianisme primitif sera de *dissocier Pâques du Royaume à venir*, face à des Corinthiens envoûtés par la plénitude entrevue, ou face à des enthousiastes se dérobant à toute responsabilité présente parce que, pensent-ils, leur « résurrection a déjà eu lieu » (2 Tm 2, 18). La croix est ici congédiée. Or il faut bien voir que le langage apocalyptique n'est pas requis, dans les évangiles, pour occulter la dramatique de la croix ou suspendre le tragique de l'histoire ; il en révèle l'horreur pour nous en détourner et pour rendre l'histoire à notre responsabilité.

Re-comprendre le passé

Le langage apocalyptique n'efface pas l'échec de la croix. Pâques n'est pas l'oubli de la condamnation, mais la réhabilitation du condamné. Le beau texte des pèlerins d'Emmaüs (Lc 24, 13-35) — qui restitue, bien plus qu'un épisode anecdotique, l'itinéraire théologique de la première communauté chrétienne — illustre ce retournement de la compréhension de la croix qu'a été Pâques : « *Et il leur dit : Esprits sans intelligence, cœurs lents à croire tout ce qu'ont déclaré les prophètes ! Ne fallait-il pas que le Christ souffrît cela pour entrer dans sa gloire ? Et, commençant par Moïse et par tous les prophètes, il leur expliqua dans toutes les Écritures ce qui le concernait* » (24, 25-27). La résurrection ne vient pas invalider la croix, rattrapant en quelque sorte la catastrophe de Vendredi-Saint. La croix est au contraire définitivement mise en valeur, car elle signifie l'entrée du Christ dans la gloire, triomphe sur l'esprit fourvoyé de ce monde. Pâques est ce nouveau regard sur la croix induit par un Dieu qui se donne à connaître à l'endroit même, le tombeau, où l'on avait muré l'homme tué pour blasphème.

N'en déplaise à Celse, qui mettait les chrétiens au défi de produire un témoignage non-croyant de la résurrection, le retournement du regard sur la croix ne peut émaner que d'une personne traversée par la grâce. De même, la réduction de Pâques à un phénomène psychologique d'auto-persuasion est contredite par les textes, qui unanimement montrent des hommes et des femmes résignés à l'échec, claquemurés sous l'effet de la peur, mais soudain totalement surpris et pris à revers par la vie redonnée de leur maître (Mc 16, 8 ; Mt 28, 17 ; Lc 24, 20-24 ; Jn 20, 13.19.25).

Les récits d'apparition du Ressuscité s'inscrivent identiquement dans cette perspective de re-compréhension et de validation théologique du passé. Le Ressuscité de Matthieu enjoint à ses disciples de faire de toutes les nations ses disciples, les baptisant et leur apprenant à garder tout ce qu'il leur a prescrit ; les paroles de Jésus sont dès lors revêtues d'une autorité dernière (Mt 28, 18-20). Luc achève la série des apparitions par cette déclaration : « *C'est comme il a été écrit : le Christ souffrira et ressuscitera des morts le troisième jour, et on prêchera en son nom la conversion et le pardon des péchés à toutes les nations, à commencer par Jérusalem* » (24, 46s). Jean met en scène le doute de Thomas, qui demande à vérifier l'identité du Crucifié et du Ressuscité en mettant la main sur les stigmates de la crucifixion ; son doute sera surmonté, non par le geste, mais par l'offre d'une parole de Jésus (20, 24-29).

L'évangile tout entier

On comprend que désormais, d'une certaine manière, l'évangile tout entier se donne à lire comme un long récit d'apparition du Ressuscité. A travers ce qu'il dit de Jésus, à travers ses paroles et ses rencontres, jusqu'à l'ultime don de soi qu'est la croix, le lecteur est convié à entendre le Dieu de la résurrection l'appeler à suivre ce Maître sur un chemin de renoncement à soi et de vie redonnée.

SECONDE PARTIE

LE DIEU DES UNS
ET DES AUTRES

CHAPITRE 6

LE DIEU DU CRUCIFIÉ
(L'apôtre Paul)

> Où le lecteur se familiarise avec les deux théologiens de la croix
> dans le Nouveau Testament : Paul et Marc — L'histoire de Paul, mar-
> quée par la fracture de sa conversion, fait comprendre sa théologie ;
> on s'en aperçoit en comparant deux fragments autobiographiques appa-
> remment contradictoires : Philippiens 3 et Romains 7 — La force de
> Paul est de faire passer le péché du mal-faire au mal-être — L'impé-
> rialisme du péché et la force de l'aveu — Paul et Matthieu — Le péché
> de se vouloir pur.

Quel est l'emblème du christianisme ? Personne n'hésitera
à répondre : la croix. Au centre de la foi chrétienne, on trouve
un homme pendu au bois, et l'inexplicable nouvelle que Dieu
habitait cette souffrance. Or, curieusement, seuls deux théologiens du Nouveau Testament pourraient contresigner cette déclaration : l'évangéliste Marc et l'apôtre Paul. Ce qui nous paraît
être une évidence reflète, en réalité, le succès de leur théologie
(encore qu'il faudra s'interroger sur ce « succès »). Matthieu et
Luc racontent la Passion, mais pour l'un les paroles de Jésus,
pour l'autre ses miracles et ses rencontres, occupent la place
centrale ; les Actes s'engagent très volontairement sur une théologie de la résurrection. Pour Jean, la révélation décisive est

que Jésus reflète « la gloire de Dieu » (11, 40). Jacques est préoccupé par une logique de l'obéissance, Pierre par le maintien de l'espérance. De fait, au sein du Nouveau Testament, Paul et Marc sont les seuls à défendre une théologie conséquente de la croix. Comment cela ?

Les deux théologiens de la croix

Une théologie conséquente de la croix : on entend par là que la croix n'est pas seulement un moment, décisif, de l'histoire du salut, mais qu'elle constitue la norme à laquelle doit être mesurée toute parole sur Dieu, tout comportement, toute piété. Il y a dans la théologie de Paul et de Marc cette rigueur extrême : Dieu se donne à connaître dans le visage du Crucifié, et cette révélation bouleversante invalide toute autre connaissance que l'on pouvait avoir de lui. Il s'ensuit que pour eux, la spécificité du christianisme ne réside ni dans l'amour de Dieu, ni dans l'amour du prochain, mais dans la parole de la croix. Chacun a son registre pour le dire. Marc, sur le mode *narratif*, relit l'histoire de Jésus, et surtout l'abondante tradition des miracles (un bon tiers de son évangile), à partir du Crucifié : il faut savoir que celui qui libère les hommes de leurs détresses, de leurs maladies, paiera de sa vie la délivrance qu'il leur apporte ; voilà ce que les disciples ont tant de difficulté à accepter (8, 31-38 ; 9, 33-37 ; 10, 35-45). Sur le mode *argumentatif*, saint Paul mène le même combat : inlassablement, et le plus nettement dans sa correspondance avec les Corinthiens, il rappelle qu'il n'est pas d'authenticité chrétienne sans que l'homme déconstruise ses certitudes devant ce Dieu mis à nu au Golgotha (1 Co 1, 18 - 2, 5).

Je réserve à l'étude de la narrativité un prochain chapitre (voir p. 147-160), pour m'attacher ici à l'apôtre Paul. Le Nouveau Testament nous place à son sujet dans une position unique. D'une part, il nous est livré un double accès à l'histoire paulinienne, par la narration lucanienne des Actes et par la correspondance de l'apôtre (on peut lui attribuer sans réserve Romains, 1 et 2 Corinthiens, Galates, Philippiens, 1 Thessaloniciens, Philémon). D'autre part, les lettres de sa main nous informent de sa pensée, nous livrent des bribes de son histoire, bref, le « je » de Paul s'y étale comme il ne pourrait le faire en théologie narrative, où la règle veut que le moi du narrateur se camoufle derrière les opérations de montage du récit. La question devient tentante de se demander : quelle est, dans la vie de Paul, la source de son option théologique ? Comment s'articule et se légitime, dans ses écrits, le choix d'une théologie de la croix ? Où conduit cette théologie ? N'est-elle pas coupable, en tout cas en tradition réformée, d'un lourd atavisme de culpabilité qui pèse sur la conscience croyante ? Comment peut-on arriver à ne plus considérer en Jésus que sa mort ?

La vie de Paul retournée

Ma thèse est que l'histoire de Paul nous livre la clef de sa théologie : la fracture existentielle qui est à l'origine de la foi chrétienne de Paul, et qu'on appelle sa conversion, est aussi l'événement structurant de sa pensée théologique. Mais, qu'on se rassure ! Je n'ai pas la petitesse de réduire le génie théologique paulinien à quelques convulsions psychologiques, et je ne ferai pas de l'homme de Tarse, comme le grand Frédéric Godet, un modèle pour une spiritualité de conversion[1]. Simplement, on ne peut ignorer que le passage du judaïsme pharisien au christianisme a représenté pour Paul un séisme existentiel, et que le retournement de sa croyance doit se traduire par un retournement du geste théologique. Luc, dans les Actes d'apôtres, fait de sa vocation un récit édifiant (9, 1-18), dont Actes 22, 3-21 et 26, 4-18 présentent des variantes. Paul lui-même est plus discret (Ga 1, 13-16). Mais leurs récits concordent sur un point : le retournement de Paul ne fut pas l'aboutissement d'un processus de réflexion, ou le fruit d'une faillite dans la foi juive. Ce fut l'œuvre puissante de Dieu, révélant à Saul de Tarse que Jésus, qu'il persécutait, était vivant.

---

[1] De ce point de vue, l'introduction consacrée par F. GODET à son *Commentaire sur l'épître aux Romains* est un monument : toute l'épître est regardée par Godet comme la révélation reçue par Paul dans les trois jours qui suivirent la « commotion » de Damas (tome 1, Genève-Neuchâtel 1879, p. 4-26). Mais, dépouillée de ce télescopage entre l'expérience de Dieu et le labeur théologique, l'approche de Godet vise juste, en postulant l'enracinement de la théologie de Paul dans une expérience mystique.

La conversion de Paul n'a donc rien de magique. Au contact de ceux qu'il traque, Paul découvre que le Messie dont se réclament les chrétiens n'est pas un illustre défunt, mais un Seigneur vivant. Histoire connue du bourreau converti au contact de ses victimes. Mais là-dessus, Luc et l'apôtre sont unanimes : ce retournement fut l'œuvre de Dieu. L'événement s'est passé en l'an 32, vraisemblablement, deux ans après Golgotha. Sur quel point la conviction de Saul a-t-elle basculé ? La comparaison de deux textes autobiographiques aide à le savoir[2].

Deux peintures contradictoires du passé

Le premier texte date approximativement du printemps 56. Paul est emprisonné à Éphèse, et il écrit aux chrétiens de Philippes. Dans cette épître plutôt tendre surgit au chapitre 3 un passage polémique, où Paul met en garde les Philippiens contre des prédicateurs judaïsants qui pourraient investir la communauté, et l'impressionner par leur confiance en la Torah.

> Si un autre croit pouvoir se confier en lui-même, je le peux davantage, moi, circoncis le huitième jour, de la race d'Israël, de la tribu de Benjamin, Hébreu fils d'Hébreux ; pour la Loi, pharisien ; pour le zèle, persécuteur de l'Église ; pour la justice qu'on trouve dans la Loi, devenu irréprochable. (Ph 3, 4b-6)

Le palmarès invoqué par Paul est en tout point brillant, et on ne peut le suspecter ni d'ironie, ni de vantardise : circoncis suivant les termes de la Loi (Lv 12, 3), pur Israélite, membre de la tribu vénérée de Benjamin (à qui était confiée la garde du Temple), attaché à la stricte observance pharisienne et pourfendeur d'hérésie. Paul exhibe son passé comme le modèle achevé de la piété légale juive, et l'on serait en peine de trouver une faille dans ce « zèle débordant pour la tradition de mes pères » (Ga 1, 14).

Le second texte suit de peu ; il date de 57 ou 58, et fait partie de l'imposante épître aux Romains où Paul déploie une

---

[2] J'ai développé ce qui suit dans un article : « Paul : un génie théologique et ses limites », *Foi et Vie*, Cahier biblique 24, Paris 1985, p. 65-76.

synthèse magistrale de sa théologie. Il en vient, au chapitre 7, à décrire la condition du chrétien libéré de la Loi pour servir sous le régime nouveau de l'Esprit (7, 1-6) ; puis il enchaîne :

> Qu'est-ce à dire ? La Loi serait-elle péché ? Certes non ! Mais je n'ai connu le péché que par la Loi. Ainsi je n'aurais pas connu la convoitise si la Loi n'avait dit : *Tu ne convoiteras pas.* Saisissant l'occasion, le péché a produit en moi toutes sortes de convoitises par le moyen du commandement. Car, sans Loi, le péché est chose morte.
>
> Jadis, en l'absence de Loi, je vivais. Mais le commandement est venu, le péché a pris vie et moi je suis mort : le commandement qui doit mener à la vie s'est trouvé pour moi mener à la mort. Car le péché, saisissant l'occasion, m'a séduit par le moyen du commandement et, par lui, m'a donné la mort. Ainsi donc, la Loi est sainte et le commandement saint, juste et bon. Alors, ce qui est bon est-il devenu cause de mort pour moi ? Certes non ! Mais c'est le péché : en se servant de ce qui est bon, il m'a donné la mort, afin qu'il fût manifesté comme péché et qu'il apparût dans toute sa virulence de péché, par le moyen du commandement.
>
> Nous savons, certes, que la Loi est spirituelle ; mais moi, je suis charnel, vendu comme esclave au péché. Effectivement, je ne reconnais pas ce que je fais : ce que je veux, je ne le fais pas, mais ce que je hais, je le fais. Or, si ce que je ne veux pas, je le fais, je suis d'accord avec la Loi et reconnais qu'elle est bonne ; ce n'est donc pas moi qui agis ainsi, mais le péché qui habite en moi. (Rm 7, 7-17)

Changement complet de tableau. Alors que Philippiens 3 dresse le portrait d'un pharisien performant, Romains 7 expose le drame de l'homme sous la Loi, écartelé entre un vouloir orienté vers le bien et un faire axé sur le mal. Car Paul poursuit en insistant : « *Je sais qu'en moi — je veux dire dans ma chair — le bien n'habite pas : vouloir le bien est à ma portée, mais non pas l'accomplir, puisque le bien que je veux, je ne le fais pas et le mal que je ne veux pas, je le fais* » (Rm 7, 18-19). De Philippiens 3 à Romains 7, le discours sur le passé préchrétien de Paul s'inverse. Ces deux textes, pris ensemble, restituent bien le mélange significatif de continuité et de rupture qui a marqué le passage de Paul du judaïsme au christianisme. Mais la question se pose de savoir qui fut au juste le juif Saul de Tarse : un pharisien performant, et avec quel succès, ou un homme muré dans le péché ? Sa conversion a-t-elle libéré Paul de l'angoisse de l'homme sous la Loi, ou a-t-elle cassé la fierté du perfectionnisme pharisien ? Souvent, l'exégèse s'est crue obligée de trancher, et après W.G. Kümmel, elle a opté en faveur du pharisien performant, retirant tout crédit biographique à Romains 7 ; le « je » de Romains serait à comprendre comme une généralité rhétorique, dépourvue d'investissement personnel[3]. Mais comment taxer de pur procédé rhétorique un texte rédigé avec un tel pathos ?

Il est possible d'envisager les choses différemment. La psychologie nous enseigne en effet que le même individu peut procéder à deux lectures contradictoires de son passé, mais à des stades différents de son histoire — ou bien, si on se souvient des catégories de l'école de Palo Alto (voir notre chapitre 1), la procédure de re-cadrage vise précisément à modifier, sinon à inverser, le rapport de l'individu à la réalité. De ce point de vue, les peintures croisées du passé paulinien peuvent être autobiographiques l'une comme l'autre, mais elles doivent être chronologiquement différenciées[4]. Le portrait emphatique du perfectionnisme pharisien livre la compréhension qu'avait Paul de lui-même dans son passé pré-chrétien ; elle est typique d'une suridentification à la foi juive, que l'apôtre va rejeter massivement dans la suite du texte (Ph 3, 7-9). Paul relit ce même passé en Romains 7, mais le point de vue a changé ; l'apôtre se regarde à partir de sa foi chrétienne. Comment se voit-il ? Eh bien, Paul se voit comme un homme trompé.

---

[3] L'étude de W.G. Kümmel date de 1929, et s'est imposée depuis lors dans l'exégèse : « Römer 7 und die Bekehrung des Paulus », in : W.G. KÜMMEL, *Römer 7 und das Bild des Menschen im Neuen Testament*, ThB 53, München 1974, p. 1-60.

[4] G. THEISSEN défend cette thèse : *Psychologische Aspekte paulinischer Theologie*, FRLANT 131, Göttingen 1983, p. 181-268.

L'histoire d'une tromperie

Romains 7 est l'histoire d'une tromperie : « *Je n'aurais pas connu la convoitise si la Loi n'avait dit : Tu ne convoiteras pas* » (v. 7). Paradoxe : alors que le commandement devait endiguer le péché et conduire à la vie, il le stimule au contraire et conduit à la mort. La Loi n'est pas en cause, mais le péché. Paul rédige au passé : « *Le péché a produit en moi toutes sortes de convoitises par le moyen du commandement* » (v. 8). Le choix de l'interdit de convoitise n'est pas fortuit : la tradition rabbinique voit dans la convoitise la récapitulation du péché, la faute par excellence. Mais surtout, Paul relit ici le mythe de la chute (Genèse 3), et projette sur son histoire passée la figure de l'Adam trompé (trois éléments en tout cas renvoient à Genèse 3 : le motif de la tromperie, la concentration de la Loi sur l'interdit de la convoitise et la sanction de mort). Mais la pensée marque soudain un tournant. Paul rédige au présent : « *Je ne reconnais pas ce que je fais ; ce que je veux, je ne le fais pas, mais ce que je hais, je le fais* » (v. 15). Pour un croyant imprégné de la spiritualité juive, comme Paul, le comportement haï ne peut être que l'infraction à la volonté de Dieu. Paul se découvre donc devenu — par la Loi ! — ennemi de Dieu. Il fait le mal. C'est le temps de la perte des illusions, où le moi prend conscience de son malheur. Il se découvre divisé. Toutefois, la tension éprouvée entre le vouloir et le faire n'oppose pas le devoir et la passion, comme le concevaient les tragiques grecs. Dans le conflit intérieur de la Médée d'Euripide, qui tue ses enfants, la passion l'emporte sur la raison ; chez Paul, le conflit est radicalisé : deux lois se disputent le moi, la Loi de Dieu et la loi du péché, et c'est toujours le péché qui l'emporte, sans l'assentiment du moi (7, 22s).

Je ne sais si le recours à un schéma d'explication psychologique, pour résoudre le dilemme posé par les discours croisés de Philippiens 3 et Romains 7, aura convaincu le lecteur (la lectrice). Il me paraît, pour ma part, qu'il rend plausible le chemin qui conduit de la fierté légale à l'aveu de l'angoisse. La démonstration renouvelle aussi l'approche de la conscience paulinienne : Romains 7 ne contredit pas le discours de la fierté pharisienne, mais démasque rétrospectivement l'angoisse qui sourdement l'habite. En Philippiens 3, 4-6, Paul tait ce que lui a révélé la connaissance du Christ : qu'un conflit sous-jacent ruine la piété légale, conflit dans lequel le péché se sert du commandement pour œuvrer avec lui[5].

L'effet de Damas

Si l'on envisage ainsi la lecture de ce passage, et donc qu'on accorde au « je » de Romains 7 un statut autobiographique, au lieu d'y voir une illustration de la condition du « juif sous la Loi » que Paul n'aurait pas vécue, alors, deux effets de l'argumentation paulinienne en reçoivent un relief particulier. *Primo* : le recours à la figure d'Adam pour décrire le scénario de la tromperie (7, 7-13) n'est pas un réflexe d'érudit, mais une ouverture à la condition humaine. Il fait savoir que l'illusion démasquée, cette ignorance que la Loi faite pour promouvoir le bien est en réalité détournée par le péché, n'est pas limitée à l'itinéraire biographique paulinien. L'illusion est le fait de l'homme, d'Adam. Inséré dans le cadre interprétatif de Genèse 3, le « je » de l'apôtre s'élargit aux dimensions de la condition humaine. *Secundo* : Romains 7 dénote une accumulation impressionnante du vocabulaire de la connaissance. « Nous savons » (v. 14), « je ne reconnais pas » (v. 15), « je suis d'accord » (v. 16), « je sais » (v. 18), « je constate » (v. 21), « je découvre » (v. 23). Ce cumul de verbes du connaître dénote un phénomène de prise de conscience, et un phénomène suffisamment fort pour acculer Paul à des révisions déchirantes (« Malheureux homme que je suis ! » v. 24). Où s'enracine pareille prise de conscience ? Il n'y a pas de raison de douter que cette inversion du regard sur la Loi a trouvé son impulsion historique dans ce qu'on nom-

---

[5] G. THEISSEN risque une interprétation psychodynamique du rapport entre le perfectionnisme pharisien de Paul et sa persécution des chrétiens. Parce que la Loi génère l'angoisse, en activant la crainte de la transgression, l'obéissance pharisienne est inconsciemment structurée par des mécanismes de haine. Dès lors, l'activité contre un groupe déviant peut résulter, soit d'un désir de valorisation du sujet, soit plutôt d'une projection sur le groupe déviant de l'incapacité du sujet à accomplir la Loi ; cette incapacité non reconnue, donc refoulée, déclenche la persécution ·selon le système projectif du bouc émissaire (ouvr. cit., p. 235-244).

mera, avec Luc, « l'événement de Damas ». Le naufrage de l'obéissance, dont fait état le texte, n'est pas l'aboutissement d'une spéculation théologique ; il s'adosse au retournement personnel dont l'apôtre a été l'objet, qui l'a conduit à déceler l'angoisse qui structurait inconsciemment la quête de la perfection légale. Le génie théologique de Paul a été de déchiffrer, dans ce scénario d'échec, de stérilité et de désespoir, le scénario de toute destinée humaine.

Si le paradoxe de l'homme obéissant (Ph 3) et pécheur (Rm 7) est surmontable du point de vue de la biographie paulinienne, il faut encore le comprendre théologiquement ; la perception radicale du péché chez Paul va nous occuper maintenant.

La fin d'une illusion

Il est devenu clair que Paul n'est pas Luther, et que sa rupture avec le judaïsme ne vient pas du dépit devant l'accomplissement impossible de la Loi. De fait, Paul vivait l'idéal de l'obéissance légale (Ph 3) ; son retournement consiste à réaliser, non, à recevoir la révélation qu'en respectant la Loi, il se dresse en réalité contre son Dieu (Rm 7). La force de Paul est de faire passer le péché du mal-faire au mal-être[6], ce qui se traduit par une transgression du langage judéo-chrétien du péché.

Voyons les faits. La tradition juive, et à sa suite les premiers chrétiens, définissent le péché comme une infraction humaine à la volonté de Dieu telle qu'elle est consignée dans la Loi. Le péché se conçoit comme un mal-faire, mesurable à l'écart qui le sépare de la norme, la Loi. Ainsi raisonnent les évangiles, la tradition johannique, les épîtres de Jacques et de Pierre. « *Quiconque commet le péché transgresse aussi la Loi, et le péché est la transgression de la Loi (l'iniquité),* dit la première épître de Jean. *Mais vous savez que lui* (Jésus) *a paru pour enlever les péchés, et il n'y a pas de péché en lui* » (3, 4-5). Le scandale de la croix conduit Paul à découvrir que le péché se loge ailleurs, et plus profond : au creux de l'obéissance

---

[6] J'emprunte les catégories du mal-faire, du mal-croire et du mal-être à E. Fuchs, dans sa belle contribution : « Confession du péché et responsabilité éthique », *Lumière et Vie* 185, 1987, p. 31-40.

croyante. Dans la possibilité même que la Loi offre à l'homme de se rendre fidèle à Dieu. Dans le programme d'obéissance que trace la Loi, et l'illusion que l'homme peut, qu'il doit même le remplir. Le croyant en serait-il incapable ? Mais justement. C'est en insinuant que l'obéissance est à sa mesure que la Loi trompe l'homme : elle l'autorise à s'auto-fonder devant Dieu ; elle lui prescrit même ce devoir. Plus l'homme s'efforce au bien, plus il tente de combler *par ses propres forces* la distance qui le sépare de la Loi, et plus il se perd à construire devant Dieu sa propre valeur.

Paul définit ce mouvement de la conscience par un terme grec, *kauchasthai*, que nos Bibles françaises rendent extrêmement mal lorsqu'elles traduisent : se vanter, s'enorgueillir ; c'est capter le verbe dans des catégories morales, alors qu'il a rapport à l'être. Le *kauchasthai* désigne la quête de l'individu vers ce qui fonde sa vie et qui lui donne sens, qui lui donne poids. Se glorifier n'est donc pas céder au péché d'arrogance, mais dénote le mouvement de la conscience vers ce qui la justifie. Cette quête de sens est parfaitement ambivalente : elle s'égare quand l'homme cherche en soi la glorification (1 Co 1, 29 ; 3, 21 ; 2 Co 10, 13-17), elle s'accomplit lorsqu'il reconnaît en Dieu Celui qui le fait vivre (Rm 5, 2.11 ; 1 Co 1, 31 ; 2 Co 11, 30 - 12, 9). L'alternative est : se positionner comme juste devant Dieu ou se laisser recevoir par Lui. Le péché, dit Paul, est de se vouloir juste. « Que celui qui se glorifie trouve sa gloire dans le Seigneur » (1 Co 1, 31 ; 2 Co 10, 17)[7].

La Loi ne protège pas du mal

La foi au Dieu du Crucifié conduit donc Paul à mettre en cause la Loi. Il n'est pas le premier à le faire à l'aube du christianisme. Les « Hellénistes », dont le livre des Actes (ch. 6 et 11) rapporte l'histoire, et qui avaient été chassés de Jérusalem pour leur critique de la Torah, ont fondé à Antioche une communauté qui propageait parmi les non-juifs un christianisme

---

[7] Paul reprend ici Jérémie 9, 22-23. Sur le thème du *kauchasthai* paulinien, voir D. MARGUERAT, « 2 Corinthiens 10-13 : Paul et l'expérience de Dieu », *Études théologiques et religieuses* 63, 1988, p. 504-505.

libéré de la Loi, de la circoncision et des prescriptions rituelles (Ac 11, 19s). C'est à Antioche que s'est cristallisée la théologie de la croix, dont Marc et Paul sont les héritiers, et voilà pourquoi, une génération après l'apôtre, Marc fera de son évangile la réplique narrative de la correspondance paulinienne. Mais le propre de Paul a été de pousser la théologie des Hellénistes jusqu'à son point de radicalité. La mort de Jésus, parce qu'elle fut l'œuvre d'observateurs scrupuleux de la Loi et non d'impies, signifie l'arrêt de l'obéissance légale, fierté de la piété juive. Golgotha porte à la connaissance du monde, selon Paul, que la Torah n'est pas ce que pensait Israël, cette barrière contre le péché qui sépare le bien du mal, les purs des impurs, et la foi de l'impiété. N'a-t-elle pas conduit à condamner le Fils, démasquant ainsi son pouvoir de malédiction (Ga 3, 13) ?

La croix doit guérir l'homme de l'illusion perverse que la Loi conduit à Dieu. La Torah, emblème de la quête de justice, ne peut plus être reçue comme le chemin du salut. Si Dieu accueille l'homme, et il l'accueille sans réserve, c'est en raison de sa foi. Maintenant, indépendamment de la Loi, la justice de Dieu a été manifestée, et c'est une justice pour ceux qui croient (Rm 3, 21s).

L'impérialisme du péché

La Loi serait-elle devenue péché ? Paul repousse la suggestion avec horreur : « *La Loi est sainte et le commandement saint, juste et bon* » (Rm 7, 12). Mais c'est le péché. Il s'est « servi de ce qui est bon », pervertissant la Loi ; car « *moi, je suis charnel, vendu comme esclave au péché* » (7, 14). La force de Paul a été de diagnostiquer cette antériorité, en l'homme, du mal sur la Loi. L'antériorité du mal joue également sur la liberté humaine, du coup disqualifiée. Non pas que le mal, à l'origine, soit en l'homme ou naisse de lui ; Paul rédige intentionnellement : je suis *vendu* comme esclave au péché. Le mal investit l'homme comme une puissance, il vient à l'homme avant de venir de lui. Conception radicale du péché, du mystère du mal déjà là, auquel l'homme est livré. Le péché n'est pas de l'ordre du mal-faire, ni même du mal-croire ; il investit l'être et infiltre en lui le désir de se réaliser soi-même devant Dieu.

Le péché est un mal-être, et parce qu'il est antérieur à la liberté, la religion ne peut plus faire appel à sa volonté. L'humain doit être libéré de soi. « Il faut que quelque chose se passe qui casse cette circularité infernale, dont le fruit est la culpabilité latente qui travaille si souvent le discours de l'idéalisme moral. Ce quelque chose est l'*aveu*, c'est-à-dire la confession du péché émergeant dans la parole du sujet. L'aveu est à la fois reconnaissance sans complaisance de sa faiblesse, de son incapacité foncière à surmonter ce mal originaire qui nous investit et s'exprime par des actes et des pensées mauvaises qui naissent de nous, et il est appel à l'autre pour qu'il rétablisse malgré tout la relation, par son écoute et par sa compassion »[8]. Le discours en « je » de Romains 7 est à lire comme cet aveu dont parle bien Éric Fuchs, en remarquant que l'aveu paulinien n'adopte pas pour horizon théologique un Dieu obnubilé par le péché, mais la certitude croyante d'une libération : « *Grâce soit rendue à Dieu par Jésus-Christ notre Seigneur !* » (7, 25).

Penser aussi radicalement le péché conduit Paul à s'écarter du langage du péché tel que la tradition juive, puis judéochrétienne, l'avait fixé. A de rares exceptions près[9], l'apôtre ne parle pas des péchés, mais *du* péché, et peut-être la majuscule conviendrait-elle. Le Péché paulinien est une force, une puissance qui investit l'humanité, l'homme comme tel, et cette perception permet à Paul d'élargir le constat : tous, juifs comme grecs, sont sous l'emprise du péché (Rm 3, 9).

Paul et Matthieu

On mesure l'écart qui sépare Paul de la tradition synoptique. Prenons, à l'extrême, Matthieu. Le comportement requis des chrétiens est de respecter la Loi mieux qu'Israël, d'être fidèle

---

[8] E. FUCHS, art. cit., p. 35.

[9] Paul parle des péchés au pluriel lorsqu'il dépend d'un texte d'Ancien Testament (Rm 4, 7 cite Ps 32, 1 ; Rm 11, 27 cite Es 27, 9), d'une formule traditionnelle (1 Co 15, 3.17 ; Ga 1, 4) ou de l'usage juif (1 Th 2, 16 ; Rm 7, 5) ; partout ailleurs, il parle au singulier du Péché, dont tous, juifs et grecs, sont les prisonniers (Rm 3, 9).

là où le peuple élu a failli. « *Car je vous le dis : si votre justice ne surpasse pas celle des scribes et des Pharisiens, non, vous n'entrerez pas dans le Royaume des cieux* » (Mt 5, 20). Dans cette surenchère de l'obéissance, il faut entendre une fidélité à la fois plus intense et recentrée sur l'impératif de l'amour. C'est qu'à l'instar de l'Ancien Testament, l'évangéliste ne met pas en cause la capacité de l'homme à satisfaire la volonté de Dieu. Celui qui observe la Torah reste maître de son pouvoir de décision (Siracide 21, 11). Le judaïsme, toutes tendances confondues, partage cet optimisme anthropologique : la justice est à la portée de l'homme, et c'est bien pourquoi un jugement final peut être envisagé sur ses œuvres. Il s'ensuit que dans l'évangile de Matthieu aussi, la foi se définit foncièrement comme un agir. Le péché n'est pas situé dans l'intentionnalité de la conscience (le *kauchasthai* paulinien), mais dans une défection éthique. Il est absence d'amour fraternel (Mt 24, 12 ; 25, 31-46), manque de résolution (25, 1-13), paresse (25, 24-30), abus de confiance dans la gestion des biens confiés (24, 48-51). Sur ce fond de déficience éthique, le péché est traité comme un malfaire, et sa source cherchée dans un mal-croire.

Face à Paul, la position matthéenne ne doit être taxée ni de légalisme, ni de naïveté, comme des jugements superficiels le feraient croire[10]. L'évangile ne promeut pas un légalisme, parce qu'il soutient que la fidélité authentique n'est accessible qu'au disciple accueilli dans la communion de Jésus et qui s'est mis à l'écoute de son enseignement (4, 18-22 ; 7, 21.24-27 ; 11, 28-30 ; 23, 13). L'évangile n'est pas coupable de naïveté, car il est conscient de cette rébellion fondamentale que constitue l'aspiration à la propre justice (6, 2.5.16 ; 23, 2-7.13-33). La pensée matthéenne ne se laisse donc pas dégrader si facilement en théologie des œuvres. Sa théologie du péché n'en reste pas moins en retrait de Paul, et on peut en dire autant de toute la tradition synoptique. Paul, en posant avec cette radicalité-là que l'accomplissement de la Loi engendre obligatoirement l'affir-

---

[10] Je me suis expliqué sur cette question dans mon livre : *Le jugement dans l'Évangile de Matthieu*, (Le Monde de la Bible), Genève 1981, p. 212-235 ; voir aussi : « L'avenir de la Loi : Matthieu à l'épreuve de Paul », *Études théologiques et religieuses* 57, 1982, p. 361-373.

mation de soi devant Dieu, donne un caractère principiel à la critique de Jésus contre les « justes », que la tradition synoptique contient déjà sans la formuler théologiquement[11].

Le péché de se vouloir pur

Quelle pertinence conserve aujourd'hui le combat paulinien contre la Loi ? La problématique est-elle dépassée ? Ce serait mal saisir Paul que le penser, car si la question de la justification par la Torah est historiquement dépassée pour les chrétiens, elle ne l'est pas théologiquement.

Je m'explique. La grandeur de Paul a été d'analyser le retournement existentiel de sa vie avec une acuité théologique fulgurante, et de voir dans la Loi, non seulement un code législatif, mais la figure d'une attitude devant Dieu, qui conduit le croyant à se valoriser. La Loi signe un positionnement de l'homme devant Dieu, elle l'impose même. Et Paul de combattre cette nécessité qu'incarne la Loi de se qualifier, d'acquérir sa valeur, devant un Dieu qui ne pourrait que ratifier cet effort, alors qu'il est le Tout-Autre. Dire que Christ est la fin de la Loi (Rm 10, 4), c'est statuer que la croix marque la fin d'une relation à Dieu portée par le souci de se valoriser devant lui, donc la fin d'une vie portée par une angoisse cachée et une haine secrète de Dieu, et saluer comme une libération l'avènement de ce temps.

La croix dépouille nos images de Dieu pour nous laisser nus devant un amour offert. Un amour inconditionnel. Seule la confiance en ce Dieu-là, le Dieu du Crucifié, délivre de cette ambition tyrannique : devenir acceptables à nos propres yeux. Saint Paul passa sa vie à répéter avec obstination que le péché est de se vouloir pur. On sait ce qu'il en a coûté, et ce qu'il en coûte encore au christianisme, de faire comme si la Loi récusée par Paul n'était la Loi que des juifs, et non la Loi qui dicte

---

[11] En affirmant que l'accomplissement de la Loi engendre nécessairement l'autojustification des justes, Paul donne un caractère principiel à la critique de Jésus contre les « justes » : Mc 2, 17 ; 7, 6-23 ; 11, 27-33 ; 12, 1-12.38-40 ; Lc 3, 7-9 ; 11, 37ss ; 13, 1-5 ; 15, 25-32 ; 18, 9-14.

à l'homme le désir idolâtrique de faire de l'Autre le moyen de son auto-justification. Dans la faiblesse abandonnée de cet homme totalement livré, Jésus de Nazareth, Paul a lu la folie de prétendre se réaliser à partir de soi. Grâce soit rendue à Dieu, concluait-il.

CHAPITRE 7

SAINT PAUL CONTRE LES FEMMES ?
Essor et déclin de la femme chrétienne au premier siècle

> Où le lecteur doit être averti qu'il aborde un sujet discuté avec âpreté, et ce n'est pas d'aujourd'hui : que vaut le regard paulinien sur les femmes ? — On constate pour commencer qu'une contradiction interne affecte le discours paulinien sur la femme — Trois préalables méthodologiques sont posés — Galates 3,28 : ni homme ni femme ; ce n'est pas seulement un slogan, mais une réalité qui se concrétise par la constitution de communautés de disciples égaux — On revient à Jésus, pour éviter de noircir le judaïsme de son temps et évaluer plus correctement la nouveauté de son ouverture aux femmes — Les colères de Columelle — Un texte épineux : 1 Corinthiens 11 et le voile des femmes — Du silence dans les assemblées : 1 Corinthiens 14 — Les trois trajectoires de l'après-paulinienne : survie et déclin de la femme.

La réputation antiféministe de Paul n'est pas à faire ; elle a acquis avec le temps, pour ainsi dire, le statut d'un article de foi. Mais nous ne sommes plus au combat des féministes du siècle dernier, pour qui l'injonction « que les femmes se taisent en assemblée » (1 Co 14, 34) faisait de Paul le plus sûr ennemi de la femme. On a appris à distinguer entre le texte et son effet dans l'histoire. La critique aujourd'hui se fait plus incisive et plus grave[1].

Plus incisive : la lutte est relayée par la théologie féministe, qui ne jette pas la Bible au feu, mais ausculte la position paulinienne sur la femme, l'évalue théologiquement et s'interroge sur le glissement intervenu de Jésus à Paul. Critique plus grave aussi, et qui s'élargit au texte biblique lui-même, dénoncé comme le fruit d'une écriture patriarcale, rédigée par des hommes, dans un monde de représentations masculin, véhiculant des valeurs masculines et coupable de l'oubli typiquement masculin de la femme. Bernadette Brooten, Luise Schottroff et Elisabeth Schüssler Fiorenza font partie des théologiennes féministes qui observent avec raison combien, dans toute l'antiquité, et aussi l'antiquité biblique, histoire et littérature ont été des produits masculins, gommant systématiquement le rôle des femmes ou le réduisant aux stéréotypes éternels de la mère ou de la fille de joie[2]. Qu'est devenue la moitié féminine de l'humanité, dans une historiographie ancienne vouée aux conquêtes militaires et aux conspirations politiques, ou dans un Nouveau Testament dominé par la présence tutélaire des mâles et la référence au comportement masculin ? Bernadette Brooten réclame le retour à l'histoire non écrite de ces femmes absentées du texte, à proprement parler une pré-histoire, tapie derrière le texte et occultée par lui. Exhumer ce que le Nouveau Testament ne dit pas des femmes, et de leur rôle décisif dans l'essor du premier

---

[1] La matière de ce chapitre a fait l'objet d'une première publication sous le titre : « La Bible contre les femmes ? », *Cahiers de l'Institut Romand de Pastorale*, n° 4, Lausanne, décembre 1989, p. 34-43. En outre, le thème a été travaillé au cours d'un séminaire de l'été 89, où étudiantes et étudiants ont considérablement provoqué et enrichi ma réflexion ; je pense en particulier à Thierry Juvet, Évelyne Korber Roland, Jacques Dupertuis et à mon assistant Marc Schoeni.

[2] B.J. BROOTEN, *Women Leaders in the Ancient Synagogue*. Inscriptional Evidence and Background Issues, Chico 1982 ; *Frühchristliche Frauen und ihr kultureller Kontext*, Einwürfe 2, München 1985, p. 62-93. L. SCHOTTROFF, « Frauen in der Nachfolge Jesu in neutestamentlicher Zeit », in : *Traditionen der Befreiung*, II, éd. W. SCHOTTROFF et W. STEGEMANN, München-Gelnhausen 1980, p. 91-133. E. SCHÜSSLER FIORENZA, *En mémoire d'elle*. Essai de reconstruction des origines chrétiennes selon la théologie féministe, (Cogitatio fidei 136), Paris 1986.

christianisme, voilà le défi justement lancé par les théologies féministes.

Paul : un homme partagé ?

Pour ce qui concerne Paul, ce travail aboutit à des résultats discordants. D'un côté, on voit en lui l'homme qui met au pas la femme chrétienne émancipée par la percée féministe de Jésus ; sous les coups du conservatisme paulinien, la fête déclenchée par les gestes libérateurs du Nazaréen aura été éphémère. D'un autre côté, on brandit le slogan paulinien « *Il n'y a plus ni juif, ni grec ; il n'y a plus ni esclave, ni homme libre ; il n'y a plus homme et femme* » (Ga 3, 28) pour montrer que si Thomas d'Aquin écrit que la femme est *aliquid deficiens et occasionatum* (quelque chose de déficient et de contingent ; Somme théol. I, 92, 1), par nature soumise à l'homme, la responsabilité de cette machine de guerre contre la femme emprunte plus au chauvinisme mâle et à la lecture d'Aristote qu'à la pensée de l'homme de Tarse[3].

Ces discours croisés sont significatifs d'une contradiction qui affecte en son centre le discours paulinien. Sur un pôle brille la maxime de Galates 3, 28, qui constate l'abolition des clivages sociaux et religieux grevant la relation homme-femme. Sur l'autre pôle s'agglutinent le *taceat mulier in ecclesia* déjà cité (« que la femme se taise en assemblée » : 1 Co 14, 34) et l'ordre signifié à la femme de se voiler pour la prière, car « *le chef de tout homme, c'est le Christ, mais le chef de la femme, c'est l'homme* » (1 Co 11, 2-16). Qui est saint Paul : le leader d'une utopie libertaire ou l'outil d'un conservatisme rampant ? On ne peut prendre les deux, ou différencier chronologiquement comme on l'a osé au chapitre précédent, car ce serait postuler un revirement de Paul sur la question des femmes ou lui attribuer une double morale. Attribuer Galates 3, 28 à sa foi et 1 Corinthiens

---

[3] Dans le cadre de la première interprétation, on trouve les travaux cités de L. Schottroff et E. Schüssler Fiorenza. Dans la seconde direction : E. KÄHLER, *Die Frau in den paulinischen Briefen*, Zürich 1960 ; W. SCHRAGE, in : E.S. GERSTENBERGER, W. SCHRAGE, *Frau und Mann*, (Biblische Konfrontationen), Stuttgart 1980 ; B. WITHERINGTON III, *Women in the Earliest Churches*, SNTS.MS 59, Cambridge 1988.

14 à ses fantasmes misogynes n'est pas très charitable. Renvoyer l'apôtre à ses deux cultures, la juive et la grecque, déchire la personne. Bref, opter revient à faire l'ange (en fermant les yeux sur le second pôle) ou la bête (en gommant le premier). Le dilemme est posé.

Mon avis est qu'on ne peut retirer à Paul la paternité consciente d'aucun des deux pôles, donc sa pensée est en forte tension. L'homme est partagé ; mais je crois que Paul, avec cette position double, vaut mieux que sa réputation. Avant de le montrer, et parce que nous abordons une problématique saturée de pressions idéologiques, il m'importe de dégager l'espace de lecture de trois obstacles qui l'encombrent.

Dégager l'espace de lecture

1. Entre notre quête sur la condition de la femme et les textes du Nouveau Testament vieux de deux millénaires s'ouvre un espace, et dans cet espace doit se déployer *une opération de lecture* plutôt que se fomenter un arraisonnement des textes. La lecture orchestre un dialogue et vit de la différence, l'arraisonnement tue la différence par annexion. En langage clair : il est vain d'espérer voir en Jésus ou en Paul les prophètes du féminisme, au sens de l'égalité sociale et juridique des sexes mise en place à la fin du vingtième siècle ; même si des impulsions décisives ont été données dans ce sens au premier siècle, et soigneusement oubliées ensuite, annexer Jésus à une cause égalitariste est d'une apologétique aussi misérable que confisquer l'Évangile à l'appui d'une réclusion de la femme au foyer. Le texte devient aidant lorsque s'instaure, avec la position du lecteur, un jeu d'écart et de stimulation.

2. Le rapport entre homme et femme n'est jamais *mis en discussion comme tel*, que ce soit dans les évangiles ou dans les écrits de Paul, ce qui indique que les textes ne sont pas travaillés par la conscience aiguë qui est la nôtre sur ce point. Les rôles dictés par la société ne sont pas discutés, sur le fond. La condition masculine et la condition féminine sont touchées de biais, par la voie oblique d'une demande de guérison, d'une rencontre (Jésus) ou d'une difficulté de la vie communautaire (Paul). Cet écart entre la demande du lecteur moderne et la visée

rhétorique du texte doit nous éviter de forcer le texte, en érigeant en principe ce qui se dit dans le cadre d'une problématique limitée, ou en lui prêtant sur *la* femme un propos qu'il investit dans le contexte particulier d'*une* femme.

3. Il faut aussi se garder de *jugements forfaitaires*, qui attribueraient par exemple au judaïsme une position uniformément rétrograde sur la femme et à l'hellénisme un progressisme social en règle. Il est vrai que la société gréco-romaine reconnaissait à la femme mariée le droit au divorce que lui refusait la législation de la Mishna fondée sur Deutéronome 24. Mais à l'inverse, la prise en considération de la femme comme sujet dans les codes de morale domestique du christianisme primitif (Ep 5, 21-33 ; Col 3, 18s) tranche face aux moralistes stoïciens, qui n'adressent les mêmes codes qu'à l'individu digne de les recevoir, c'est-à-dire à la personne masculine, libre et adulte ; l'injonction faite aux femmes d'être soumises à leurs maris comme au Seigneur (Ep 5, 21), quoi qu'on pense de son contenu, l'injonction comme telle élève la femme au rang de sujet de l'éthique et non plus d'objet ; dans ce cas, c'est l'influence juive qui fait pression sur l'éthique du monde hellénistique ! La pondération est donc de mise dans la comparaison, et peindre en noir/blanc ne signale pas beaucoup plus qu'une myopie historique.

Plus largement, on conviendra qu'il n'est pas sage d'exhiber des sentences isolées pour leur donner force de preuve. Une pensée, surtout si elle se prononce sur la condition de l'homme et de la femme, doit être mesurée à son inscription dans l'histoire sociale du temps. On a en effet opposé la praxis libératrice de Jésus aux sentences du grand Hillel (« Beaucoup de femmes, beaucoup de sorcellerie » ou « ne parle pas trop avec les femmes »)[4] ; mais les paroles de Jésus apparaissent timides en comparaison du discours de C. Musonius Rufus, un philosophe stoïcien contemporain des évangélistes, qui défend l'égalité des sexes, prône le droit de la femme à l'éducation et conseille aux hommes de partager les tâches ménagères[5]. Et pourtant,

---

[4] Traité Aboth 2, 7 et 1, 5. Hillel l'ancien, l'un des chefs de file de la théologie rabbinique, vécut dans les dernières décennies avant l'ère chrétienne.

[5] Voir W. KLASSEN, « Musonius Rufus, Jesus, and Paul : Three First-

l'intervention de Jésus sera un ferment de transformation des rapports homme-femme dans les communautés chrétiennes, tandis que Musonius, même auprès de ses pairs stoïciens, reste une voix isolée. Le poids d'une parole doit être mesuré à la pratique qu'elle génère, ou ne génère pas.

J'ai voulu libérer la lecture de trois handicaps : la projection dans le texte de catégories issues du dialogue actuel entre hommes et femmes (même si, je répète, les textes du Nouveau Testament ne sont pas étrangers à la tournure que prend aujourd'hui le dialogue des sexes) ; l'examen nécessaire de la thématique dans laquelle s'inscrit la réflexion du Nouveau Testament, attendu que la condition de l'homme et de la femme n'est pas réfléchie comme telle ; l'importance enfin de ne pas massifier les traditions religieuses et culturelles, et de mesurer une parole à son impact social, la praxis étant considérée bien entendu comme un indice d'efficacité et non comme un critère de vérité.

Et maintenant : Paul. Je commence par Galates 3, 28, que je cite dans son cadre.

Il n'y a plus : homme et femme

> Avant la venue de la foi, nous étions gardés en captivité sous la Loi, en vue de la foi qui devait être révélée. Ainsi donc, la Loi a été notre surveillant, en attendant le Christ, afin que nous soyons justifiés par la foi. Mais, après la venue de la foi, nous ne sommes plus soumis à ce surveillant. Car tous, vous êtes, par la foi, fils de Dieu, en Jésus-Christ. Oui, vous tous qui avez été baptisés en Christ, vous avez revêtu Christ. Il n'y a plus ni juif, ni grec ; il n'y a plus ni esclave, ni homme libre ; il n'y a plus homme et femme ; car tous, vous n'êtes qu'un en Jésus-Christ. (Ga 3, 23-28)

Nous débarquons en pleine polémique contre une théologie du retour à la Loi promue par des chrétiens judaïsants, survenus après le départ de l'apôtre, et qui exerce une forte pression sur les églises galates (Ga 1, 6-8 ; 3, 1). Paul argumente

---

Century Feminists », in : *From Jesus to Paul*, Studies in Honour of F. Wright Beare, Waterloo (Canada) 1984, p. 185-206.

à partir de 3, 19 sur le rôle de la Loi : elle est un pédagogue (ou un surveillant) conduisant au Christ (v. 24) ; c'est pour montrer aux Galates que revenir au régime de la Loi équivaut à reculer dans l'histoire du salut, et ressuscite une étape révolue. La justification par la foi a introduit les croyants, irréversiblement, dans un nouveau statut devant Dieu : le statut de fils de Dieu (3, 26).

Les versets 27 et 28 viennent concrétiser ce nouveau statut : on y accède par le baptême, où le croyant revêt une nouvelle identité comme on enfile un vêtement neuf. Comment se définit cette identité neuve ? Par une abolition des disqualifications d'ordre religieux (juif ou grec), d'ordre social (esclave ou libre), d'ordre religieux, social et naturel (homme ou femme). La pensée est claire : au regard de la foi, l'origine sociale ou religieuse perd au baptême toute pertinence au profit du « revêtir Christ ». Le statut antérieur se trouve définitivement dévalué par l'entrée baptismale dans la communion avec le Christ ; le baptême est passage d'une structure hiérarchique à un régime d'égalité. Un principe régulateur important est assigné à l'existence chrétienne : que le croyant ne rêve pas de conserver ou de s'octroyer un pouvoir autre que celui de fils ou de fille de Dieu ; mais qu'il considère comme dépassés les rapports de force posés par la société et/ou la religion entre juifs et grecs, esclave et citoyen, homme et femme. L'existence communautaire se fonde sur une réalité autre que l'identité commandée par les structures extérieures de pouvoir.

Il faut mesurer l'immense nouveauté de cette affirmation, qui abolit le privilège religieux du juif, le privilège politique du citoyen et le privilège religieux et social du mâle. Rien ne saurait attester plus radicalement la fin de la Loi[6]. Car devant la Loi, le juif occupe une autre position que le prosélyte, l'esclave une autre que le maître, l'homme une autre que la femme. Le rabbi Yehuda (IIe siècle) disait : « On doit dire chaque jour trois bénédictions : béni Celui qui ne m'a pas fait goy (païen), ni femme, ni ignorant (dans le Talmud de Babylone : esclave) ; car les goyim « sont comme rien devant toi » (Esaïe 40, 17),

---

[6] M. BOUTTIER, « Complexio Oppositorum : sur les formules de 1 Co 12, 13 ; Gal 3, 26-28 ; Col 3, 10-11 », *New Testament Studies* 23, 1976, p. 1-19.

parce que la femme n'est pas tenue d'observer les commandements, parce que les ignorants ne craignent pas de pécher »
(Tosephta Berakot 7, 18). Malgré ce qu'elle a de rebutant, on
constate que cette prière vise moins à humilier la femme qu'à
exalter l'identité religieuse du mâle. Mais la nouveauté chrétienne
ne se distinguait pas que du judaïsme. On a retrouvé une trilogie analogue chez Diogène Laërce, un historien grec de la philosophie, du IIIᵉ siècle avant J.-C. ; il attribue cette sentence à
Thalès : il faut dire trois bénédictions pour remercier la Fortune : « d'abord, que je sois né être humain et non animal ;
ensuite, que je sois né homme et non femme ; troisièmement,
que je sois né grec et non barbare »[7]. Il est plausible qu'une
telle sentence résume la mentalité populaire du monde grec bien
après Diogène Laërce.

L'examen de la formule paulinienne, de son vocabulaire, son
émergence en 1 Co 12, 13, et Col 3, 11 (mais dépourvue de
la clause homme-femme !) ont conduit les exégètes à penser que
l'apôtre reprend ici un slogan circulant dans ses communautés.
E. Käsemann est allé plus loin, formulant l'hypothèse qu'il s'agit
là d'une surenchère enthousiaste à la pensée paulinienne[8].
Peut-être. Paul ne consent pas moins à ce slogan, qui à partir
du baptême, ruine les privilèges et les rôles fixés par la religion et par la société. Il faudrait, pour bien faire, traduire :
« ni juif ni grec, ni esclave ni homme libre, *ni masculin et féminin* » ; la tournure est curieuse, mais le clin d'œil fait à Genèse
1, 27 le fait comprendre : « *Dieu créa l'homme à son image,
à l'image de Dieu il le créa, masculin et féminin il le créa* ».
Cette référence à la théologie de la création est importante pour
la pensée de Paul ; nous la retrouverons en arrière-fond de 1
Corinthiens 11.

A quelles conséquences éthiques, à quels comportements, à
quel modèle de relation conduit cette recomposition théologique du rapport homme-femme ? On ne le sait pas ici, car la
visée du discours est sotériologique. L'insertion du même slogan en 1 Corinthiens 12 permet de croire que l'abolition des
rapports de force n'implique pas un nivellement des différen-

---

[7] Signalé par W. KLASSEN, art. cit., p. 201-202.
[8] E. KASEMANN, *Der Ruf der Freiheit*, Tübingen 5ᵉ éd. 1972, p. 86-87.

ces ; le thème de l'unité est développé là-bas par la métaphore du corps multiple, mais un (12, 12-27). Ce que Paul ne dit pas en Galates 3, l'histoire se charge cependant de nous le faire savoir.

Les communautés de disciples égaux

Les églises fondées par l'apôtre ont été en effet des communautés de disciples égaux. L'examen des salutations consignées par Paul en finale de ses lettres a permis de constater que les communautés pauliniennes ont englobé tous les groupes sociaux du monde romain, et plus fort encore, que les femmes y ont occupé une place importante. En Romains 16, 3-16, Paul cite nommément 26 personnes, dont 17 hommes et 9 femmes. Parmi elles figure Junia (v. 7), dont le prénom a été masculinisé au sein de la transmission des textes, parce que les copistes médiévaux ne concevaient pas que saint Paul décerne le titre d'apôtre à une femme ! La plupart des personnes saluées sont qualifiées par le travail qu'elles assurent dans la communauté, et aucune ségrégation n'apparaît entre hommes et femmes. Le rôle des couples Prisca et Aquilas, Andronicus et Junia est décrit avec une identique admiration (16, 3s. 7) ; femmes et hommes sont dits « collaborateurs » de Paul (16, 3.9) ; femmes et hommes ont « peiné » pour le Christ (16, 6.12), un terme que Paul s'applique à lui-même (1 Th 1, 3) ; femmes et hommes sont appelés « bien-aimés » (16, 5.8.9.12).

Aussi en dehors de Romains 16, la participation des femmes aux responsabilités ecclésiales et missionnaires est manifeste. Elles sont comptées au nombre des prophètes (1 Co 11, 4). Phoebé est diacre dans le port de Cenchrées (Rm 16, 1). Evodie et Synyche, deux femmes, ont lutté avec Paul pour l'Évangile au milieu d'autres collaborateurs (Ph 4, 2s). Le rôle joué par Aquilas et Prisca à Corinthe fut important (Ac 18, 3). Cette image du christianisme paulinien, rassemblant hommes et femmes, et les associant dans la gestion des communautés, correspond en tous points au portrait brossé par le livre des Actes. L'essor de la mission paulinienne a fait passer le christianisme du milieu rural syro-palestinien à la population urbaine des grandes cités hellénistiques ; en milieu urbain, *le christianisme a exercé une puissante force d'intégration sociale*, qui l'a rendu très attractif aux yeux d'une société gréco-romaine marquée par les cloisonnements sociaux, culturels et sexuels. On sait qu'au même moment, le succès des religions à mystère, d'inspiration orientale, auprès des femmes était dû à un facteur similaire à l'offre chrétienne, à savoir la participation à une religion de salut rassemblant ses adeptes en communautés mixtes et égalitaires. Les troubles communautaires de Corinthe, et les tensions entre hommes et femmes qui s'y produisirent, sont un indice supplémentaire de l'importance de la participation féminine au sein de la chrétienté paulinienne. Car à fournir ainsi des occasions de mixité publique entre les sexes, rares dans la société gréco-romaine, les jeunes églises allaient constater bientôt que l'apprentissage de la vie communautaire a ses excès et ses ratés. Nous y viendrons.

La femme juive en Palestine

Le rassemblement des chrétiens dans des communautés de disciples égaux a un précédent historique qui n'est autre que... la pratique de Jésus. La composition des communautés pauliniennes correspond à la pratique d'accueil du Nazaréen, avec en plus une mixité sociale que ne connaissait pas le mouvement de Jésus. Jésus rassemblait hommes et femmes sous l'horizon du Règne tout proche ; Paul fonde l'abattement des hiérarchies sur la justification par la foi. A partir de l'eschatologie pour Jésus, à partir de la christologie pour l'apôtre, *l'identité de la femme se trouve revalorisée par cette offre de partenariat dans la croyance.* Mais il nous faut rapidement vérifier ce que fut la nouveauté de l'attitude de Jésus à l'égard de la femme et ce qu'elle ne fut pas.

Disons, pour faire court, que la nouveauté est indéniable du côté de Jésus, mais que *la vie du couple juif au premier siècle ne fut pas ce chef d'œuvre d'injustice qui nous est parfois décrit.* Noircir la coutume juive pour faire ressortir le geste novateur de Jésus n'est pas un devoir. La théologie féministe évoque une première raison à cette retenue : la vie juive en Palestine au premier siècle nous est connue essentiellement par le canal de textes législatifs ; or, outre leur caractère tardif déjà relevé à propos des paraboles, il faut dire que la rigueur des codes ne restitue pas la souplesse de la vie, que le prescriptif surplombe toujours le vécu sans coïncider avec lui, si bien qu'on ne peut totalement compter sur la Mishna pour être le miroir de la quotidienneté palestinienne.

Mais que devient la femme dans l'orbite des lois ? Il apparaît que la sphère d'influence de la femme est confinée à son rôle de mère, à sa fidélité à son mari et à ses responsabilités domestiques. Elle ne peut se soustraire au mariage décidé par son père qu'après la puberté ; elle peut être répudiée par défaut de chasteté (école de Shammaï), pour avoir brûlé un mets (école de Hillel) ou parce que son mari lui préfère une autre (R. Aqiba) (Gittin 12, 10). Son statut religieux fait d'elle une mineure, séparée des hommes pour l'office synagogal, privée de l'enseignement de la Torah et dispensée d'une part importante de ses prescriptions. « *Mieux vaut brûler les paroles de la Torah plutôt que les livrer aux femmes* » (Sota 18, 8).

A regarder de plus près, il semble bien que ce portrait — classique — doive être nuancé. La femme juive n'est pas traitée comme la propriété de son homme, et la législation protégeait la divorcée en faisant au mari obligation de lui rembourser sa dot, la *ketoubah*, quand bien même il serait endetté (Nedarim 9,5). La femme subit moins des interdictions que des limites dans la participation à la vie cultuelle. Elle n'est assujettie qu'aux prescriptions dont l'observance n'est pas liée à des périodes fixes ; ainsi elle est dispensée d'habiter les tentes lors de la fête, de porter les *tephilim*, de réciter le *shema Israël*, etc. Souvent, les rites l'associent à l'esclavage ou à l'enfant. Rabbi Eliézer prétend qu'« apprendre la Torah à sa fille est comme lui apprendre le libertinage », mais Rabbi ben Azzay lui réplique qu'on doit tout de même l'enseigner à sa fille (Sota 3, 4). On s'interroge aussi pour savoir si la séparation synagogale entre hommes et femmes ne reflète pas un usage plus tardif ; B. Brooten affirme que le titre d'*archisynagogos* (chef de synagogue), fonction laïque et non sacerdotale, pouvait être décerné à des femmes ; mais la chose est discutée[9].

---

[9] B. J. BROOTEN, art. cit., p. 74-75.

Un constat ambivalent

Le constat est donc ambivalent. Il ressort que la femme juive en Palestine était protégée et honorée dans son rôle d'épouse et de mère. « Un homme sans femme n'est pas un homme » (R. Eleazar, b Yebamot 63c). En dehors, dans la vie publique et religieuse, le pouvoir masculin domine. On voit se côtoyer, chez les rabbins comme chez Josèphe, chez Philon et dans la littérature de sagesse, l'admiration pour son rôle domestique (« La maison c'est la femme ») et des éruptions de la plus épaisse misogynie. Comme toujours avec les rabbins, on rencontre parfois des paroles où se révèle subitement une surprenante liberté. C'est la liberté que manifesta Jésus, mais chez lui elle aboutit à la croix, tandis que dans la littérature rabbinique, la méfiance de la femme demeure comme une limite toujours présente.

Sur ce fond d'honneurs domestiques et de discrimination religieuse, les gestes libres de Jésus prennent leur juste relief. L'accueil non restrictif des femmes dans son entourage (Lc 8, 1-3) et à l'écoute de son enseignement, sa compassion envers les femmes malades, son refus d'entériner la lettre de divorce réservée à l'usage exclusif de l'homme (Mc 10, 2-9), son acceptation du dialogue (Mc 7, 24-30 ; Jn 4) — cette attention indéniable portée à la femme explique pourquoi, sous la croix, après la fuite des disciples, un groupe de femmes reste à dire muettement son attachement au Maître (Mc 15, 40s). Jésus a dû apparaître doublement incongru à ses contemporains : d'une part son célibat, qui relativise le sexuel, d'autre part sa façon de transcender le rôle de mère par celui de disciple : « *Une femme éleva la voix du milieu de la foule et lui dit : "Heureuse celle qui t'a porté et allaité !" Mais lui, il dit : "Heureux plutôt ceux qui écoutent la parole de Dieu et qui l'observent !"* » (Lc 11, 27-28). Marcion, qui aime Luc mais n'aime pas les juifs, glose le texte de Lc 23, 2 et ajoute aux accusations juives portées contre Jésus devant Pilate « qu'il séduisait les femmes et les enfants. » Cette accusation sera reprise par Celse contre les chrétiens (Origène, Contre Celse 3, 44), et plus tard, Porphyre accusera les chrétiens d'adopter le matriarcat. Attaques instructives, qui confirment le rôle actif pris par les femmes dans le mouvement de Jésus et dans les premières communautés chrétiennes.

Les colères de Columelle

En passant avec Paul dans le bassin culturel gréco-romain, le christianisme entre dans une société globalement (mais pas toujours) plus permissive à l'égard de la femme. Précisons : à l'égard des femmes aisées. Celles-ci bénéficient d'un espace social nettement plus enviable ; elles peuvent vivre indépendantes, tenir commerce, accéder aux beaux-arts, changer de mari ; la vie politique romaine a aussi ses égéries. Il nous est parvenu un intéressant traité « De l'agriculture », que rédigea au temps de Néron (54-68) Lucius Junius Moderatus Columella, militaire de carrière, puis propriétaire d'une entreprise agricole aux environs de Rome. Dans son douzième livre, Columelle ironise sur la tendance des femmes à l'émancipation, et sa protestation restitue à la foie le gain de liberté que réalise la *matrona* romaine et les forces de restauration qui lui sont opposées.

> Chez les Grecs (...), puis chez les Romains jusqu'au temps de nos pères, les occupations domestiques étaient généralement confiées aux femmes mariées, tandis que les pères de famille, déposant tous leurs soucis, se retiraient dans leurs pénates domestiques, comme pour se reposer de leurs activités extérieures. Il régnait le plus grand respect dans une atmosphère de concorde et de vigilance, et l'épouse la plus belle rivalisait de vigilance, souhaitant accroître et améliorer par ses soins les affaires de son mari. (...) Aujourd'hui cependant que la plupart des femmes sont si amollies par le luxe et l'oisiveté qu'elles ne daignent pas s'occuper même du travail de la laine, mais méprisent les vêtements faits à la maison, et, poussées par un désir perverti, trouvent leur plus grand plaisir à ceux qui s'achètent très cher et coûtent presque une fortune, il n'est nullement étonnant qu'elles répugnent au soin de la campagne et des instruments agricoles et regardent comme absolument ignoble de passer quelques jours à la ferme.[10]

---

[10] COLUMELLE, *De l'agriculture*, XII, 7.9, cité dans la traduction de J. André (Les Belles Lettres, Paris 1988).

La situation italienne ne peut être généralisée sur l'ensemble de l'empire, mais elle indique la tendance. Les historiens pensent savoir que la femme était plus libre à Corinthe qu'à Athènes, et moins en Asie Mineure qu'en Égypte. De toute manière, la vie des basses couches sociales nous échappe largement, faute de sources.

La position chrétienne sur la femme va bien entendu entrer en affinité avec cette mouvance de l'émancipation féminine. Mais — et voilà la différence — la liberté baptismale ne s'arrête pas à l'aristocratie économique. L'égalité s'offre à tous. Ni juif ni grec, ni esclave ni homme libre, ni homme ni femme. Je reviens à ce slogan, avancé par Paul avec la force d'un axiome ; sur quel modèle de vie communautaire débouche-t-il ? Dans une société peu portée à la mixité sociale (et même religieuse) des sexes, des difficultés devaient surgir. Elles se produiront à Corinthe dans le cadre du culte, ce qui déclenchera deux interventions musclées de Paul : l'affaire du voile (1 Co 11, 2-16) et l'ordre de se taire en assemblée (14, 34-36).

Le voile des femmes

> Je vous félicite de vous souvenir de moi en toute occasion, et de conserver les traditions telles que je vous les ai transmises. Je veux pourtant que vous sachiez ceci : le chef de tout homme, c'est le Christ ; le chef de la femme, c'est l'homme, le chef du Christ, c'est Dieu. Tout homme qui prie ou prophétise la tête couverte fait affront à son chef. Mais toute femme qui prie ou prophétise tête nue fait affront à son chef ; car c'est exactement comme si elle était rasée. Si la femme ne porte pas de voile, qu'elle se fasse tondre ! Mais si c'est une honte pour une femme d'être tondue ou rasée, qu'elle porte un voile ! L'homme, lui, ne doit pas se voiler la tête : il est l'image et la gloire de Dieu ; mais la femme est la gloire de l'homme. Car ce n'est pas l'homme qui a été tiré de la femme, mais la femme de l'homme. Et l'homme n'a pas été créé pour la femme, mais la femme pour l'homme. Voilà pourquoi la femme doit porter sur la tête une marque d'autorité, à cause des anges.
>
> Pourtant, la femme est inséparable de l'homme et l'homme de la femme, devant le Seigneur. Car si la femme a été tirée de l'homme, l'homme naît de la femme et tout vient de Dieu. Jugez par vous-mêmes : est-il convenable qu'une femme prie Dieu sans être voilée ? La nature elle-même ne vous enseigne-t-elle pas qu'il est déshonorant

pour l'homme de porter les cheveux longs ? Tandis que c'est une gloire pour la femme, car la chevelure lui a été donnée en guise de voile. Et si quelqu'un se plaît à contester, nous n'avons pas cette habitude et les Églises de Dieu non plus. (1 Co 11, 2-16)

Le voile des femmes. Fallait-il ou ne fallait-il pas que Paul s'engage sur cette question ? Pour sa réputation, il eût mieux valu que non. Mais, disons-le, Paul récolte sur ce texte plus d'approbations douteuses ou de hargne blessée que d'attention. Et il en faut, de l'attention, pour suivre la démarche compliquée de l'apôtre, qui empile les arguments comme un marchand à la foire, comme s'il fallait faire bon poids pour l'emporter. En quinze versets, il aligne un développement sur le thème de la tête, qui finit en allusion grinçante aux femmes tondues, avec une digression midrashique sur la création (Genèse 1-2) ; puis vient un appel à réfléchir sur la décence et le naturel (« Jugez par vous-mêmes »), et en final, flash-back sur la coutume des églises pauliniennes. Un vrai feu d'artifice. Mais quel péril pousse donc l'apôtre à tirer de pareilles bordées ?

Il commence par féliciter les Corinthiens d'observer les traditions « telles que je vous les ai transmises ». Étrange exorde, pour un discours qui traite justement d'une transgression à la coutume ? Nullement. L'apôtre rappelle pour commencer le fond d'accord sur lequel se dessine l'affaire : à Corinthe, comme dans les autres églises par lui fondées, Paul a transmis (et non créé lui-même) des traditions cultuelles qui régulent la célébration de la communauté. Il va être question du culte, en effet, tout au long des chapitres 11, 12, 13 et 14 de l'épître. Curieusement, dans ce texte qui a fait tant couler d'encre, nous ne savons toujours pas avec exactitude de quelle coutume Paul prend ici la défense : la pratique juive du voile porté par la femme hors de chez elle ? une mode corinthienne ? En fait, le cadre de référence est strictement cultuel ; le voile n'est ni pour la rue, ni pour la maison, mais pour le culte ; cette règle (inspirée de la synagogue ?) prescrit aux femmes de se couvrir la tête lorsqu'elles prient ou prophétisent. Visiblement, les femmes (ou *des* femmes) de Corinthe contestent l'usage. Dévergondage de quelques écervelées ? Non pas, car à l'occasion de cette dispute de couvre-chef, Paul engage une réflexion fondamentale sur le rapport entre l'homme et de la femme.

Le tort d'effacer la différence

On pressent d'emblée que l'incident menace plus gravement que le port d'un accessoire de toilette. Paul fait un jeu de mot sur un terme, *kephalè*, qui signifie à la fois la tête et le chef. « *Je veux que vous sachiez ceci : le chef (la tête) de tout homme, c'est le Christ ; le chef (la tête) de toute femme, c'est l'homme ; le chef (la tête) du Christ, c'est Dieu.* » Traduire par chef sélectionne la note de l'autorité, alors que la *kephalè* ne renvoie jamais à une pure subordination ; elle est aussi bien la tête, ce qui est au-dessus, que le fondement, ce qui supporte. La *kephalè* met en place une structure d'autorité, qui ne légitime pas le pouvoir brut de l'un sur l'autre, mais donne sens et fondement à l'existence de deux partenaires. Il s'agit d'admettre que des relations asymétriques lient et fondent le Christ, l'homme, la femme et Dieu. Il y a possibilité, et même nécessité, de se reconnaître, de s'identifier dans la différence, de prendre conscience que sa vie fait sens dans un dialogue face à autrui, dans une relation à l'Autre. Cette conscience d'une identité née de la différence se fonde dans l'ordre de la création ; pour la femme, née d'être distinguée de l'homme, l'altérité est là dès la création (allusion limpide à Genèse 2, 21s ; il y en aura d'autres).

C'est pourquoi « *tout homme qui prie ou prophétise la tête couverte fait honte à son chef (sa tête) ; mais toute femme qui prie ou prophétise tête nue fait honte à son chef (sa tête)* ». Le crime n'est pas de léser le rite, ni d'attenter à une suprématie mâle. Le tort est d'effacer la différence, et en rejetant ce capet qui la singularise face à l'homme, de s'extraire de cette relation avec l'autre, l'homme, où s'origine son identité. La coutume a donc valeur identifiante.

On devine mieux maintenant ce qui a poussé les femmes de Corinthe à déposer le voile : l'accessoire est jugé discriminatoire. L'effet de Galates 3, 28 frappe la communauté de plein fouet : pourquoi, alors que — chose inconnue de la synagogue et rare dans le monde grec — le privilège religieux du mâle a été mis à bas, dans cette communauté de disciples égaux où hommes et femmes prient et prophétisent ensemble, pourquoi porter sur soi le signe d'une discrimination fondée sur le sexe ? Il est possible que les célébrations dionysiaques, dont les ménades rejettent la tête en arrière et dénouent leurs cheveux, ou le culte d'Isis, fortement présent à Corinthe, avec ses prêtresses ébouriffées, aient inspiré les chrétiennes corinthiennes. Paul répond : en rejetant ce signe de votre identité de femme, vous ne rejetez pas ce qui vous discrimine, vous abolissez ce qui vous différencie. Nul n'est en-dehors d'une relation fondatrice avec une tête, nul ne s'appartient, l'homme non plus. Jeter le voile n'est pas qu'une affaire personnelle, mais endommage l'autre, lui « fait honte » par retrait du partenaire. Mieux vaudrait la tonsure, ajoute Paul, et le ton grince : allusion à des prostituées, en tout cas à des femmes seules ? On se rend compte qu'une théologie de la différence travaille le texte et s'y étale. Théologie de l'identité contre la fusion, du séparé contre l'indifférencié, théologie de l'altérité contre un nivellement égalitariste.

Une question d'autorité

Le discours rebondit ensuite avec la preuve scripturaire. Procédé classique chez Paul. L'homme est l'image et la gloire de Dieu (Genèse 1, 26s), ce qui est encore dire que l'homme vit d'honorer Dieu et d'être honoré par lui, d'être partenaire de Dieu et de faire sa joie. Mais la femme a été créée en second, pour l'homme, et non l'inverse (Genèse 2, 21-23). « *Voilà pourquoi*, poursuit Paul (je traduis au plus près du grec), *la femme doit avoir sur la tête une autorité, à cause des anges* » (11, 10). Pour des raisons inexplicables (mais le sont-elles vraiment ?), en tout cas non explicables par la philologie, bien des Bibles françaises, et même la TOB, traduisent : voilà pourquoi la femme doit porter sur la tête *la marque de sa dépendance* (Segond : *une marque de l'autorité dont elle dépend*). Or, le terme utilisé *(exousia)* n'a nulle part, dans le Nouveau Testament, le sens d'une puissance subie ou d'une suprématie supportée ; il caractérise toujours, au contraire, la puissance qu'exerce l'intéressé, son autorité, sa compétence, sa liberté d'agir. Cette infraction au vocabulaire, métastase d'une misogynie faussement imputée à Paul, inverse le propos de l'apôtre, qui n'est pas d'approuver la protestation des femmes corinthiennes (pour elles, le voile signe l'asservissement au mâle) ; Paul défend la position inverse : une femme qui prie et prophétise prononce une parole d'autorité, et son droit à l'autorité prophétique n'est pas mis en doute un seul instant.

La nouvelle alliance ne connaît ni homme ni femme, et l'assemblée ne se distribue pas entre privilégiés et prolétaires du religieux. En portant le voile, « la femme a sur la tête le signe de sa capacité à participer à l'assemblée de prière »[11], capacité qu'elle reçoit du Christ, tout comme l'homme. Faut-il comprendre qu'une femme priant et prophétisant tête nue nie son identité de baptisée ? Non, devons-nous comprendre avec Paul, mais elle démantèle au nom de la rédemption l'ordre créé, qui assigne à chacun une identité dans la différence. Paul ne vise donc pas à fortifier l'antique hiérarchie homme-femme ; la suite le montre immédiatement, qui corrige l'ordre de succession homme-femme issu de Genèse 2 avec un « cependant » qui aurait dû couper court à toute lecture phallocrate de ce passage : « *Cependant, la femme est inséparable de l'homme et l'homme de la femme, dans le Seigneur.* » Si la femme vient de l'homme, comme dit Genèse 2, la vie enseigne que l'homme naît par la femme « *et tout vient de Dieu* ». Homme et femme se retrouvent dans une commune dignité et une commune sujétion au même Maître.

Le dernier argument est tiré des convenances et de la nature. L'apôtre est-il à court d'idées performantes ? Affaire de goût et d'époque, plutôt. Je conclus. Galates 3, 28 trouve, dans la vie cultuelle à Corinthe, un commencement de réalisation. Prier et prophétiser sont reconnus à l'un comme à l'autre sexe. L'identité des rôles religieux est acquise. Mais cette inséparabilité de l'homme et de la femme « dans le Seigneur » ne doit pas conduire à la confusion des identités, qui bouscule les genres et touche l'ordre du créé. Cette position ne conviendra pas à l'égalitarisme moderne, qui récuse toute notion d'autorité et réclame pour chacun le droit à l'auto-affirmation de soi ; mais c'est ici

---

[11] A. JAUBERT, « Le voile des femmes », *New Testament Studies* 18, 1972, p. 419-430, citation p. 430.

que la position paulinienne est instructive : en invitant l'homme comme la femme à ne pas se définir en dehors de la relation à l'autre, en conviant à accepter l'altérité d'autrui, bref, en appelant à sortir de soi pour considérer autrui avec ses droits et sa vérité. La femme, pour Paul, un être second et secondaire ? Pour le redire après 1 Corinthiens 11, il faut que le lecteur y trouve un secret profit, ou alors, que la tradition de lecture se soit par trop appesantie sur lui.

Du silence dans les assemblées

L'ordre signifié aux femmes de se taire dans les assemblées (1 Co 14, 33b-35) nous place dans une identique situation de lecture que le texte de 1 Corinthiens 11 que nous quittons. La tâche consiste à remonter par-delà une lecture phallocrate pour tenter de ressaisir l'intention paulinienne, et par-delà le texte pour reconstituer (difficilement) le conflit dans lequel pénètre Paul[12].

Le *taceat mulier in ecclesia* a acquis sa sinistre réputation de l'usage ravageant dont il fut l'objet de la part d'un clergé mâle trop heureux de recevoir cet outil. Même Calvin s'est laissé prendre à la généralisation de l'interdit : « *C'est une chose vicieuse et déshonneste que les femmes dominent* »[13]. Or, Paul ne statue pas sur la place de la femme en Église ; il règle un cas de désordre dans le cadre de l'assemblée cultuelle. Quel désordre ?

Comme cela se fait dans toutes les Églises des saints, que les femmes se taisent dans les assemblées ; elles n'ont pas la permission de parler ; elles doivent rester soumises, comme dit aussi la loi. Si elles désirent s'instruire sur quelque détail, qu'elles

---

[12] Je renonce au procédé, décidément trop facile, consistant à attribuer 1 Co 14, 33b-35 à un glossateur de Paul, qui aurait inséré après coup cette règle empoisonnée dans le texte de l'apôtre. Outre que la tradition manuscrite n'appuie pas une telle manipulation, et que cette règle s'intègre correctement au contexte du chapitre 14, comme on le verra, le procédé ne fait que renvoyer le problème... de Paul à ses élèves.

[13] J. CALVIN, *Commentaires sur le Nouveau Testament*, III, Paris 1855, p. 480.

interrogent leur mari à la maison. Il n'est pas convenable qu'une femme parle dans les assemblées.   (1 Co 14, 33b-35)

Il n'est pas permis aux femmes de parler. A quoi Paul fait-il allusion ? De quel parler s'agit-il ? Les femmes bavardaient-elles pendant le culte ? Tenaient-elles des discours inspirés ? Interrompaient-elles irrespectueusement un prédicateur ? Posaient-elles des questions intempestives ? Faisaient-elles des excès de glossolalie ? Paul utilise un verbe ouvert, non marqué dans un sens ou dans l'autre. Les femmes parlent. Comme l'apôtre les renvoie à la maison pour interroger leur mari, ce parler devait comprendre aussi des questions. L'argument est ferme : elles doivent être soumises, comme le veut la coutume (juive), c'est-à-dire renoncer à leur droit : non face à l'homme, mais face à la communauté. Mais notons bien que contrairement à l'usage qui en a été fait, ce passage ne bâillonne pas la femme dans le culte (sinon, comment expliquer qu'elle prophétise ? 1 Co 11, 5) ; il pose la règle d'une discipline cultuelle, dont le parler des femmes est un cas particulier.

Expliquons-nous sur ce point. Un peu de recul est nécessaire. Tout le chapitre 14 est consacré aux désordres cultuels. Paul doit gérer la pléthore. La profusion du parler en langues a débordé en anarchie, si bien que chacun parle pour soi et que tout le monde n'écoute personne (14, 23). L'apôtre commence par poser la nécessité de la prophétie pour décrypter le parler en langues ; à la différence de la glossolalie, la prophétie est un langage clair, susceptible d'édifier la communauté (14, 1-25). Paul répète au verset 26 le principe : que tout se fasse pour l'édification de la communauté ; il l'applique ensuite par la mise en place de trois règles pour l'ordonnance du culte (14, 26-36).

La première (14, 27s) : pour le parler en langues, qu'il y ait au maximum trois interventions successives ; mais si personne n'est là pour interpréter, que le glossolale « *se taise dans l'assemblée* », et se parle à lui-même et à Dieu.

La deuxième (14, 29-33a) : pour la prophétie, même consigne. Trois interventions au plus. Et si un autre assistant reçoit une révélation, « *que le premier se taise* ».

La troisième (v. 33b-35) : que les femmes « *se taisent dans les assemblées* », car elles peuvent interroger leur mari à la maison.

Paul se fait ici brutal, forfaitaire, maladroit. Il laisse entendre que les deux premières règles ne concernent que les hommes, mais qui dit que les femmes n'étaient ni glossolales, ni prophètes ? On sait que l'inverse est vrai. Les trois règles s'inscrivent dans une même stratégie : une limite est dictée à l'expression individuelle pour protéger l'interaction communautaire. Il s'agit de se soumettre, c'est-à-dire limiter son droit en faveur d'autrui. Cette régulation du droit de parole dans le culte renvoie chacune des trois catégories, non pas au silence, mais à un autre lieu de parole : le glossolale (homme ou femme) est invité à se parler à soi ; le prophète (homme ou femme) à attendre son tour ; la femme à interroger le mari chez elle. La soif d'instruction qui animait les femmes chrétiennes au premier siècle n'est pas écrasée, ou pire, ridiculisée ; elle est déplacée dans son assouvissement.

Paul : un bilan

Nous terminons ici l'itinéraire paulinien. Deux points sont constamment revenus dans l'analyse de la position paulinienne sur la femme. D'une part : le culte est le lieu d'émancipation de la femme, à Corinthe en tout cas. D'autre part : bien qu'il ne donne pas prise à un discours infériorisant la femme, l'apôtre ne prend pas appui sur Galates 3, 28 pour briser le statut de dépendance sociale de la femme.

Faut-il s'étonner du premier point ? Que ce soit précisément dans le culte, où les croyants se portent au-devant de leur Dieu et Dieu au-devant d'eux, que les femmes protestent ? Que ce soit en ce lieu de proximité de Dieu que s'exacerbe le désir des femmes de congédier sans retour ce qu'elles voient comme un signe de sujétion sociale, cela ne surprend pas. Le culte n'est-il pas par excellence ce lieu où la tension s'accroît infiniment entre l'être-devant-Dieu et l'être-dans-le-monde ?

Mais Paul. On le voudrait plus ouvert à cette liberté. Même s'il n'entérine jamais l'autorité de l'homme comme un pouvoir de dominer la femme, on le souhaiterait dénonciateur d'injustice. Or, de même qu'il a réussi l'acculturation du christianisme en l'inscrivant dans un monde culturel non-juif, Paul est attentif à inscrire le comportement croyant dans les structures de la société. Comment être témoin du Christ dans cette société et cette culture, si on en nie les données constitutives ? C'est pourquoi l'apôtre invite les croyants à s'inscrire dans les structures hiérarchiques de la société romaine, mais à les habiter d'une autre manière de vivre. Que le citoyen respecte l'État, pour autant que l'autorité se comprenne au service de Dieu (Rm 13). Que l'esclave chrétien ne mette pas en cause son statut, mais que maître et esclave se reçoivent comme des frères (1 Co 7, 21-23 ; Philémon). Que l'homme reste la « tête » de la femme (1 Co 11, 3), car ils savent l'un et l'autre que leur humanité s'épanouit dans cette relation d'où le Christ a banni tout rapport de force.

Qu'en est-il devenu, chez les premiers chrétiens, de la position paulinienne ? Comment Paul a-t-il été compris et poursuivi ? On entend généralement parler du déclin du paulinisme à la fin du premier siècle, et de sa dérive dans l'éthique bourgeoise et patriarcale des épîtres pastorales. C'est simplifier l'histoire que de tracer cette ligne unique, car l'héritage de Paul dans la seconde génération chrétienne est multiple et diversifié. Je compte pour ma part trois trajectoires théologiques distinctes et concurrentes, qui dans les années 60-90 se réclament chacune de Paul, mais divergent très fortement par l'image de la femme qu'elles mettent en avant.

Les trois trajectoires de l'après-paulinisme : survie et déclin de la femme

Une première trajectoire de l'héritage paulinien se dessine dans *l'œuvre de Luc* : l'évangile et des Actes. Il est connu que Luc défend, parmi les évangélistes, la position la plus ouverte à l'égard des femmes. Il met en valeur leur foi (Lc 1, 26-56 ; 7, 36-50 ; 10, 38-42) ; il compatit à la misère des veuves (Lc 7, 12s ; 18, 1-4 ; 20, 47 ; 21, 1-4. Ac 6, 1 ; 9, 36-42) ; il admire leur courage à suivre Jésus et propager l'Évangile (Lc 8, 1-3 ;

23, 27-31 ; 24, 10s. Ac 1, 14 ; 16, 14s). Son image de la femme reflète la condition plus libre de la femme hellénistique : Marthe et Marie (Lc 10, 38-42) représentent moins deux juives que deux types de chrétiennes du monde grec, dont Jésus légitime l'accès à la Parole. La comparaison de son Évangile de l'enfance (Lc 1-2) avec celui de Matthieu, fixé sur les figures masculines (Joseph, Hérode, les mages), est éloquente ; il est peuplé de femmes, Marie, Elisabeth, Syméon et Anne, et le couple parental. Les récits que Luc a recueillis dans les Actes dressent le portrait d'un peuple chrétien rassemblant dans une égale dignité hommes et femmes.

Sur une seconde trajectoire, je discerne *Colossiens, Éphésiens et les épîtres pastorales (1 et 2 Timothée, Tite)*. Nous sommes plongés dans une tout autre atmosphère, à la lecture des codes domestiques que présentent ces épîtres rédigées après la mort de Paul, et adressées en son nom par ses élèves : Éphésiens (5, 21-33) et Colossiens (3, 18-19). Ils sont connus par leur fameux appel à la subordination des épouses : « Femmes, soyez soumises à vos maris, comme au Seigneur » (Ep 5, 22 ; Col 3, 18). Il est clair qu'on passe ici *du principe de l'égalité en Christ, qui gouverne la réflexion paulinienne, à l'acceptation du modèle de la famille patriarcale, sous-tendu par une distribution classique des rôles.* Le thème de l'égalité est abandonné au profit d'un partenariat fondé sur la tutelle masculine. Cependant, avant de renvoyer forfaitairement ces codes domestiques à l'idéologie conservatrice de la société gréco-romaine, il importe de voir que deux particularités du texte humanisent sensiblement, subvertissent même, l'idée de subordination. *Premièrement*, l'appel à la soumission n'est pas unilatéral, mais réciproque : « Vous qui craignez le Christ, soumettez-vous les uns aux autres » (Ep 5, 21). Le texte s'interdit d'asseoir le pouvoir de l'un sur l'autre, et cherche si bien à l'éviter qu'il forge cette notion paradoxale, et unique dans le Nouveau Testament, d'une soumission qui joue dans les deux sens. *Secondement*, la soumission n'est pas posée en soi, comme un absolu ; elle est à comprendre « dans le Seigneur », ce qui revient à dire que l'autorité du mari sur sa femme n'est pas gérée par les normes sociales, mais qu'elle reçoit pour modèle l'amour du Christ pour les siens, un amour allant jusqu'au don de soi (Ep 5, 25-30).

L'autorité masculine ne saurait se confondre ici avec le pouvoir du potentat ou la complaisance du maître pour sa servante, et c'est rendre justice à l'auteur du texte que constater les efforts qu'il déploie pour éviter que la soumission demandée puisse être interprétée comme l'autorisation faite au fort de dominer sans réserve le faible.

La même ambivalence, ou si l'on préfère, le même patriarcalisme humanisé, anime les propos de la première épître de Pierre (3, 1-7) sur la fragilité et la délicatesse de la femme ; ces propos ne visent pas explicitement à flatter le paternalisme mâle, mais à exhorter maris et femmes à la fidélité et aux égards réciproques dans la vie commune. Par contre, l'opposition au modèle égalitaire est totale dans l'image de la femme que portent au langage les épîtres pastorales (voir 1 Timothée 2, 9-15 et 5,3-16) : la femme y est assignée au silence dans l'assemblée, interdite d'enseigner, convoquée à se soumettre à l'homme et rendue responsable de la chute (selon un vieux poncif misogyne de la tradition juive). Le processus de régression est indéniable ; du thème paulinien de l'égalité, les Pastorales consomment l'abandon. Ce portrait des femmes appelées à « *aimer leur mari et leurs enfants, à être modestes, chastes, dévouées à leur maison, bonnes, soumises à leur mari* » (Tt 2, 4s) s'inscrit plus nettement dans la mouvance du Talmud que dans celle de l'apôtre Paul.

Une troisième trajectoire est occupée par des écrits que l'Église, à la fin du deuxième siècle, n'a pas retenus pour composer les Écritures : *les Actes apocryphes d'apôtres* (Actes de Jean, de Pierre, de Paul et Thècle, d'André, de Thomas). Ces écrits se signalent à l'attention par leur profil de la femme, diamétralement opposé à l'image des Pastorales. Ici, les figures féminines des évangiles sont érigées en des modèles de sagesse ; Marie de Magdala devient la dépositaire de la science ésotérique que lui communique Jésus. On peut citer les Actes de Paul et Thècle[14], une œuvre qui jouira dans les premiers siècles d'une forte popularité et que l'on traduira en plusieurs langues ; elle est lue au culte. Thècle est une jeune femme qui abandonne

---

[14] Traduction française de L. VOUAUX, *Les Actes de Paul et ses lettres apocryphes*, Paris, 1913.

144

famille et fiancé pour suivre Paul et servir Dieu dans la virginité ; deux fois condamnée à mort, une fois pour avoir quitté son fiancé, une seconde pour avoir refusé les avances d'un homme, Thècle est chaque fois miraculeusement sauvée. Ce premier martyr chrétien, et c'est important, pratique deux actes qui seront rapidement interdits aux femmes : le baptême (elle se baptise elle-même) et l'enseignement, sur le mandat de Paul. Au deuxième et au troisième siècles, des femmes en appelleront à son exemple, soit pour justifier une vie d'ascète, soit pour revendiquer le droit de baptiser. On le sait par la polémique de Tertullien, qui au IIIᵉ siècle s'oppose à cette revendication féminine, et invoque pour la contrer... 1 Corinthiens 14, 33-35 (De Baptismo 17). La boucle est bouclée. Le bâillonnement de la femme en Église est décidé pour longtemps.

Troublante diversité

La première trajectoire, Luc, raconte la pratique libératrice de Paul dans les communautés de disciples égaux. La seconde trajectoire dérive des Éphésiens aux Pastorales, qui émasculent la position paulinienne, et assimilent la morale chrétienne de la femme aux canons du patriarcat. La troisième trajectoire valorise le droit reconnu par Paul à la femme d'être une autorité dans l'Église, et perpétue pour elle le droit au célibat défendu par l'apôtre en 1 Corinthiens 7, qui n'assimile plus l'accomplissement de l'humanité à la fonction génitale. Merveilleuse et troublante diversité chrétienne.

CHAPITRE 8

RACONTER DIEU
(L'évangile)

Où l'on s'interroge sur la narrativité de Dieu — Une histoire hassidi-
que nous apprend le pouvoir du récit : sceller une absence et rendre
présent — Le récit est un langage d'incarnation — Qu'est-ce que la
narratologie ? Six concepts-clefs — L'évangile est-il une biographie ?
Il s'inscrit en tout cas dans la mouvance de la biographie gréco-romaine.

Raconter est vieux comme le monde, ou plutôt, vieux comme
l'homme. Voilà qui intrigue psychologues, anthropologues et linguistes, qui redécouvrent aujourd'hui le rôle capital de la narration dans la construction de la personnalité. Parler de soi est
déjà dérouler un récit. Notre connaissance de l'univers et des
autres est faite d'histoires racontées, que la mémoire stocke avec
les images, les émotions qui y sont liées, et qu'elle réactive pour
donner naissance à de nouveaux récits. Raconter est la forme
la plus élémentaire de la communication, au sens où l'élémentaire n'est pas toujours le plus simple, mais l'originaire et le
fondamental. Et que dire des contes populaires, mémoire millénaire et matricielle, qui véhicule les expériences fondatrices de
l'humanité et exorcise ses peurs primitives (la pauvreté, la haine,
le mal, la mort)...

La narrativité de Dieu ?

La Bible aussi est un monde d'histoires racontées. La redécouverte de la narration fait regarder d'un œil neuf cette profusion d'histoires, à commencer par les cinq récits qui ouvrent le Nouveau Testament. Quatre évangiles et les Actes. Pourquoi ce besoin insistant, chez les premiers chrétiens, de raconter Dieu ? D'autres voies étaient possibles, qui ont aussi été empruntées. Paul de Tarse, on vient de le voir, a brillamment illustré la voie du débat théologique : exposant les points décisifs de la doctrine, dans une explication qui prend souvent le tour d'une discussion serrée. Pour contrer des positions qu'il juge déviantes, Paul, dans ses épîtres, développe une *théologie argumentative*. Ce mode de communication de la foi est devenu la voie privilégiée des théologiens et la prédication dominicale en est l'héritage. L'Apocalypse illustre un autre choix : le voyant de Patmos n'argumente pas. Il déploie aux yeux du lecteur un monde haut en couleurs, peuplé d'êtres fantastiques, un monde où la vision prophétique fait tout voir en même temps : l'agir de Dieu et le devenir des hommes, le passé et le futur. Cette *théologie prophétique* restera marginale en Église ; enrobée de secret, elle voulait initier le lecteur au moteur caché de l'histoire.

Les évangélistes, eux, racontent. L'idée en soi n'était pas nouvelle. La Bible hébraïque, mémoire d'Israël, avait tracé le chemin : de la Genèse aux livres des Maccabées, l'Ancien Testament est une suite discontinue de récits, où s'infiltrent épisodiquement des formes littéraires discursives : sapientiales, juridiques ou poétiques. L'éclatant privilège octroyé aux récits dans la tradition biblique n'est assurément pas le fruit de coïncidences littéraires.

Pour ce qui regarde l'Ancien Testament, on légitime ce choix majoritaire de la narration par le caractère décisif de l'histoire dans la foi d'Israël. Quelle que soit la traduction à retenir pour l'auto-nomination de Dieu en Exode 3, 14 *(« Dieu dit à Moïse : je suis qui je serai »)*, la formule indique à coup sûr ce qu'André Lacocque appelle une « narrativité de Dieu »[1]. Dieu n'est pas

---

[1] A. LACOCQUE, « La conception hébraïque du Temps », *Bulletin du Centre Protestant d'Études*, 36/3-4, Genève, juin 1984, p. 47-58, citation p. 56.

définissable, verrouillable pour ainsi dire dans un nom ou un concept, mais il advient dans l'histoire ; et le récit, que gouverne la dimension de temporalité, s'offre dès lors comme le vecteur pertinent de la communication théologique. Je cite Lacocque : Dieu « devient ce qu'il devient, sans qu'on puisse prédire son devenir ou le comprendre. Mais on peut le raconter car il est historique et énarrable... on ne dit Dieu qu'en le racontant, qu'en faisant une histoire ou l'histoire »[2]. Je trouve que Lacocque fait la part trop belle au récit, dégradant le style argumentatif et la vision prophétique au rang de sous-catégories de la communication théologique. Mais il vise juste sur le fond : la narration est appropriée à un Dieu qui s'investit dans l'histoire. Il faudrait en finir avec cette idée que le récit appartient aux naïfs, ou pour le moins aux simples, tandis que l'intelligence parade sur la voie royale de l'argumentatif. Le choix du récit serait donc guidé par des raisons théologiques ? On y viendra.

En attendant, la remarque mérite examen. Israël a vécu de se raconter son histoire, où Dieu se mêle infiniment aux siens. La foi s'énonce en racontant : « Mon père était un Araméen nomade... » (Dt 26, 5). Au commencement de la foi juive n'est pas la Loi, mais le récit. Pour les premiers chrétiens, raconter Jésus n'est pas allé de soi. Les communautés pauliniennes, créées entre 40 et 60, ne possédaient pas d'évangile, et les plus anciennes formulations chrétiennes ont été des confessions de foi plutôt que des récits développés. Pour évaluer de quel besoin sont nés les évangiles, demandons-nous : quelles sont les potentialités du récit en tant que mode de communication ?

La forêt, le feu et les prières

La meilleure façon de décrire le pouvoir du récit est encore... de raconter une histoire ! On se transmet, au sein du mouvement de spiritualité juive qu'est le hassidisme, l'histoire suivante, qui commence avec Rabbi Israël ben Eliezer, dit le Baal-shem, fondateur du hassidisme[3] :

---

[2] Art. cit., p. 56.
[3] L'histoire, qui m'a été signalée par G. Delteil, est rapportée par W.

Quand le Baal-shem devait régler une affaire difficile au profit d'autres créatures, il se rendait à un lieu précis dans la forêt, il allumait un feu, et, plongé dans une méditation mystique, il disait des prières. Et tout se passait comme il l'avait espéré. Quand, une génération plus tard, le Maggid de Meseritz se trouvait dans la même difficulté, il se rendait au même endroit dans la forêt et disait : « Nous ne pouvons plus faire de feu, mais nous pouvons dire les prières ». Et tout se passait comme il l'avait espéré. Encore une génération plus tard, le rabbi Moshe Leib de Sassow voulut faire un prodige semblable. Il alla lui aussi dans la forêt et dit : « Nous ne pouvons plus faire de feu, et nous ne savons plus les méditations secrètes qui donnaient vie aux prières, mais nous connaissons l'endroit dans la forêt où cela se passe. Cela doit suffire ». Et en effet cela suffit. Lorsqu'à nouveau une génération plus tard le rabbi Israël de Rischin eut à faire un acte semblable, il s'assit dans son château sur son siège doré, et il dit : « Nous ne pouvons plus faire de feu, nous ne pouvons plus dire de prières, nous ne connaissons même plus l'endroit où il faudrait le faire. Mais nous pouvons en raconter l'histoire ». Et son histoire eut le même effet que les actes des autres.

La chute de l'histoire fait voir excellemment ce qui soustend le fait de raconter : raconter procède d'une perte ; il y a coupure avec l'événement initial, dont le récit atteste l'absence. Raconter présuppose donc une distance. Simultanément, mais le paradoxe n'est qu'apparent, l'événement raconté se taille un espace dans le présent, et le narrer est d'une certaine manière réactiver sa présence. Le récit participe à la fois d'une absence et d'une présence. C'est à développer[4].

Le double effet du récit : absence et présence

Que raconte le récit ? Le récit met en avant une histoire qui n'est pas celle du lecteur, une histoire qui le précède et qui vient à lui dans le moment de l'énonciation ou de la lecture. *Racon-*

SCHNURRE, *Der Schattenfotograf*, München 1978, p. 72 ; on la trouvera aussi chez E. WIESEL, *Les portes de la forêt*, Paris 1964, p. 7.
   [4] Je reprends dans la suite une réflexion que j'ai exposée dans : « Raconter Dieu. L'évangile comme narration historique », in : *La narration. Quand le récit devient communication*, éd. P. BUHLER et J.F. HABERMACHER (Lieux théologiques 12), Genève 1988, p. 83-106.

ter génère un effet de distance. Le récit-évangile porte au langage l'histoire de Jésus et de ses compagnons de vie ; son histoire n'est *a priori* pas celle du lecteur, ni celle de son temps ; elle est antérieure et autre. Mais comprenons bien que cette priorité historique du récit a une valeur théologique : le récit-évangile pose l'histoire de Jésus comme une histoire ancrée dans le temps et l'espace, la Palestine des années 30 ; cette histoire nous précède et nous surplombe. Son altérité préserve l'extériorité de l'histoire de Jésus, face à la tentative croyante de construire un accès immédiat au Christ de la foi. Il appartient au mode discursif de dire la relation au Christ dans son actualité et son immédiateté. La fonction première du récit en régime chrétien me paraît être cette mise en avant d'un passé, cet interdit posé sur une saisie des événements fondateurs de la foi en dehors de la médiation incontournable de l'histoire. Donc, l'antériorité du monde du récit par rapport au monde du lecteur est à comprendre historiquement, mais aussi théologiquement : le récit, parce qu'il déploie un monde narratif irréductible au monde du lecteur, préserve l'*extra nos* (en dehors de nous) du salut. Le Christ vient à nous dans un acte de remémoration, mais il vient dans une histoire qui s'offre à nous, sans se confondre avec la nôtre.

Historiquement, la rédaction des quatre évangiles confirme ce point de vue. Ils sont nés tard, de 35 ans (Marc) à 60 ans (Jean) après la mort de Jésus. Les évangiles sont les enfants de l'absence. Ils naissent de la coupure avec l'événement. Leur écriture annonce que le temps passe, que la mémoire s'altère, et que la fluidité de la tradition orale expose le souvenir de Jésus aux dérives doctrinales. Besoin de fixer le souvenir des paroles du Maître et de ses gestes libérateurs.

Encore un coup : que raconte le récit ? Le récit, né de l'absence, tient cet autre pouvoir qui est d'offrir une présence. Recomposant l'événement par la mémoire, *il rend présent l'absent*. Il nous fait participer, à distance, à une histoire qui n'est pas la nôtre, mais dont nous nous apercevrons peut-être qu'elle nous concerne. Car le lecteur ne demeure pas longtemps étranger au monde que le narrateur construit sous ses yeux ; au fur et à mesure qu'avance le récit, il s'enfonce dans l'univers qui lui est proposé, et dans cette opération, le réseau des personnages constitue autant de portes d'entrée, ou si l'on veut, autant de plages d'identification ouvertes au lecteur. La relation du lecteur au récit vit en effet de cette offre narrative d'identification, que vient favoriser et nourrir la transparence des personnages : le narrateur nous associe à leur vie intérieure, à leurs sentiments, à leurs réflexions. Ainsi le lecteur de l'évangile s'étonne-t-il avec les disciples, espère-t-il avec les malades, s'indigne-t-il de la lâcheté de Pilate. Il communie à la peur de Pierre interrogé sur son appartenance à son maître. Il se tait à la croix. Il s'émerveille du savoir de Jésus. La constellation de personnages fixée par les évangélistes autour de Jésus renvoie le lecteur à la multiplicité des attitudes possibles à l'égard du Seigneur. Mais une fois encore, la performance narrative de rendre présent l'événement raconté doit être appréciée théologiquement. Car Jésus, dont l'évangile retrace la vie, n'est pour les premiers chrétiens ni un héros mort, ni une figure glorieuse du passé. Il est le Seigneur vivant, dont on perçoit la présence dans la foi. La lecture du récit-évangile ne s'offre donc pas comme un pèlerinage vers les décombres de l'histoire. Quand le récit place le lecteur en présence du Nazaréen, il lui fait rencontrer et reconnaître Celui qui traverse son présent.

Les peintres autrefois habillaient Jésus et les disciples avec les vêtements de leur temps, pour faire savoir qu'on est disciple aujourd'hui. De même, les évangélistes ont modelé les questions des disciples et les paroles de Jésus en fonction de la vie de leur église. Toujours ce souci de marquer la pertinence de l'enseignement de Jésus dans le présent des destinataires. L'importance décisive de la Loi chez Matthieu, l'incompréhension des disciples chez Marc, l'intérêt répété de Luc pour l'usage de l'argent, le rejet massif des « Juifs » chez Jean sont autant de ponts jetés en direction des lecteurs ; ils signalent, pour nous, la façon dont les évangélistes voulaient faire entendre la tradition de Jésus aux églises auxquelles ils destinaient leur œuvre.

Un langage d'incarnation

Il est apparu que le pouvoir du récit se nourrit d'une subtile dialectique : adossée à l'absence, et sans l'enjamber, la narration propose un mode original de participation à l'événement raconté. L'évangile se présente ainsi comme une surface poreuse, où sans cesse, par le biais du réseau des personnages, le lecteur est happé au cœur même du drame qui se déroule.

Les évangélistes, et d'abord Marc, le premier qui ait conçu une narration continue de la vie de Jésus, se sont situés dans le droit fil de la tradition narrative du peuple d'Israël. Mais le fait de l'incarnation, l'irruption de Dieu dans le Fils, a redoublé les raisons de ce choix narratif. Depuis la croix, le croyant désireux de découvrir le visage de Dieu est invité à contempler le Fils. L'évangile sert ce programme, en le convoquant à suivre une personne. Ni une idée, ni une croyance, mais une histoire vécue. Le lecteur est confronté au projet de Jésus. L'évangile le rend présent à ses espérances, aux conflits qui se nouent, aux défis lancés, à l'émotion des hommes et des femmes qui croisent sa route. Il assiste à la lente fin d'un homme acculé, abandonné de tous et d'abord par les siens.

Dieu ne risque pas, ici, de se muer en un principe désincarné ou de se figer en symbole. Dieu n'est pas le chiffre d'une spiritualité vaporeuse ; il se dit dans l'épaisseur d'une destinée humaine, et le récit qui l'expose s'adresse chez le lecteur aussi bien à l'intellect qu'à l'affectivité. Le récit dit par excellence le Dieu incarné. Plus que l'argumentation ou la vision prophétique, la narration, par sa forme même, est un langage d'incarnation.

Le procédé de transparence des personnages, notons-le, n'affecte pas la présentation de Jésus ; sinon à de rares exceptions[5], le lecteur ignore le vécu intérieur de Jésus. Rien d'étonnant après ce qui vient d'être dit. Le rôle imparti au lecteur est de réagir à l'appel de Jésus à le suivre, il n'est pas de prendre la place du Sauveur. Par contre, le réseau des personnages tissé autour du Maître le confronte au système de valeurs construit par le texte. Ce faisant, *l'évangile est dona-*

---

[5] Les notations psychologiques affectant la personne de Jésus sont rares, et le plus souvent biffées par Matthieu et Luc dans leur relecture de Marc. Ainsi l'irritation contre le lépreux (Mc 1, 43), absente de Mt 8, 3 ; Lc 5, 13. Le regard de colère de Mc 3, 5 n'apparaît plus en Mt 12, 12 ; Lc 6, 10. Le soupir de Mc 7, 34 est sans parallèle. L'effroi à Gethsémané (Mc 14, 33) s'adoucit en tristesse (Mt 26, 37). Assurément, il faut aussi compter avec une tendance à l'idéalisation de la figure de Jésus.

teur d'identité plutôt que de consignes éthiques. Il fait circuler des valeurs, mais ne dicte pas de loi, parce que le récit historique tient du particulier et non du général, parce qu'il livre la particularité d'une histoire. Le discours prétend transcender l'histoire en statuant ce qui est valable pour tous et partout ; il s'inscrit dans le registre de l'universel. Le récit, lui, vit du temps et renvoie au temps. Il dit une histoire tissée de contingences. Il offre au lecteur une identité plutôt qu'une conduite, identité qu'il devra en retour investir dans une histoire, la sienne, faite de multiples et irréductibles particularités.

Il peut être dit du récit ce que Paul Klee disait de l'art : « L'art ne reproduit pas le visible, il rend visible »[6]. Identiquement, le récit entraîne dans le mouvement de l'Évangile, qui est celui d'une vie en mutation. Dans ce déplacement, l'offre de la grâce, qui a retenti naguère, peut surgir à nouveau. Au lecteur de décider si cette affaire le concerne, ou s'il passe outre.

Qu'est-ce que la narratologie ?

Après avoir abordé le pourquoi de la narrativité, dans une perspective théologique, vient la question du comment. Comment les évangélistes ont-ils construit leur texte ? Les évangiles sont-ils ce que pensait d'eux la critique des formes, à savoir un fatras de récits arrangés en fonction d'ensembles traditionnels préformés ? Ou peut-on percevoir dans la chair du texte une volonté d'organiser l'ensemble et de guider la lecture ? Les études narratologiques ont exploré la seconde voie, et la recherche n'est qu'à ses débuts ; mais les premiers résultats promettent. On apprend ainsi que raconter n'est pas qu'une féerie, mais un art, qui a ses règles. Le récit est lu comme un paysage tracé par l'auteur, et qu'il a jalonné, à l'intention de son lecteur, des codes utiles à l'intelligence du texte. C'est dire que cette nouvelle critique littéraire marie la perspective structurale et la rhétorique. Elle est structurale, à l'instar de la sémiotique française, parce qu'elle lit le texte comme une totalité organisée et clôturée, sans se préoccuper de l'histoire qui a présidé à son

---

[6] P. KLEE, « Schöpferische Konfession », in : *Das bildnerische Denken,* I, éd. J. SPILLER, Basel-Stuttgart 1956, p. 76-80, citation p. 76.

écriture. Elle est rhétorique, en ce sens que le texte est pris comme un acte de communication, impliquant un auteur et un destinataire, et que l'on s'interroge sur les signaux émis par l'auteur à l'intention du lecteur. L'idée est que l'acte de lecture est un vrai travail de déchiffrement, et que pour le guider dans le sens où il désire, le narrateur a installé au vu du lecteur, et parfois à son insu, les signaux nécessaires à son entendement. Ainsi par exemple les formules stéréotypées qui concluent les discours de Jésus chez Matthieu (« Quand Jésus eut achevé ces paroles » 7, 28 ; 11, 1 ; 13, 53 ; 19, 1 ; 26, 1) ou les innombrables commentaires du narrateur (« C'était pour lui tendre un piège » Jn 8, 6). Le fait que les écrits néotestamentaires aient été conçus pour être entendus plutôt que lus (lecture publique et non individuelle) ne change, sur le fond, rien à l'analyse.

La critique narratologique des évangiles s'outille de concepts élaborés par les théoriciens de la narrativité, et au premier rang Paul Ricœur et Gérard Genette[7]. Elle a été conduite pour l'instant par des exégètes américains ; je cite, à côté d'autres, David Rhoads et Donald Michie pour l'évangile de Marc, Jack Dean Kingsbury pour l'évangile de Matthieu, Charles H. Talbert et Robert C. Tannehill pour Luc-Actes, R. Alan Culpepper pour l'évangile de Jean[8]. Par rapport à l'analyse historico-critique, en usage classiquement dans l'exégèse académique, le déplacement est de taille : le texte est lu comme un tout, et non morcelé entre ses parties constitutives ; c'est l'histoire que raconte le texte, la *story*, qui intéresse, et non l'histoire à laquelle renvoie le texte ; l'auteur est évalué en fonction de ses capaci-

---

[7] P. RICŒUR, « Pour une théorie du discours narratif », in : *La narrativité*, éd. D. TIFFENEAU, Paris 1980, p. 5-68 ; *Temps et récit, I-III*, Paris 1983-1985. G. GENETTE, *Figures III*, Paris 1972, p. 67-267.

[8] D. RHOADS, D. MICHIE, *Mark as Story*. An Introduction to the Narrative of a Gospel, Philadelphia 1982. J.D. KINGSBURY, *Matthew as Story*, Philadelphia 1986. Ch. H. TALBERT, *Reading Luke*. A Literary and Theological Commentary on the Third Gospel, New York 1982. R.C. TANNEHILL, *The Narrative Unity of Luke-Acts*. A Literary Interpretation, I, Philadelphia 1986. R.A. CULPEPPER, *Anatomy of the Fourth Gospel*. A Study in Literary Design, Philadelphia 1983. En français, tout récemment : J.N. ALETTI, *L'art de raconter Jésus-Christ*. L'écriture narrative de l'évangile de Luc, (Parole de Dieu), Paris 1989.

tés à gouverner un récit, et non dans ses prestations d'historien ou de théologien. La narratologie nous convie à en finir avec le mépris attaché à cette « littérature populaire » que sont les évangiles ; le regard qu'elle porte sur eux fait découvrir en leurs auteurs de talentueux régisseurs du récit.

Si l'analyse structurale (ou sémiotique) a redécouvert le plaisir du texte, les narratologues, eux, retrouvent de quoi est faite la magie de l'histoire racontée. Le profit est évident, mais, pour le dire en bref, le sectarisme méthodologique ne convient qu'aux sectaires. Rien ne remplacera le travail de l'historien à reconstruire le milieu (culturel, sociologique, religieux) de production d'un écrit du Nouveau Testament, ni le labeur historico-critique qui décrypte la généalogie du texte et établit sur quelles sources a travaillé l'auteur. L'exégèse du Nouveau Testament requiert la confluence des lectures plutôt que le dogmatisme d'une méthode, il faut le savoir. Mais, j'en arrive aux modalités de la lecture narratologique.

Six concepts-clefs

Je présente la démarche suivie par R. Alan Culpepper dans son *Anatomy of the Fourth Gospel*, dont la clarté et la précision de l'appareil méthodologique m'apparaissent exemplaires. L'auscultation de l'évangile articule six concepts-clefs : le point de vue du narrateur, le temps narratif, la mise en intrigue, la notion de personnage, le commentaire implicite et le lecteur implicite[9].

L'analyse commence par déplacer la définition de l'auteur, en posant une distinction entre l'auteur historique du texte, qu'on appellera l'auteur réel (dans le cas des évangiles, nous n'en savons quasi rien) et l'auteur implicite, tel qu'il se donne à connaître par son écriture et ses choix dans la construction du récit. Seul ce dernier intéresse le narratologue, qui le perçoit comme la voix qui parle au lecteur et guide la lecture. L'auteur implicite se caractérise par le *point de vue* qu'il adopte

---

[9] Je m'inspire de la présentation qu'a faite J. Zumstein, « Analyse narrative et exégèse johannique, critique rhétorique et exégèse johannique », in : *La Narration. Quand le récit devient communication*, éd. P. BUHLER et J.F. HABERMACHER, (Lieux théologiques 12), Genève 1988, p. 41-48.

sur l'histoire qu'il entreprend de raconter : les pharisiens sont flétris, les foules sont vues avec sympathie, le pouvoir des chefs est dénoncé, le sens des actes de Jésus est élucidé. Le point de vue de l'auteur se concrétise aussi par le mode d'exposition, qui fournit au lecteur l'information initiale requise en vue de comprendre le monde narratif et ses personnages. Sur ce point, la diversité entre les évangiles éclate : l'exposition de Marc pose le titre de « fils de Dieu » dans sa première phrase et au cœur du baptême de Jean auquel se présente Jésus (1, 1-13) ; tout le récit de Marc va problématiser ce titre en le réinterprétant à partir de la croix (15, 39). Jean, dont l'exposition coïncide avec le prologue (1, 1-18), y éclaire la destinée de Jésus par la référence au temps primordial ; l'expression « au commencement » (Jn 1, 1) fait de la création le début de l'histoire de Jésus. Matthieu et Luc déploient chacun un condensé de leur théologie dans l'Évangile de l'enfance (Mt 1-2 ; Lc 1-2).

Le concept de *temps narratif* se fonde sur la dissociation nécessaire du temps de l'histoire (fixé par le calendrier) et du temps du récit ; celui-ci résulte de la décision de l'auteur, qui assigne aux événements un ordre, une durée et une fréquence. Ainsi le texte met-il en avant sa propre configuration du temps, un « faux temps qui vaut pour un vrai » (G. Genette), et que le discours du texte propose à l'acquiescement du lecteur. La place accordée par les évangiles à la semaine de la Passion est démesurée (Mc 11-15 ; Jn 13-19), quand on songe que le ministère de Jésus est calculé sur une année (Mc) ou deux-trois ans (Jn). Mais la gestion narrative du temps ne se sert pas que de l'allongement ou de l'accélération au regard du temps de l'histoire ; la fréquence (répétition d'un événement) et l'anachronie sont deux outils complémentaires à disposition du narrateur. On entend par anachronie (les concepts sont repris de Gérard Genette[10]) la modification par le discours narratif de la succession chronologique des événements, soit par rétrospection ou *flashback* (analepse), soit par anticipation (prolepse). L'analepse évangélique classique est la référence à l'Ancien Testament ; la prolepse la plus connue est constituée par les annonces de la Passion. Ces catégories permettent de descendre dans les entrail-

---

[10] G. GENETTE, *Figures III*, Paris 1972, p. 77-182.

les du récit, dont le propre est de camoufler ses opérations de montage, pour décrypter le temps accordé par le narrateur aux événements ; ce temps est en effet symptomatique du rapport (valorisation ou dévaluation) qu'il entretient avec eux. Encore faut-il que l'on puisse reconstituer le temps historique, qui joue le rôle d'étalon, et ce n'est pas toujours possible.

Le troisième concept, la *mise en intrigue*, résulte de la globalité du regard posé sur la *story*. Ce concept est déterminant, dans la mesure où les quatre évangiles racontent chacun la même histoire, mais avec une organisation d'ensemble qui change à chaque fois. Appliqué à l'évangile de Marc, jugé longtemps comme l'œuvre d'un auteur mal dégrossi, le questionnement de l'intrigue a mis à jour le sens dramaturgique étonnant du narrateur, qui met en scène ses personnages et articule les épisodes à la façon d'une tragédie grecque[11]. Après l'exposition (1, 1-13) vient la phase de complication (1, 14 - 8, 21) : l'annonce de la proximité du Règne, concrétisée dans la pratique thérapeutique de Jésus, rencontre l'accueil favorable des foules galiléennes, mais déclenche en contrepartie l'hostilité croissante des leaders religieux. Troisième phase (8, 22 - 10, 52) : la crise, cadencée par les trois annonces de la Passion (8, 31 ; 9, 31 ; 10, 33s), que suit à chaque fois le signalement de l'incompréhension des disciples. Puis vient la chute (Mc 11-13), où culmine le conflit entre Jésus et les autorités, et la catastrophe (14, 1 - 15, 39), qui est l'arrestation, le procès et la mise à mort ; le dénouement est assuré par la découverte du tombeau ouvert (15, 40 - 16, 8).

La notion de personnage

Nous avons anticipé plus haut la notion de *personnage* et son outil, la procédure narrative de transparence. Il vaut la peine de relever encore le rôle différent joué selon les évangiles par les personnages gravitant autour de Jésus. L'évangile de Marc est le récit du renversement imprévu et du paradoxe. Les disciples, compagnons de Jésus, figurent l'incompréhension et le

---

[11] Retrouver dans l'intrigue marcienne la structure de la tragédie grecque est notamment le fait de D.E. AUNE, *The New Testament in Its Literary Environment*, Philadelphia 1987, p. 48-49.

malentendu ; ils ne saisissent pas le sens des miracles et se scandalisent des annonces de la Passion[12]. Pour découvrir la figure exemplaire de la foi, le lecteur est renvoyé à des personnages secondaires : une femme syrophénicienne, des aveugles, un centurion sous la croix. Ainsi surgit la grâce, selon Marc : par les fractures du récit, par les retournements imprévus, par l'inattendu. A l'inverse, l'évangile de Matthieu concentre l'exemplarité de la condition croyante sur la personne des disciples : destinataires privilégiés de l'enseignement du Maître, dotés de compréhension, objets de la miséricorde du Christ. Le portrait matthéen des disciples cède à une certaine idéalisation, tandis que le judaïsme devient l'image du refus sans nuance et le contre-modèle de la foi. L'évangéliste Luc instaure encore un autre rapport entre le lecteur et ses personnages : les disciples sont devenus les figures historiques de l'époque fondatrice de l'Église, les héros du temps révolu de Jésus de Nazareth. La figure des chefs juifs illustre le refus historique d'Israël de se convertir. Et c'est des personnages secondaires (Zacharie, Zachée, et surtout les femmes : Marie, Élisabeth, les veuves) que le lecteur reçoit les paradigmes moraux. Quant à l'évangile de Jean, les rôles sont distribués d'entrée, et le lecteur sait à quoi s'en tenir sur le refus opposé par les « Juifs » à Jésus. Par contre, dans les dialogues (Nicodème, la Samaritaine), le Christ de Jean use de la technique de l'ironie pour déstabiliser son interlocuteur, et partant le lecteur, pour l'inviter à quitter ses certitudes et à s'ouvrir à une parole autre. On voit que la circulation du lecteur d'un personnage à l'autre, le jeu organisé d'opacité et de transparence, ne se recouvrent pas entre les évangiles. Chaque évangile garde au lecteur, dans le secret de son écriture, une surprise.

Les deux derniers concepts appliqués à la stratégie du narrateur sont le *commentaire implicite* et le *lecteur implicite*. La recherche du commentaire implicite collecte tout ce qui est dit au-delà du dit, tout ce qui signifie au-delà du discours explicite : le malentendu, l'ironie (surtout johannique), la symbolisation. La notion de lecteur implicite est symétrique à celle

---

[12] Mc 4, 13.41 ; 6, 49-52 ; 8, 14-21 ; 8, 31-33 ; 9, 18-19. 28-29 ; 9, 30-32 ; 10, 32-45 ; 14, 50.66-72.

d'auteur implicite ; elle n'embrasse pas le destinataire historique du texte, mais se constitue à partir de l'image que l'auteur se fait du destinataire : les compétences qu'il lui présuppose (connaissance ou non de l'hébreu et de l'Ancien Testament, adhésion au Christ, acquis culturel, etc.). On parvient ainsi à reconstituer la connivence instillée par le texte entre l'auteur et le lecteur, et, par là, à préciser la visée rhétorique du texte.

D'emblée, la totalité du récit

Actuellement, pour une part, l'analyse narratologique confirme et affine les résultats acquis par la critique littéraire classique. Sur d'autres points (l'auteur et le lecteur, le temps narratif, le commentaire implicite), elle fraye des voies nouvelles. Mais nous ne sommes pas au bout des découvertes qu'entraîne ce renversement du regard, qui, au lieu de se fixer sur le microrécit et le situer dans son contexte, considère d'emblée la totalité du récit et s'interroge sur la fonction de chaque segment dans le tout. Le tout ne vaut-il pas toujours plus que l'addition des parties ?

Dans la lancée de cette remarque, j'aimerais aborder finalement une question à laquelle répond, non pas la narratologie, mais l'étude de la littérature antique. D'où vient l'évangile ? La question n'est pas posée à propos de la documentation à disposition des évangélistes, dont on sait depuis longtemps qu'elle se composait pour une part de récits épars ou de collections de paroles constituées par les communautés, pour une autre part de la tradition orale. La question vise plutôt la structure intégrante du texte : d'où vient ce genre littéraire qu'on appelle « l'évangile » ? Les rédacteurs se sont-ils calqués sur un modèle existant, ou ont-ils créé le genre ex nihilo ?

L'évangile, une biographie ?

D'où provient le genre littéraire « évangile » ? La question est à adresser à l'évangéliste Marc, qui, le premier, a organisé des traditions éparses en une narration continue de la vie de Jésus, partant du baptême de Jean jusqu'à la découverte du tombeau ouvert. La performance narrative et théologique de Marc consiste dans le rapprochement de la tradition des miracles et du récit de la Passion, la mort de Jésus devenant dans l'écrit la structure théologique unifiante. D'où Marc tient-il son modèle littéraire ?

Les chercheurs ont longtemps pensé, et soutiennent encore pour la plupart, que l'évangile est un genre littéraire sans pareil dans l'antiquité, puisqu'il n'est ni une biographie, ni un livre d'histoire, ni une confession de foi, mais qu'il émarge simultanément à ces trois genres. L'évangile n'est pas une biographie, car il se désintéresse des facteurs typiquement biographiques que sont l'éducation de Jésus, son apparence physique, sa personnalité, ses motivations et son évolution psychologique. Il n'est pas un livre d'histoire, dans la mesure où il ne songe pas à replacer l'activité de Jésus dans le cadre socio-politique de son temps. Enfin, la lecture croyante de la vie de Jésus ne fait pas encore des évangiles une confession de foi, qui est plutôt l'expression synthétique d'une conviction doctrinale.

Devant ces impasses successives, on a retenu l'hypothèse d'une origine non littéraire de l'évangile, soit en y voyant l'amplification littéraire du kérygme oral de la première chrétienté (1 Co 15, 3b-5 et Ph 2, 6-11 sont des mini-évangiles), soit en attribuant à ces livres une origine liturgique : ils auraient été conçus comme un lectionnaire cultuel, destiné à remplacer dans le culte chrétien le cycle des lectures de la Torah et des prophètes. Ainsi le culte serait-il le premier lieu de récitation de l'évangile, et les césures du récit répondraient-elles à des conventions liturgiques. Le plus ancien système de lecture sérielle de la Torah *(lectio continua)* parvenu à notre connaissance était pratiqué au moins depuis l'an 70, et en Palestine ; il divisait le texte sacré en 154 divisions ou *sedarim*, réparties sur un cycle triennal. Mais cette hypothèse postule entre le culte synagogal et le culte chrétien un rapport plus étroit qu'il ne fut ; par ailleurs, elle imagine pour la célébration chrétienne une lecture continue d'écrits, phénomène qui n'est pas attesté avec certitude au premier siècle.

Les antiques biographies

L'idée de la singularité du genre « évangile » s'est donc largement acclimatée. Peut-être cette conclusion est-elle la bonne, après tout. Néanmoins, la critique littéraire a repris à nouveaux frais le dossier de la littérature gréco-romaine au premier siècle, et ses observations ne manquent pas de pertinence[13]. On fait remarquer que l'œuvre biographique dans l'antiquité ne répond pas aux canons de la moderne biographie ; en particulier, l'intérêt psychologique est peu présent, dans des cultures qui considèrent la personnalité comme un phénomène statique. La culture gréco-romaine a produit de nombreuses biographies. Les plus anciennes qui aient été préservées datent du quatrième siècle avant J.-C. : Isocrate (l'Evagoras) et Xénophon *(Agesilaüs,* les *Dits mémorables de Socrate* et *L'éducation de Cyrus).* Peu avant l'ère chrétienne ont paru quelques biographies du Romain Cornelius Nepos. Le genre a fleuri à partir du premier siècle avec Plutarque, Suétone, Lucien, Diogène Laërce, Philostrate, Porphyre et Jamblique. Mais que visaient ces œuvres consacrées à un philosophe ou à la vie d'hommes politiques illustres ? Pour les Grecs, l'histoire est une arène où des vertus transcendantes sont exemplifiées par le destin d'individus hors du commun ; ces êtres exceptionnels sont mis en avant par le biographe, pour servir de modèles aux générations présentes et futures. Ainsi, l'historiographie gréco-romaine traite ceux qu'elle célèbre comme des paradigmes, des exemples de moralité, et non comme des individualités historiques. L'intérêt historique ainsi compris se marie donc dans ces œuvres avec la propagande morale ou religieuse. Xénophon magnifie Socrate, Philostrate érige en modèle l'éthique néo-pythagoricienne d'Apollonios (mais doute de ses capacités miraculeuses), Plutarque sélectionne les hommes politiques pour en faire soit des modèles de vertu, soit des contre-exemples.

Une « sous-catégorie » populaire

La distance qui sépare les évangiles de Marc, Matthieu et

---

[13] Voir D.E. AUNE, ouvr. cit., p. 17-76.

Jean des biographies antiques n'est donc pas si marquée, de même que les rapprochements entre l'œuvre de Luc (Luc-Actes) et l'historiographie gréco-romaine sont nombreux. David E. Aune considère les évangiles comme une sous-catégorie de la biographie gréco-romaine[14]. La « sous-catégorie » n'est pas à comprendre au sens dépréciatif, mais comme une façon de préserver la singularité du genre évangélique tout en le situant dans une large mouvance littéraire du temps. L'usage de formes littéraires telles que le récit de miracle, la sentence, l'anecdote, l'enseignement itinérant, le discours d'adieu et l'histoire merveilleuse de la naissance se retrouvent de part et d'autre, sous la plume des évangélistes et sous la plume des biographes de l'antiquité.

L'une des caractéristiques de la « sous-catégorie » évangile est le niveau populaire de ces écrits, qui tranche avec le vocabulaire et l'écriture élitaire des biographies (on fera un cas particulier pour Luc, dans le chapitre suivant). Ce trait correspond à la composition sociologique des communautés chrétiennes au premier siècle. Ce que montre avec éclat la narratologie, à tout le moins, c'est qu'à se vouloir littérature pour le peuple, les évangiles ont été conçus bien autrement qu'une littérature de kiosque.

---

[14] D.E. AUNE, ouvr. cit., p. 64.

CHAPITRE 9

LE DIVIN ET L'HUMAIN SE RENCONTRENT
(Actes d'apôtres)

> Où le lecteur fait la connaissance du très honorable Théophile, repré-
> sentatif de l'auditoire du livre des Actes — Pourquoi il faut dire « Actes
> d'apôtres » — Le programme du livre (Ac 1, 6-8) : une théologie de
> l'histoire, le don de l'Esprit et les témoins — Les Actes continuent
> l'Évangile — L'avènement du Dieu universel — Pourquoi les silences
> et les choix de Luc dans son œuvre historiographique ? — Trois carac-
> téristiques des Actes : la lecture de l'opposition, la dénonciation du pou-
> voir de l'argent et une conviction œcuménique — Le livre des Actes
> est une histoire sans fin.

Un homme, parmi les auteurs du Nouveau Testament, a la
passion des commencements. Grec érudit converti à un christianisme d'orientation paulinienne, grand connaisseur de la langue grecque, historien dans l'âme, narrateur de première force :
l'œuvre qu'il a composée occupe à elle seule, avec ses cinquante-
deux chapitres, le quart du Nouveau Testament ! Certains l'imaginent chroniqueur, passant de ville en ville prendre note des
récits que les chrétiens d'Ephèse, d'Antioche, de Philippes et
d'ailleurs se répétaient sur la fondation de leur communauté.
D'autres l'imaginent évangéliste itinérant[1]. On ne sait pas.

---

[1] C'est l'opinion défendue par F. BOVON, « Luc : portrait et projet »,
in : *L'œuvre de Luc*, (Lectio divina 130), Paris 1987, p. 23-25.

Peut-être était-ce un homme aisé et doué, libre de son temps, et désireux de consigner (mais pour qui ?) les faits qui ont marqué la vie de Jésus de Nazareth et la naissance du christianisme. Appelons cet homme Luc, pour faire comme la tradition née un siècle après lui, mais son véritable nom reste inconnu ; son œuvre a été coupée en deux au deuxième siècle, la première partie rangée parmi les évangiles, la seconde recevant le titre « Actes d'apôtres » — et non Actes *des* apôtres comme on dit ; on verra que la nuance a son importance.

Mais pour qui rédige-t-il cette œuvre immense ?

Le très honorable Théophile

Luc nous a simplifié la tâche, en se conformant à l'usage des auteurs lettrés de l'antiquité, qui dédicaçaient leur écrit. Aussi lit-on au début de l'évangile de Luc la fameuse dédicace à Théophile (Lc 1, 1-4), reprise comme en écho au début du second tome de l'œuvre (Ac 1, 1-2) : « *J'avais consacré mon premier livre, Théophile, à tout ce que Jésus avait fait et enseigné, depuis le commencement jusqu'au jour où, après avoir donné dans l'Esprit Saint ses instructions aux apôtres qu'il avait choisis, il fut enlevé* ». Habile procédé, qui soude les deux parties de l'œuvre, en plaçant, au seuil des Actes, le résumé du « premier livre ». Qui est ce mystérieux Théophile ? Un auteur ancien dédiait son livre au souverain régnant, ou alors — et ce pourrait être le cas ici — à son mécène. Le mécénat se pratiquait, mais pas nécessairement pour rétribuer l'écrivain ; le mécène pouvait être un personnage fortuné, qui finançait la copie de l'œuvre à plusieurs exemplaires, donnant, par là, chance à l'auteur et à son texte d'être connus.

Avec l'évangile de Luc, le livre des Actes d'apôtres est le seul livre dédicacé du Nouveau Testament, et cette singularité a quelque chose à nous dire du cercle de ses destinataires. Le cas de Paul est clair : ses lettres sont adressées explicitement à des églises avec qui il est en correspondance. Les évangiles de Marc, Matthieu et Jean sont destinés implicitement à des communautés dont fait partie l'auteur. A qui est dédiée l'œuvre de Luc ? Au « *très honorable Théophile, afin que tu puisses constater la solidité des enseignements que tu as reçus* » (Lc

1, 4). Voilà qui est différent : Théophile est un chrétien dont Luc veut confirmer la catéchèse. Ou bien Théophile est un adepte de la foi chrétienne, pas encore converti, à qui Luc veut présenter le mouvement chrétien et sa doctrine, afin qu'il les lavât du soupçon que la société romaine faisait peser sur eux. Ce dessein apologétique expliquerait l'insistance de Luc à disculper le pouvoir romain dans la tragédie de la Passion de Jésus, mais surtout, sa préoccupation de présenter la conviction chrétienne comme une doctrine cohérente et honorable, fondée sur des faits historiques avérés ; ce souci se concrétise au plus fort dans les discours de Paul devant Félix (Ac 24), devant Festus (ch. 25), devant Agrippa et Bérénice (ch. 26), dont l'effet persuasif sur ces gens de pouvoir est noté avec délectation.

Le déplacement d'auditoire est net face aux autres évangiles, dont la production, si j'ose dire, répond essentiellement aux besoins de la mémoire croyante ; en ce qui concerne Luc-Actes, cette intention en croise une autre, qui est d'apprendre au monde cultivé des années 90 que le christianisme n'est pas cette « exécrable superstition » dont parle le Romain Tacite dans ses Annales[2]. Le choix même d'une dédicace, et le soin apporté à la facture littéraire de l'ouvrage, notifient la volonté de l'auteur d'inscrire son œuvre au rang de la production historiographique de haut niveau. Luc-Actes est donc destiné à un public largement ciblé : chrétiens, hommes et femmes cultivés, curieux désireux de se documenter sur la nouvelle secte. L'œuvre est agréable à lire, le souci de ne pas lasser le lecteur par des répétitions est constant. Mais attention, loin de divertir ou d'informer seulement, l'auteur ne cesse de glisser en sous-main des

---

[2] L'historien Tacite raconte l'incendie catastrophique de Rome en 64, et les bruits insistants attribuant le geste à l'empereur Néron ; pour couper court à ces rumeurs, on sacrifia les chrétiens. « Pour détruire ces bruits, il chercha des coupables, et fit souffrir les plus cruelles tortures à des malheureux abhorrés pour leurs infâmies, qu'on appelait vulgairement chrétiens. Le Christ, qui leur donna son nom, avait été condamné au supplice sous Tibère, par le procurateur Ponce Pilate : ce qui réprima, pour le moment, cette exécrable superstition ; mais bientôt le torrent déborda de nouveau, non seulement dans la Judée, où il avait pris sa source, mais jusque dans Rome même, où sont venus se rendre et s'étaler tous les dérèglements et tous les crimes. » (Annales XV, 44).

appels à la conversion du lecteur. Sa passion pour les commencements se comprend à la fois dans un registre documentaire et exhortatif, et les portraits qu'il brosse prétendent à l'exemplarité, qu'il s'agisse du début des communautés — Jérusalem (Ac 1-5), Antioche (Ac 11), Ephèse (Ac 19) — ou de la naissance de la foi chez les individus : l'eunuque éthiopien (Ac 8), Saul de Tarse (Ac 9), le centurion Corneille (Ac 10), Lydie la commerçante (Ac 16), le geôlier de Philippes (Ac 16) ; Agrippa lui-même n'est pas loin de croire (26, 28) ; le seul exemple que donne Paul dans ses discours est... sa rencontre du Christ (Ac 22 et 26). Que celui qui a des oreilles entende.

Tout un programme

Il n'est pas besoin d'avancer beaucoup dans le livre des Actes pour prendre connaissance du projet théologique de l'auteur. Le récit de l'Ascension, par quoi s'ouvre le livre (il est dédoublé pour faire charnière avec l'évangile : Lc 24, 50-53 et Ac 1, 9-11), est précédé d'un intéressant dialogue entre le Ressuscité et ses disciples :

> Ils étaient donc réunis et lui avaient posé cette question : « Seigneur, est-ce maintenant le temps où tu vas rétablir le Royaume pour Israël ? » Il leur dit : « Vous n'avez pas à connaître les temps et les moments que le Père a fixés de sa propre autorité ; mais vous allez recevoir une puissance, celle du Saint-Esprit qui viendra sur vous ; vous serez alors mes témoins à Jérusalem, dans toute la Judée et la Samarie, et jusqu'aux extrémités de la terre. » (1, 6-8)

Trois indications sont précieuses. Premièrement, le Christ soustrait la datation de son retour à la curiosité des disciples, pour concentrer leur attention sur l'histoire présente. Deuxièmement, il annonce la venue de l'Esprit, qui fera d'eux des témoins. Troisièmement, il trace pour leur mission un arc géographique qui va de Jérusalem aux extrémités de la terre. Tout le programme des Actes d'apôtres est présent là, sous forme condensée. L'excellent narrateur qu'est Luc a posé au seuil de son récit, à l'intention du lecteur, la présentation miniaturisée du programme que va déployer le texte.

Aux antipodes de l'Apocalypse

En premier lieu, cesser de « *chercher à connaître les temps et les moments* ». Cette pente, qui conduit de l'attente fébrile des signes de la parousie à l'installation dans le présent, marque le passage de la première génération chrétienne (les années 30 à 60) à la génération de Luc, qui est la seconde (60-90). La seconde génération a été le théâtre d'une dé-fascination du futur, le Seigneur ne revenant pas, et d'un investissement de l'Église dans le présent. On voit poindre la conviction maîtresse de Luc : les signes de Dieu ne sont pas à guetter au-delà de l'histoire, mais *au-dedans de l'histoire.*

La position théologique lucanienne est aux antipodes de l'apocalyptique : Jean, le voyant de l'Apocalypse, décrit le Christ glorifié dans l'éternelle félicité du monde céleste, et de cette coupure avec le monde présent vit précisément l'apocalyptique[3]. Aux yeux de Luc, Dieu n'est pas retiré du monde, mais présent à lui ; l'histoire est regardée comme l'espace où « l'humain et le divin se rencontrent » (F. Bovon). L'historiographie devient ainsi entre les mains de Luc la chronique des rencontres entre Dieu et les hommes. Mais ici, le « monde » n'est pas un symbole théologique comme dans l'évangile de Jean. Il est présent dans sa concrétude et ses structures, comme jamais ailleurs dans le Nouveau Testament. Ses institutions politiques ne figurent pas le pouvoir arrogant des sans-dieu, mais un appareil respectable que le témoin du Christ se doit d'interpeller : le sanhédrin de Jérusalem, le dignitaire de la cour d'Ethiopie (Ac 8), Gallion le proconsul de Corinthe (Ac 18), Agrippa ou la succession des procurateurs de Judée (Ac 24-26). Le syncrétisme religieux typique de l'empire romain au premier siècle n'est pas abominé, mais vu comme un défi pour la mission ; qu'on pense à Simon le manipulateur (Ac 8), ou au magicien Elymas (Ac 13), ou à l'enthousiasme superstitieux des gens de Lystre (Ac 14) ; qu'on pense à l'énorme curiosité religieuse des Athéniens,

---

[3] L'apocalyptique a néanmoins d'autres vertus théologiques, dont je reparlerai plus bas, au chapitre 10. Le texte que j'expose maintenant a paru sous une première forme dans : *En actes !* Textes et documents du Rassemblement catéchétique romand (Genève 1988), Lausanne 1989, p. 75-85.

que Paul apostrophe (Ac 17). Les facteurs économiques n'échappent pas non plus à cet observateur scrupuleux de son temps : le partage des biens dans la communauté de Jérusalem (4, 32ss) s'inscrit sur le fond de la paupérisation croissante du prolétariat palestinien ; l'émeute des orfèvres d'Ephèse est une manifestation corporative contre un manque à gagner (Ac 19) ; le seul renseignement qui nous soit donné de la première chrétienne d'Europe, Lydie, est qu'elle faisait commerce du pourpre (16, 14-15). Bref, le monde est scruté par Luc comme le champ d'action de Dieu, et, par là, décrit avec intérêt et sympathie. Mais comment Dieu s'y prend-il pour agir ? La question nous conduit au second point du programme.

L'Esprit et les témoins

Dieu s'y prend, dit le Ressuscité à ses disciples, en envoyant « *une puissance, celle du Saint-Esprit qui viendra sur vous ; vous serez alors mes témoins* » (1, 8). Deux instruments : l'Esprit et les témoins. Depuis l'Ascension, qui installe la communauté croyante dans l'absence de son Maître, Dieu se donne par le souffle du Saint-Esprit. Pentecôte est l'acte fondateur de ce nouvel âge dans l'histoire du salut. Mais on relèvera que l'Esprit de Pentecôte ne fait pas du discours des disciples une glossolalie inintelligible, selon Luc (c'était peut-être le premier sens de cette tradition) ; l'Esprit habilite les croyants à communiquer les hauts faits de Dieu, et à se faire comprendre de chacun (2, 7-11). L'agir de Dieu n'est donc ni magique, ni incontrôlé. Il passe par les médiations humaines. Il s'empare des individus. Avec une étonnante audace, Luc montre l'Esprit donner force à la parole d'Étienne (6, 5.10 ; 7, 55), emporter Philippe (8, 39), retourner Paul sur le chemin de Damas (9, 17), forcer Pierre à admettre le baptême de Corneille (10, 19 ; 11, 12), barrer la route à Paul et Silas (16, 6s), lier Paul à la route de Jérusalem (20, 22). Par ces formules frappantes, Luc, en théologien de l'histoire, décrypte comment Dieu se mêle au monde, comment il s'enfonce dans l'épaisseur de l'histoire pour effectuer son plan : que la nouvelle du salut parvienne aux confins du monde habité.

Suivez le guide

Le troisième point du programme est un parcours. « *Vous serez mes témoins à Jérusalem, dans toute la Judée et la Samarie, et jusqu'aux extrémités de la terre* » (1, 8). Voilà un itinéraire, jalonné d'étapes, que le Christ ressuscité trace aux siens en les quittant. Ils vont le suivre. « Actes d'apôtres » narre, dans un style aussi captivant qu'un roman d'aventures, l'expansion de la mission chrétienne : à commencer par Jérusalem et la Judée environnante (Ac 1-7), poursuivant par la Samarie avec Philippe (Ac 8), et, de là, passant par Antioche et portée par la mission paulinienne, son arrivée à Rome la capitale (Ac 28). Cette fabuleuse épopée ne consiste pas — comme le feront plus tard les Actes apocryphes de Jean, de Pierre, de Philippe, d'André, de Paul — dans la description de la lutte menée par les héros contre le péché et l'énumération des pouvoirs merveilleux que leur donne l'Esprit ; c'est la parole des apôtres qui compte et qui convainc. Le livre conçu par Luc raconte *l'aventure de la Parole*, portée par les témoins et poussée par l'Esprit.

L'évangile continué

Avant d'entrer plus avant dans les Actes d'apôtres, il vaut la peine d'évaluer *théologiquement* ce fait, littéraire, que les Actes sont la continuation d'un évangile. En quoi font-ils théologiquement suite au récit de la vie de Jésus ? On a parlé des Actes comme du cinquième évangile, ou évangile du Saint-Esprit. Hans Conzelmann a montré dans une étude devenue classique que Luc divise l'histoire en trois périodes : l'Ancien Testament jusqu'à la venue du Baptiste (Lc 16, 16), le temps de Jésus, puis celui de l'Église qui est le temps de l'Esprit[4]. Le schéma demande à être assoupli sur un point : raconter les actes d'apôtres après les actes de Jésus, c'est dire que l'œuvre de Jésus se poursuit dans le monde après la croix et l'Ascension. Pâques marque la fin de la présence de Jésus et le début des effets de sa résurrection.

---

[4] Thèse défendue par H. CONZELMANN, *Die Mitte der Zeit*, BHTh 17, Tübingen 5e éd. 1964.

J'en donne quelques preuves. Ac 3, 1-10 raconte la guérison du boiteux à la Belle Porte du Temple. L'homme est assis,
en haillons, et tend la main. On est frappé d'entendre les paroles
de Pierre : « *De l'or ou de l'argent, je n'en ai pas ; mais ce
que j'ai, je te le donne ; dans (ou par) le nom de Jésus-Christ
le Nazoréen, marche !* » Pierre ne dit pas seulement qu'il a infiniment plus qu'une aumône à offrir à cet homme qui mendie.
Le pouvoir de guérir n'est pas de lui : c'est le « nom de Jésus-
Christ », la puissance du Seigneur, qui a le pouvoir de remettre debout. Retenez bien cette finesse du texte : loin de se poser
comme le guérisseur de l'infirme, Pierre affirme que *le nom
de Jésus* va rendre à cet homme sa dignité d'homme debout.
Le témoin s'efface totalement derrière la puissance du Christ
thérapeute.

Un autre exemple. Actes 6-7 rapporte le martyre d'Étienne,
arrêté par le sanhédrin, interrogé, puis lapidé dans l'exaspéra-
tion générale. Là aussi, le lecteur est intrigué par une série de
rapprochements, trop nombreux pour être le fait du hasard :
comme Jésus (Lc 22, 66), Étienne comparaît devant le sanhédrin et le grand-prêtre l'interroge. Comme Jésus (Mc 14, 56),
de faux témoins rapportent des paroles du prévenu hostiles au
Temple et à la Loi (Ac 6, 13). Comme Jésus déclarait à la fin
de son procès « *Désormais le Fils de l'homme siègera à la droite
du Dieu puissant* » (Lc 22, 69), la comparution des Actes
s'achève sur une vision d'Étienne : « *Voici,* dit-il, *que je contemple les cieux ouverts et le Fils de l'homme debout à la droite
de Dieu* » (7, 56). Étienne souffre comme son Seigneur a souf-
fert. Son martyre est une passion continuée.

On pourrait multiplier les rapprochements. Les apôtres sont
sans cesse en route pour annoncer l'Évangile, tout comme le
Christ de Luc était sans cesse en chemin. Certains miracles des
Actes semblent calqués sur des miracles de l'évangile, tant les
descriptions sont proches (comparez Ac 3, 1-10 et Lc 5, 17-26 ;
Ac 9, 36-42 et Lc 8, 49-56). Bref, un regard alerté voit se multiplier au fil du texte des rappels, comme des échos de la vie
de Jésus. Ces clins d'œil ont été savamment orchestrés par Luc,
pour faire comprendre au lecteur que le livre des Actes a ce
but : montrer comment le Christ, qui à l'Ascension s'est absenté
du monde (1, 9), ne cesse d'être présent parmi les siens. A titre

de confirmation, relevons que si l'évangile s'adonne à la vie de Jésus, les discours apostoliques des Actes pointent invariablement sur sa résurrection[5].

Comment se concrétise cette présence active, et cachée, du Christ au milieu des siens ? Où l'aventure de la Parole conduit-elle les apôtres, et par eux, l'Église naissante ? Quel Dieu témoins et apôtres ont-ils mission de porter au langage ?

Dieu universel

Ce qui intéresse en premier Luc, dans l'aventure de la Parole, est que Dieu s'avère n'être plus le Dieu d'un peuple, fût-il Israël, mais le Dieu de tous et de chacun. Cette affirmation théologique a reçu sa formulation classique de l'apôtre Paul, qui l'a concrétisée dans l'abandon de la Loi comme chemin du salut. Dans le Nouveau Testament, Luc est le seul à *raconter* cet avènement d'un Dieu ouvert à tous.

Cette nativité du Dieu universel ne s'est pas produite d'un coup, ni sans arrachements pénibles. Suivons ce fil conducteur à travers les Actes. Un premier cycle narratif (Ac 1-5) décrit comme un âge d'or la vie de la première communauté rassemblée à Jérusalem. Une série de secousses va faire éclater ce noyau primitif. Premier ébranlement, au chapitre 7, la mise à mort d'Étienne par le sanhédrin, qui met à mal la coexistence des chrétiens et des juifs dans la ville sainte. La crise déclenche un essaimage de la communauté en butte à la persécution, et, par là, une première ouverture du christianisme se produit hors de Judée : Philippe annonce le Christ chez les Samaritains, qui l'acceptent et se font baptiser (8, 5-8), comme l'eunuque éthiopien demandera le baptême sur la route de Gaza à Jérusalem (8, 26-40). Un pas est franchi ; mais la Samarie fait encore partie de la famille juive, et l'eunuque éthiopien est plutôt un prosélyte qu'un païen.

Le passage décisif est franchi lors du baptême de Corneille (Ac 10-11). Pierre est l'instrument de ce tournant historique et théologique de première grandeur, où, pour la première fois,

---

[5] Ac 1, 22 ; 2, 24-36 ; 3, 15-16 ; 4, 10-12 ; 5, 31-32 ; 10, 40-41 ; 13, 33-39 ; 17, 31 ; 24, 21 ; 26, 23.

l'Évangile du Christ déborde son espace originaire pour atteindre un païen. L'histoire bascule, et fait passer le salut de l'exclusivité israélite au monde entier. A relire cette séquence des chapitres 10 et 11, à la composition de laquelle Luc a voué un soin particulier, on est impressionné par le nombre des interventions divines, qui se succèdent pour amener Pierre jusqu'à ce point où la frontière millénaire entre le peuple choisi et les impies est abrogée. Dieu doit s'arc-bouter, multiplier ses efforts, pour convaincre son Église de ce qu'il n'est plus. C'est d'abord une vision faite à Corneille, puis une extase de Pierre, qui voit se mêler dans une toile immense des animaux de tous genres, avec cet ordre : « *Allez, Pierre, tue et mange !* » (10, 13). L'ordre est contraire à la Torah, car il fait foin du contact interdit entre animaux purs et impurs. Mais Pierre, sur une nouvelle intervention de l'Esprit, bouleversé par ce Dieu qui renie d'un coup la séparation du pur et de l'immonde, opère devant Corneille le décodage métaphorique de la vision : « *Je me rends compte en vérité que Dieu n'est pas partial, et qu'en toute nation, quiconque le craint et pratique la justice trouve accueil auprès de lui* » (10, 34s).

Dieu n'est pas partial, littéralement : Dieu n'est pas regardant-à-la-face *(prosôpolèmptès)*. Le terme évoque le geste du potentat oriental relevant la face du suppliant ; il exprime ce que Dieu n'est pas, ce que Dieu n'est plus : arbitraire et clientéliste. Le salut ne se décide plus sur la participation à une tradition, à un clan, à un peuple, à des rites, qui statuent à priori de quel bord sont les sauvés. Le salut est suspendu à deux critères : craindre Dieu (un respect qui ne l'annexe pas) et pratiquer la justice (un comportement qui se récapitule dans l'amour) ; on retrouve la dualité de l'amour de Dieu et de l'amour d'autrui, foncière au christianisme, et formulée excellemment en Lc 10, 25-42. Mais, ajoute Pierre, « *ce message, Dieu l'a envoyé aux fils d'Israël* » (10, 36). Le Dieu de tous n'est autre que le Dieu d'Abraham, d'Isaac et de Jacob ; mais la perception qu'on a de lui, maintenant, change.

Paul : la mission et le martyre

Aucun handicap ne barre plus l'accès à Dieu. L'Église ne sera pas un conservatoire de privilèges, mais rassemblera désormais hommes et femmes, venus d'Israël et du monde non-juif. Les délégués des églises de Jérusalem et d'Antioche, réunis pour en débattre, entérinent l'ouverture, s'inclinant devant la façon imprévue dont l'Esprit conduit l'histoire (Ac 15). La voie est donc ouverte pour l'évangélisation de la terre entière. L'homme choisi par le Seigneur pour mener à bien cette entreprise est inattendu. Il est un ancien pharisien, de Tarse, zélateur fanatique de la Loi ; le chapitre 9 a raconté comment sa vie fut retournée à Damas. Si l'apôtre Pierre a dominé le récit jusque-là, Paul de Tarse est dès le chapitre 15 le véritable héros du livre des Actes. Son activité, que Luc présente avec une admiration sans bornes, se partage en deux : aux chapitres 13 à 20, *la mission*, fondatrice d'églises en Asie mineure et en Europe ; aux chapitres 21 à 28, *le martyre de Paul*, arrêté à Jérusalem, traîné de prison en prison, de comparution en interrogatoire de police, jusqu'à son transfert à Rome où il demeure en résidence surveillée dans l'attente de son procès ; car il en a appelé au jugement de l'empereur Néron.

Luc termine là son récit. Certainement, Rome n'est pas le bout de la terre, et je reprendrai ce point plus tard. Mais atteindre Rome, capitale prestigieuse de l'empire, c'est être garanti de pouvoir gagner tout l'empire romain. Le programme du Ressuscité se réalise : la Parole sera proclamée jusqu'aux confins de la terre habitée.

Pourquoi ces silences et ces choix ?

Luc raconte l'histoire de la première génération chrétienne comme la progressive sortie du christianisme hors d'Israël, sa pénétration dans les grandes cités du monde hellénistique (Ephèse, Troas, Philippes, Athènes, Corinthe la métropole), son dialogue avec la culture et les croyances grecques (le discours à Athènes, Ac 17, est un modèle du genre). On y voit le christianisme chercher sa place dans un marché religieux saturé de cultes, de mystères, de mages et de charlatans — une situation qui n'est pas sans rappeler le melting pot religieux de la fin du XXᵉ siècle. L'essentiel aux yeux de Luc est cette action secrète de l'Esprit au cœur des témoins, porteurs de la Parole, témoins dont la nuée se cristallise et s'articule autour de deux figures emblématiques : Pierre et Paul.

Au point où nous en sommes, il convient de faire quelques remarques sur la façon dont Luc conçoit et écrit l'histoire. Vous aurez remarqué à quel point Luc affectionne les figures individuelles. Pierre, puis Paul occupent le devant de la scène, avec quelques personnages secondaires pour faire transition : Étienne et Philippe (Ac 6-8) entre l'Église-mère de Jérusalem et Pierre ; Barnabas (Ac 13-14) entre Pierre et Paul. Jean (Ac 3-4) et Jacques (Ac 15) jouent les figurants. Cette focalisation sur deux personnages emblématiques donne son importance à la traduction exacte du titre « Actes d'apôtres ». L'auteur n'ambitionne pas d'écrire une chronique exhaustive des faits et gestes de *tous* les apôtres, mais de ceux par qui, à son avis d'historien, le christianisme s'est ouvert au monde. On tient du même coup le principe de sélection des matériaux, dont Luc a usé, semble-t-il, avec une certaine rigueur dans la composition de son œuvre. Les exégètes sont en effet stupéfaits de ne relever aucune allusion à une activité à laquelle l'apôtre des Gentils consacra un temps considérable : sa correspondance. Luc ne souffle pas un mot des difficultés qui ont agité les églises de Corinthe et de Galatie, et dont les lettres de Paul portent des traces profondes ; de même, l'écho des crises du premier christianisme sur la question de la Loi est atténué (ou plutôt, mais j'anticipe, édulcoré par conviction œcuménique). Silence également sur cette branche de la chrétienté à laquelle s'adresse l'évangile de Jean, les communautés johanniques, qui ont émigré à l'époque de Luc entre la Syrie et l'Asie Mineure[6].

---

[6] La trajectoire historique de ce christianisme johannique ignoré de Luc a fait l'objet d'une brillante reconstruction, que présente R.E. BROWN, *La Communauté du disciple bien-aimé*, (Lectio divina 115), Paris 1983.

Le travail d'un historien

Faut-il faire grief à l'auteur de ces silences ? Faut-il noircir ses infractions à l'exactitude documentaire et traiter son œuvre comme un roman ? ou bien rallier les inconditionnels de Luc et taire les informations contradictoires en provenance de Paul ? Voter pour l'un ou l'autre de ces camps[7], qui s'affrontent dans l'exégèse des Actes, postule une idée qui me paraît fausse ; c'est l'idée que Luc projetait d'écrire une histoire exhaustive du christianisme entre l'an 30 et l'an 60, et que la qualité du travail de l'historien se jauge à sa capacité de restituer des faits bruts. Or, ni l'un ni l'autre de ces postulats ne se vérifient. Le lecteur attendra de Luc ce qu'il lui offre, à savoir un exposé de l'expansion missionnaire réduit aux figures que l'auteur juge significatives ; sa focalisation sur l'aventure de la Parole va si loin qu'il ne nous renseigne ni sur le sort de Pierre, qui disparaît du récit au chapitre 15, ni sur la mort de Paul. Luc n'ignore pas ces faits, mais il les estime secondaires : la vie de la Parole importe plus que la mort de ses témoins.

D'autre part, c'est faire fausse route que croire à une « objectivité » de l'historiographie, antique ou moderne. Il n'est d'événements qu'interprétés, donc susceptibles de lectures divergentes. Le « fait brut » est une illusion que nous a léguée le positivisme[8]. Dans le chaos de phénomènes que constitue l'histoire, l'historien puise une sélection de faits, qu'il articule l'un à l'autre par des liens de cause à effet. Écrire une chronique historique consiste à fixer un scénario, qui relie en chaîne des événements ; mais il est notoire aujourd'hui que l'établissement de ce scénario est un acte interprétatif, brassant à parts égales

---

[7] On trouve dans le premier camp H. CONZELMANN *(Die Apostelgeschichte*, HNT 7, Tübingen 1963) et E. HAENCHEN (*Die Apostelgeschichte*, KEK, Göttingen 6e éd. 1968). Le second camp est habité par F.F. BRUCE (*The Book of the Acts*, NICNT, Grand Rapids éd. révisée 1988), auquel G. LÜDEMANN apporte son soutien (*Das frühe Christentum nach den Traditionen der Apostelgeschichte*, Göttingen 1987).

[8] Je renvoie, pour faire court, à la réflexion qu'a consacrée P. RICŒUR à ce thème dans *Temps et récit I*, Paris 1983, ou à sa contribution plus brève : « L'histoire comme récit », in : *La narrativité*, éd. D. TIFFENEAU, Paris 1980, p. 5-24 ; cf. aussi p. 251-271.

le respect de l'historien à ses sources et les problématiques du monde contemporain à l'historien. Toute histoire est une reconstruction du passé à partir de données et de documents, mais sur eux s'effectue un travail d'inflexion, de sélection et de transmutation, qui est d'abord celui du souvenir, avant d'être celui de l'interprète. C'est pourquoi l'histoire est toujours à réécrire ; non pas que les faits changent, mais la vision qu'on en a.

Certes, par rapport aux anciens, l'historiographie moderne a appris à faire la différence entre une source documentaire (un texte, une stèle) et son interprétation, entre un document et son effet dans l'histoire. Pour les anciens, la recomposition du discours d'un homme du passé était parfaitement admissible, et la marge interprétative large, comme en témoigne la comparaison entre le scripte (partiel) du discours prononcé par l'empereur Claude au sénat le 15 août 48, retrouvé à Lyon, et la version bien différente qu'en présente l'historien Tacite (55-120) dans ses Annales (XI, 23-24).

Luc, dans son travail d'historien, se conforme ainsi aux canons de l'historiographie antique. Mais on notera que théologiquement, il se range plutôt du côté de l'historiographie juive que de la gréco-romaine, en montrant Dieu à l'œuvre derrière les événements. Cependant, à la différence du chroniste du premier livre des Maccabées, Luc discerne Dieu à l'œuvre dans le destin d'apôtres humiliés, plutôt que dans les victoires d'un général.

De l'opposition, de l'argent et de l'œcuménisme

Si une œuvre historiographique est aussi le miroir du monde de l'historien, que nous révèlent les Actes d'apôtres sur les préoccupations de l'historien Luc ? Je choisis d'en distinguer trois : sa lecture de l'opposition, sa dénonciation du pouvoir de l'argent et sa conviction œcuménique.

Sa *lecture de l'opposition*. L'avancée de la Parole sur les routes de l'empire n'a rien d'une épopée triomphaliste. Les témoins du Christ sont inquiétés, pourchassés, arrêtés, flagellés. Leur succès est maigre, la fuite étant souvent pour ces parias la seule issue. Prenons le voyage missionnaire de Paul et Barnabas (Ac 13-14). Il voit se succéder un exorcisme de Paul à

Chypre ; une prédication à Antioche de Pisidie, mais le succès provoque la fureur des juifs, qui convainquent les notables d'expulser Paul et Barnabas (13, 50) ; même scénario à Iconium, où les envoyés fuient sous une menace de lapidation (14, 5) ; à Lystre, malgré une guérison qui enthousiasme la foule, Paul est lynché et jeté comme mort hors de la ville (14, 19). Cette persécution systématique répète l'hostilité soulevée par Jésus. La conviction que Luc veut faire passer à ses lecteurs est que Dieu conduit les siens, malgré l'hostilité et les refus qui leur sont opposés. Davantage : Dieu se sert de cette hostilité pour faire avancer sa Parole. Etienne est lapidé, mais le déferlement de chrétiens à Antioche, consécutif à la persécution, prépare la mission aux païens (11, 19-21). Paul et Barnabas sont lynchés, mais ils racontent à leur retour « *comment Dieu avait ouvert aux païens la porte de la foi* » (14, 27). Paul arrive prisonnier à Rome, mais avec lui, la Parole parvient au cœur de l'empire. Même l'agressivité indésirée, apprend Luc aux chrétiens de son temps, Dieu l'emploie pour l'avance de son Règne.

Une dénonciation du pouvoir de l'argent. Le lecteur des Actes sait, depuis l'évangile, que la question de l'argent est fixée par Luc dans des catégories non pas morales, mais éminemment spirituelles ; face à Mamon se joue le sens même de l'existence, c'est pourquoi le service de Dieu exclut de placer sa sécurité dans l'argent (Lc 16, 9-13). Zachée l'a compris, et dès lors, « le salut est venu » pour lui (Lc 19, 9). Les Actes continuent à voir dans le rapport à l'argent le lieu où se joue la fidélité à Dieu. Le riche de la parabole (Lc 12, 16-21), qui capitalise pour lui et perd sa vie, trouve son équivalent dans la figure de Judas, qui meurt d'avoir trahi pour l'argent (Ac 1, 18) ; ou dans la figure de Simon le magicien, qui croit que l'Esprit s'achète (8, 18s) ; ou dans les maîtres de la diseuse de bonne aventure, qui s'opposent à Paul pour sauver leurs revenus (16, 16-19 ; aussi 19, 18s). La passion de l'argent prend ici les traits de l'idolâtrie et symbolise l'envers de la foi. A l'opposé, l'une des premières caractéristiques relevées de la nouvelle communauté est de mettre en commun les biens, et les redistribuer au gré des besoins de chacun (ce qui est différent d'un égalitarisme : Ac 2, 44s ; 4, 32-35). Luc n'ignore pas que la disparition de l'indigence dans le peuple de Dieu est un devoir fait aux croyants

(Deutéronome 15, 4), et que le partage des biens (« tout en commun ») est considéré dans la mentalité grecque comme l'idéal de l'amitié ; les relations nouvelles instaurées par la foi au Christ viennent donc réaliser l'idéal et du juif et du grec. Dans la suite, Luc relève en de courtes notices l'aide efficace apportée par des hommes ou des femmes aux missionnaires, qu'ils accueillent et entretiennent dans leurs maisons : Marie mère de Jean à Jérusalem, Corneille à Joppé, Lydie à Philippes, Jason à Thessalonique, Titius Justus à Corinthe, Aquilas et Priscille à Corinthe et Ephèse... Ces nouveaux convertis ou sympathisants perpétuaient la pratique d'hospitalité des juifs dans l'empire, qui lors de leurs voyages logeaient chez leurs coreligionnaires plutôt que dans les auberges, relais assez inconfortables et mal famés. Le message que fait passer Luc aux chrétiens de son temps peut être lu dans un double sens : aux riches, il est rappelé que l'usage des biens est une pierre de touche de la foi (portée exhortative) ; aux communautés, le rappel du rôle des croyants aisés dans la consolidation du premier christianisme doit les inciter à accueillir les riches gagnés à l'Évangile, et ravaler l'image de marque d'un christianisme qui eut, dès l'origine, la faveur d'une partie de la bonne société (portée apologétique)[9].

Une conviction œcuménique. On a fait à Luc le procès de gommer systématiquement les tensions qui ont traversé la chrétienté à ses débuts. Le compte rendu de l'assemblée de Jérusalem en Actes 15 donne effectivement une impression édulcorée quand on le compare au récit poivré de Paul en Galates 2, 1-10. Le tableau idyllique de l'harmonie des premiers chrétiens (Ac 2-5) n'est-il pas aussi le résultat d'une idéalisation ? On pourrait rétorquer que cette généralisation (plutôt qu'idéalisation) de l'union des premiers chrétiens n'empêche pas Luc d'évoquer les conflits qui ont déchiré cet âge d'or (Ac 5 : Ananias et Saphira ; Ac 6 : la protestation des Hellénistes). Mais il importe avant tout de prendre conscience de l'utilisation stratégique qu'opère Luc des données de l'histoire. L'unité du christianisme de Luc n'existe plus, brisée qu'elle est par la tension entre ses deux cen-

---

[9] Voir à ce sujet l'intéressant article de F. BEYDON, « Luc et ces dames de la haute société », *Études théologiques et religieuses* 61, 1986, p. 331-341.

tres, Jérusalem et Antioche[10]. Jérusalem se crispe sur des positions judéochrétiennes axées sur la pratique de la Torah, tandis qu'Antioche perpétue un christianisme de souche paulinienne ouvert à l'empire. Luc se range du côté d'Antioche, mais il porte l'espoir de restaurer l'œcuménicité perdue de la chrétienté. L'unité chrétienne selon les Actes, et l'harmonie (non dépourvue de crises) de l'âge d'or, résultent d'un phénomène de grossissement de la part de l'auteur, qui enjoint les croyants de son temps à s'inspirer d'un passé encore proche, où la diversité n'était pas synonyme de rupture, où la fidélité commune interdisait la division. « *Et le Seigneur adjoignait chaque jour à la communauté ceux qui trouvaient le salut* » (2, 47). L'unité sert la diffusion de l'Evangile, pense Luc.

Une histoire sans fin

J'ai dit que le programme du Ressuscité pour ses disciples s'achevait aux « extrémités de la terre » (1, 8), alors que le livre des Actes se conclut à Rome (28, 16-31). Il faut y revenir. Que signifie ce hiatus ? Des exégètes ont conclu que pour Luc, Rome représente le bout du monde. Il est vrai qu'atteindre Rome, cœur de l'empire, est une garantie de gagner l'ensemble du monde habité. Mais un homme comme Luc, si bien informé de la géographie (lisez simplement Ac 2, 9-11), ne peut ignorer que Rome n'est pas encore l'extrémité de la terre. Alors, ou bien la contradiction s'installe entre le début et la fin de la narration, ou bien Luc ménage en finale du récit un écart voulu. Or, Luc est un trop bon narrateur pour se laisser surprendre en flagrant délit d'incohérence.

L'écart est donc voulu. Il signifie que les Actes se terminent sur un programme en suspens, *un programme encore ouvert à son achèvement*. De fait, le terme d'ouverture convient à la finale des Actes. Luc n'a pas voulu écrire une histoire close sur elle-même, comme elle l'aurait été par le récit de la mort de

---

[10] Il faut consulter à ce propos les remarquables travaux de H. KÖSTER, *Einführung in das Neue Testament*, Berlin-New York 1980, p. 518-785. Aussi : R.E. BROWN, J.P. MEIER, *Antioche et Rome*, berceaux du christianisme, (Lectio divina 131), Paris 1988.

Paul. Ce n'est pas la fin d'un témoin qui importe, fût-il saint Paul, mais la mission qui se poursuit. Aussi le lecteur est-il requis de poursuivre l'aventure de la Parole — ce lecteur inscrit quelque part entre Rome et les extrémités de la terre, c'est-à-dire entre Rome et la fin de l'histoire. Il est requis de prendre sa place dans la chaîne des témoins. Non, on n'achève pas la lecture du livre des Actes en se déclarant plus instruit. On l'achève en se découvrant mobilisé comme Pierre, habité de courage comme Étienne, touché comme Lydie, investi de mission comme Paul. Le lecteur, requis, discerne dans les Actes d'apôtres l'histoire dont il est appelé à écrire une page, une histoire sans fin, ou plutôt, une histoire dont la fin coïncidera avec l'avènement du Royaume.

CHAPITRE 10

UNE LOGIQUE DE L'ESPÉRANCE
(L'Apocalypse de Jean)

Où l'on se demande si espérer la fin du monde est un signe de lucidité ou de suprême naïveté — L'Apocalypse de Jean est la relique d'un vaste flux d'apocalypses juives et chrétiennes — Les trois lectures de l'Apocalypse : chronologique, spiritualiste ou historique — Le visionnaire peint un monde autre ; selon quels codes ? — La logique de l'espérance : une lucidité dénonciatrice, un démenti au totalitarisme, une annonce que l'histoire va finir — Le culte et la louange céleste — L'Apocalypse, message pour un temps de crise.

Demain, la fin du monde ? De tout temps, il s'est trouvé des oiseaux de malheur pour le claironner. Mais la croyance en la fin du monde est-elle une prouesse de la foi ou le fin fond du pessimisme ? Espérer en l'avenir relève-t-il de la lucidité prophétique, ou de la suprême naïveté ?

Les témoins bibliques ont aussi posé la question de l'avenir. Ils l'ont fait à leur manière, et pour tout dire, avec une certaine gravité qui ressemble à la nôtre. La tradition archaïque du déluge (Genèse 6-9) conjure déjà les menaces sur la survie de l'humanité, en affirmant l'inviolable tendresse de Dieu pour les siens. Plus jamais le déluge ! Mais il est des époques où la perspective de voir le monde finir devient plus pressante :

alors se lève l'espérance apocalyptique. Nous avons déjà touché cette croyance à propos de la résurrection, pour en dire la naissance au IIe siècle avant J.-C., et à propos du jugement, que l'apocalyptique installe à l'horizon de l'histoire. Dans le siècle qui précède la venue de Jésus, et au tournant de l'ère chrétienne, la conviction de vivre le déclin du monde se fait si forte que l'espérance apocalyptique envahit la foi populaire et nourrit l'attente d'innombrables cercles de croyants. Jésus lui-même a été profondément marqué par ce milieu ; au cœur de son message, les évangélistes ont noté cette annonce que « les temps sont accomplis et le Règne de Dieu s'est approché » (Mc 1, 15). La prédication de Jésus pullule de ces paroles, où se cristallise l'attente de la fin du monde, et l'irruption d'un temps nouveau qui anéantira les forces de mal.

Délices et frissons

On compte qu'entre 150 avant J.-C. et 800 après J.-C., plus de deux cents apocalypses ont circulé dans les communautés chrétiennes et juives. Rangées sous le patronage d'Esdras, d'Hénoch, de Baruch, d'Esaïe, d'Elie, d'Abraham, les ancêtres prestigieux, ces écrits révèlent à leurs lecteurs les mystères ignorés jusque-là, des mystères qui touchent l'avenir que Dieu prépare, et qui est proche. En scrutant le passé, les apocalypticiens tentent de discerner la façon dont Dieu, secrètement, gouverne l'histoire. Ces guetteurs du futur font lever une curieuse musique d'espérance : leur conviction est que le monde s'achemine vers une catastrophe sans nom, dévoreuse des méchants, et que du tas de ruines émergera le monde nouveau des élus. L'avenir sera Dieu, mais on l'attend dans un indescriptible mélange d'impatience et de crainte. On jubile et l'on tremble à l'idée que le Royaume est si proche ; on frissonne, mais délicieusement, à la perspective de la ruine des tyrans.

Quel que soit le sentiment éprouvé, les apocalypses vivent d'espérer. Juives ou chrétiennes, elles sont restées en marge des Écritures. La plupart des apocalypses juives n'ont pas été accueillies dans la Bible hébraïque, refermée sur le livre de Daniel. Quant à l'Apocalypse, elle a dû sa présence dans le canon du Nouveau Testament, in extremis, au patronage de Jean le visionnaire, qui fut confondu avec Jean l'évangéliste. Que nous fait entendre cette précieuse relique ? Elle est la survivante d'un flux large et d'une croyance vive chez les premiers chrétiens, à en juger par les fragments de la même veine rencontrés dans les évangiles ou dans les épîtres[1]. La révélation qu'elle porte au langage — tel est le sens de son nom en grec : *apokalypsis*, qui veut dire révélation — cette révélation est accordée par Dieu « pour montrer à ses serviteurs ce qui doit arriver bientôt » (Ap 1, 1). Ce qui doit arriver bientôt : mais quelle espérance se love dans ce récit hérissé de bruits et de fureurs, dans la succession des sept sceaux, des sept trompettes et des sept coupes, dans la femme poursuivie par le dragon (Ap 12), les deux bêtes immondes (Ap 13), la chute de la grande Babylone (Ap 18), les mille ans du Messie (Ap 20) et la féérie de la nouvelle Jérusalem (Ap 20s) ? Quel code gouverne cette fantasmagorie, et où trouve-t-on la clef ?

Trois lectures de l'Apocalypse

Une porte d'entrée est offerte, à mon avis, par la description des deux bêtes qui occupe tout le chapitre 13. J'emprunte ce passage à la description de la première bête :

> Alors, je vis monter de la mer une bête qui avait dix cornes et sept têtes, sur ses cornes dix diadèmes et sur ses têtes un nom blasphématoire. La bête que je vis ressemblait au léopard, ses pattes étaient comme celles de l'ours, et sa gueule comme la gueule du lion. Et le dragon lui conféra sa puissance, son trône et un pouvoir immense. L'une de ses têtes était comme blessée à mort, mais sa plaie mortelle fut guérie. Émerveillée, la terre entière suivit la bête. Et l'on adora le dragon parce qu'il avait donné le pouvoir à la bête, et l'on adora la bête en disant : qui est comparable à la bête et qui peut la combattre ? Il lui fut donné une bouche pour proférer arrogances et blasphèmes, et il lui fut donné pouvoir d'agir pendant quarante-deux mois. Elle ouvrit sa bouche en blasphèmes contre Dieu, pour blasphémer son nom, son tabernacle et ceux dont la demeure est dans le

---

[1] Mc 13. Mt 24-25. Lc 17, 20-37 ; 21. 1 Th 4, 13 - 5, 11. 1 Co 15, 20-28. 50-57. 2 Th 1, 4-10 ; 2, 1-12. Jc 5, 7-11, 2 P 3.

ciel. Il lui fut donné de faire la guerre aux saints et de les vaincre, et lui fut donné le pouvoir sur toute tribu, langue et nation. Ils l'adoreront, tous ceux qui habitent la terre, tous ceux dont le nom n'est pas écrit, depuis la fondation du monde, dans le livre de vie de l'agneau immolé.

(13, 1-8)

Les Pères lisaient déjà ce message sur le fond de la prophétie de Daniel 7, qui symbolise les quatre empires qui se sont succédé en Proche-Orient par quatre bêtes : léopard, ours, lion et la bête à dix cornes (Dn 7, 2-8). La bête de l'Apocalypse les récapitule toutes, elle est intronisée par Satan, elle subjugue le monde entier par son pouvoir et ses blasphèmes ; elle opprime les croyants, mais son pouvoir est limité à quarante-deux mois. Quarantes-deux mois lunaires, trois années et demie, c'est encore un code tiré du livre de Daniel, où il désigne la durée de la persécution des justes par Antiochus Epiphane (Da 7, 25 ; 12, 7). Cette demi-semaine d'années a de tout temps excité l'imagination. A quel calendrier renvoie cette symbolique, mystérieuse comme le chiffre de la deuxième bête : « *C'est le moment d'avoir du discernement, car c'est un chiffre d'homme, et son chiffre est six cent soixante-six* » (13, 18) ?

On peut dire que dans l'histoire, la lecture de l'Apocalypse se sépare en trois grands courants. Je les illustre à partir de l'image des deux bêtes.

Une première lecture est *chronologique*. L'Apocalypse est comprise comme une prédiction du scénario de l'histoire mondiale ; son message a été formulé pour les lecteurs à venir, dont nous sommes, et le défi de la lecture consiste à décrypter ce grimoire. Mais le code se dévoile aux initiés : on ne compte pas les tentatives, surtout en période de crise ou d'insécurité, d'identifier tel personnage historique ou telle entité politique ou religieuse avec les grandes figures de l'Apocalypse. Ainsi, pour les Réformateurs, la bête est le pape. Elle est Apollon pour Irénée ; Julien l'apostat pour Bossuet. Pour d'autres, Attila, Mahomet, Ignace de Loyola, Martin Luther, Louis XIV, Napoléon (dans *Guerre et paix*), Hitler. Claudel y a vu successivement l'Islam, le protestantisme, la Révolution française et le bolchévisme... Que l'image de la bête fonctionne comme une métaphore, applicable à l'ennemi, ne signifie pas encore qu'on ait cerné le sens de cette figure. Il s'avère que le plan de l'Apocalypse n'est pas linéaire, mais cyclique, et que la tentative d'extraire un calendrier de ses données échoue devant la dimension symbolique des nombres.

Une deuxième lecture, appelons-la *spiritualiste*, enregistre que le propos du texte n'est point de prédire l'avenir, mais voit se dégager dans l'Apocalypse le sens de l'histoire, et singulièrement le sens de l'histoire de l'Église. C'est le Christ et son Église qu'il s'agit de reconnaître derrière les figures de l'agneau, de la femme, de la ville sainte, et derrière les bêtes et le dragon se cachent Satan et ses créatures. Il est annoncé à l'Église qu'elle se heurtera en tout temps aux grandes forces démoniaques qui maîtrisent le monde.

Une troisième voie s'est accentuée ces dernières années ; on la qualifiera de *lecture historique*. Elle immerge l'Apocalypse dans son milieu historique et culturel, à savoir la croyance apocalyptique juive et chrétienne au premier siècle, et recherche les codes symboliques régissant ce milieu. Elle se demande aussi quelles circonstances, dans l'histoire du christianisme naissant, ont conduit à cette éruption de l'espérance. La condition traquée des croyants (7, 13-17 ; 13, 7-10 ; 14, 12 ; 18, 24 ; 20, 4) fait penser aux persécutions de Néron de l'année 64, mais surtout aux pogroms contre les chrétiens organisés sous Domitien (81-96). La description de la bête correspond au pouvoir impérial, universel et tentaculaire, blasphématoire aux yeux des chrétiens par l'effet de la divinisation de l'empereur, et l'on sait que la vogue du culte impérial se faisait particulièrement forte en Asie mineure, patrie des croyants de l'Apocalypse. Quant au nombre 666, obtenu par gématrie, c'est-à-dire en additionnant la valeur numérique des lettres, il pourrait correspondre secrètement à *Qesar Nérôn*, Néron empereur.

La lecture chronologique assimile décidément par trop le voyant de l'Apocalypse aux devins et aux cartomanciennes. La lecture spiritualiste est riche d'appropriation, mais elle bute sur la difficulté de dés-historiciser l'Apocalypse, qui n'appartient plus à un temps particulier, et dont le message devient intemporel. La lecture historique a le mérite d'entrer dans la perspective de l'auteur et de ses premiers lecteurs, ou du moins, de chercher à le faire ; ses trouvailles devraient guider l'appropriation du texte aujourd'hui. Suivons la piste.

Peindre le monde autre

Comment se présente l'auteur de l'Apocalypse ?

> Moi, Jean, votre frère et votre compagnon dans l'épreuve, la royauté et la persévérance en Jésus, je me trouvais dans l'île de Patmos à cause de la Parole de Dieu et du témoignage de Jésus. Je fus saisi par l'Esprit au jour du Seigneur, et j'entendis derrière moi une puissante voix, telle une trompette, qui proclamait : Ce que tu vois, écris-le dans un livre... (Ap 1, 9-10).

Je retiens de cet autoportrait de Jean qu'il est compagnon d'épreuve des destinataires, exilé à Patmos à cause de sa foi, et qu'il eut une vision le jour du Seigneur. On reviendra plus tard sur la référence très importante au dimanche, qui cadre la vision dans le contexte du culte. Compagnon d'épreuve : on retrouve ici le stigmate de toutes les apocalypses : nées de la souffrance et de l'oppression, elles font lever l'espérance dans un monde dont Dieu s'est retiré, pensent-elles. A l'exact opposé des Actes d'apôtres, l'Apocalypse dépeint un Christ glorifié dans la sérénité du monde céleste (Ap 1, 12-20), et non un Dieu aux prises avec le monde[2]. L'ici-bas est un puits de malheur et de mort, où la communauté croyante vit aux abois, et les apocalypses disent la misère sans nom d'une terre livrée aux forces de chaos, jusqu'à l'heure où Dieu précipitera Satan dans l'abîme (Ap 12, 2s). L'Apocalypse est une littérature de résistance religieuse, contre la dominance du mal et de ses sbires politiques.

Que fait le voyant de l'Apocalypse, dans cette opacité du monde ? Il voit. Tous les auteurs d'apocalypses voient. A la différence des prophètes, qui entendent, Jean est un rêveur éveillé, qui peint sous l'inspiration de l'Esprit le tableau de l'ultime scénario. Faut-il s'étonner que l'Apocalypse soit devenue une des sources bibliques privilégiées de l'art ? Le recours au registre visuel, peu fréquent dans la littérature biblique, doit nous alerter sur ce premier geste de l'espérance : peindre le

---

[2] Voir plus haut, p. 169.

monde autre, le monde où Dieu trône dans l'éternité de son pouvoir (Ap 4), où le jugement dernier fait place nette à la Jérusalem nouvelle (Ap 20, 7-22, 5).

Son langage imagé est un langage d'initié. Il emprunte à la nature, aux arts, aux signes du zodiaque, mais le plus souvent, à l'Ancien Testament. Sa finalité n'est pas esthétique, mais théologique. Voyez le portrait du Fils de l'homme, première vision offerte à Jean :

> Il était vêtu d'une longue robe, une ceinture d'or lui serrait la poitrine ; sa tête et ses cheveux étaient blancs comme laine blanche, comme neige, et ses yeux étaient comme une flamme ardente ; ses pieds semblaient d'un bronze précieux, purifié au creuset, et sa voix était comme la voix des océans ; dans sa main droite, il tenait sept étoiles, et de sa bouche sortait un glaive acéré, à deux tranchants. Son visage resplendissait, tel le soleil dans tout son éclat.

(1, 13b-16)

La robe indique la dignité sacerdotale, et la ceinture d'or le pouvoir royal. Les cheveux blancs signifient l'éternité (et non la vieillesse), l'ardeur des yeux la connaissance parfaite (ou la colère) ; les pieds de bronze sont garants de stabilité ; la voix d'océan reflète la majesté divine ; la main symbolise la puissance, et les sept étoiles sont les anges des sept églises (1, 20). Le glaive acéré est le glaive de la Parole, dont les décrets confortent le juste et frappent les fidèles écartés de la voie[3]. Sous cette accumulation d'attributs, qui portraitisent le Christ sous les traits du personnage de Daniel 7, 13, on découvre en réalité un condensé de christologie. Ainsi en va-t-il des visions de l'Apocalypse, dont la féerie plastique habille de formes et de couleurs de rigoureux traités théologiques. La clef est à chercher, moins dans la fantaisie du lecteur que dans les codes symboliques de l'Ancien Testament et de la tradition apocalyptique.

---

[3] La robe : Za 3, 4 ; Sag 18, 24 ; Si 45, 8 ; 50, 11. La ceinture : Dn 10, 5 ; Ez 9, 2. Les cheveux blancs : Dn 7, 9 ; 1 Hénoch 46, 1. Les yeux : Dn 7, 9 ; 10, 6 ; 2 Hénoch 1, 5. Les pieds : Dn 10, 6 ; Ez 1, 7. La voix d'océan : Ez 1, 24 ; 43, 2 ; Dn 10, 6. La main et les étoiles ; Jb 38, 31-33 ; Es 40, 12. Le glaive : Es 49, 2 ; Sag 18, 15.

La logique de l'espérance : lucidité, démenti et attente

La vision est un don. Pour le recevoir, le visionnaire est ravi au ciel (encore un motif typique de l'apocalyptique : le séjour céleste des initiés) ; et ce voyage vers la proximité de Dieu, le ciel où Dieu règne et l'homme est sans pouvoir, conduit à cette vérité que le monde défigure hideusement. Il y a une pathologie de l'espérance, qui est de régresser au paradis perdu ; Jean n'y cède pas ; ce n'est pas au jardin de la Genèse que s'achève l'Apocalypse, mais dans une ville, la Jérusalem céleste, illuminée de la gloire de Dieu (21, 23s). L'apocalypticien ne rêve point en arrière, mais en avant, par-delà l'opacité du réel, et sa vision s'inscrit dans une logique de l'espérance qu'il convient maintenant de préciser.

L'espérance dans l'apocalypse est une interface, qui tient ensemble trois composantes : une lucidité dénonciatrice, un démenti apporté au totalitarisme, et l'annonce que l'histoire s'achemine vers sa fin.

L'espérance commence par un regard jeté lucidement sur le présent : le temps est au martyre (6, 9-11 ; 13, 10), les pouvoirs qui dominent sont des créatures de Satan (Ap 13), l'Église y est traquée (Ap 12), Rome est une grande prostituée (Ap 17). Le mal n'est donc pas une faute de l'individu, qu'une prédication de conversion suffirait à éradiquer (les hommes blasphèment, mais ne se repentent pas : 16, 8-21) ; le mal corrompt le monde et s'impose à lui, plus radicalement que ne l'avaient dit les générations précédentes. La lucidité se fait donc l'instrument premier de l'espérance. J'emprunte cette définition à Henry Mottu : « Le mot "lucide" vient du verbe latin *lucere*, qui veut dire "luire", "jeter une lumière sur" ; d'où l'idée de lumineux, de pénétrant, d'éclairant. De fait, l'espérance, dans la Bible, est toujours critique par rapport à ce qu'elle espère et jamais aveugle, dans la mesure où elle *éclaire* le réel et nous permet finalement de mieux le comprendre. C'est l'autre versant de l'espérance, le versant si l'on veut rationnel »[4].

---

[4] H. MOTTU, « Espérance et lucidité », in : *Initiation à la pratique de la théologie*, éd. B. LAURET et F. REFOULÉ, IV, Paris 1983, p. 318-355, citation p. 337.

L'espérance de l'Apocalypse conduit de la lucidité à la protestation. La bête se prend pour Dieu (l'empereur était appelé *Dominus et Deus*, Maître et Dieu) et singe le Christ : « *Elle fait adorer par la terre et ses habitants la première bête dont la plaie mortelle a été guérie. Elle accomplit de grands prodiges, jusqu'à faire descendre du ciel, aux yeux de tous, un feu sur la terre* » (13, 12b-13). Une plaie mortelle guérie : quelle perverse contrefaçon de la résurrection ! Ce démenti apporté au totalitarisme du politique s'inscrit dans une protestation contre l'illimitation du pouvoir. L'espérance refuse de s'accommoder du réel. Non qu'elle se rebelle devant les faits, mais elle procède d'une foi qui *sait* que ces faits n'épuisent pas la réalité. Dans le monde de Dieu, qui est aujourd'hui dans le ciel et sera demain sur la terre, la louange éternelle de Dieu fait pièce au culte de la bête, et falsifie sa prétention illusoire à la totalisation.

Arrêtée à la lucidité et au démenti, l'espérance serait menacée de dés-espérer ; or, elle culmine dans l'annonce que bientôt, la terre sera vendangée (Ap 14, 14ss). Sa protestation contre le réel ne joue pas Dieu contre le monde, mais se nourrit du monde nouveau que Dieu prépare. Annoncer que le monde va finir exerce un formidable effet de dé-fatalisation : l'histoire n'est pas finie avec le triomphe du mal et l'insolence des forts. Elle n'est pas non plus comprise, à la grecque, comme l'éternel retour du même. L'histoire a un sens, elle est en mouvement ; l'homme est préservé de s'engloutir dans un éternel présent. L'histoire avance ; mais où ? Nous touchons là le propre de l'apocalyptique, qu'a su mettre en évidence Ernst Käsemann[5] : l'apocalyptique donne consistance à l'histoire en traçant son cours. Le futur n'est pas nouveau au sens de l'inouï, car il émane de Dieu que l'on connaît. Le nouveau s'inscrit dans une cohérence, celle de l'histoire passée, qui nous aide par analogie à imaginer le futur. Voilà le sens de la série des septénaires : les sept sceaux, les sept trompettes, les sept coupes ; ces chaînes d'événements permettent de discerner les lois qui ont

---

[5] E. KÄSEMANN, « Sur le thème de l'apocalyptique chrétienne primitive » (1962), in : *Essais exégétiques*, (Le Monde de la Bible), Neuchâtel 1972, p. 199-226.

structuré l'histoire dans le passé, et parce que Dieu est le même hier et aujourd'hui, ces lois régiront le demain.

Ce procédé de périodisation de l'histoire est attesté dans la symbolique daniélique des quatre bêtes (Dn 7, 2-8), et avant elle, dans l'apocalypse des semaines d'Hénoch (1 Hénoch 93 ; 91, 11ss). L'espérance tire donc sa force de la mémoire du passé, qu'elle relit non pour s'y réfugier, mais pour entrouvrir les secrets du gouvernement divin de l'histoire, et se retremper dans la certitude de l'agir de Dieu. Demain, la souffrance prendra fin. Demain, « *ceux qui avaient été décapités à cause du témoignage de Jésus et de la parole de Dieu, et ceux qui n'avaient pas adoré la bête ni son image et n'avaient pas reçu la marque sur le front ni sur la main* » reviendront à la vie avec le Christ (20, 4). Alors « *je vis un ciel nouveau et une terre nouvelle, car le premier ciel et la première terre ont disparu et la mer n'est plus* » (21, 1). L'espérance revendique le monde tout entier, et non une quiétude spirituelle, ou plutôt, l'espérance attend que Dieu revendique ses droits bafoués sur la création entière. La foi nourrie à l'espérance s'élargit aux dimensions du politique et de l'écologique.

Le culte et la louange céleste

Sur le phénomène de la vision et sur l'aventure du voyage céleste, l'auteur de l'Apocalypse reste totalement discret. On a noté plus haut que la première vision était datée du « jour du Seigneur » (1, 10), et il faut revenir maintenant sur ce point. A la fin du premier siècle, le « jour du Seigneur » ne désigne plus comme chez les prophètes la venue du Royaume, mais le premier jour de la semaine, où se commémore le triomphe de Pâques (Ac 20, 7 ; 1 Co 16, 2) ; ce jour de culte deviendra le *dies dominica*, le dimanche.

Il n'est pas indifférent que la vision ait eu lieu un dimanche. Car une observation minutieuse de l'Apocalypse montre combien nombreuses sont les réminiscences liturgiques qui affleurent le texte, ou plus nettement encore, les citations liturgiques[6]. Apocalypse 4, 8 rapporte la louange que font

---

[6] L'étude a été faite par P. PRIGENT, *Apocalypse et liturgie* (Cahiers théologiques 52), Neuchâtel 1964. Pour ce qui suit, voir p. 49-68.

monter jour et nuit les quatre animaux, combinaison des chérubins d'Ezéchiel 10 et des séraphins d'Esaïe 6 : « *Saint, saint, saint, le Seigneur, le Dieu Tout-Puissant, Celui qui était, qui est, qui vient !* » Ce *trisagion* (trois fois saint) nous est bien connu, puisqu'il est partie intégrante de la liturgie eucharistique de toutes les confessions chrétiennes. Mais nous ne le chantons pas parce qu'il se trouve dans l'Apocalypse. Le contraire est vrai : le *trisagion* se trouve dans l'Apocalypse parce que des chrétiens le chantaient déjà dans leur culte.

Ce qui permet de l'affirmer est l'observation suivante. Le *trisagion* modifie légèrement, en la christianisant, la formule d'Esaïe 6, 3[7]. Or, le *trisagion* d'Esaïe forme dans la tradition liturgique juive ancienne le noyau de la *Qedusha*, prière ainsi nommée d'après la triple répétition de l'adjectif « saint » en hébreu, *qadosh*. De bonnes raisons font penser que la *Qedusha* remonte dans le premier siècle plus haut que la rédaction de l'Apocalypse, située vers 95 (les persécutions de Domitien). Les traces existent d'une liturgie juive de *Qedusha* antérieure à Apocalypse 4, et inscrite comme notre texte dans le cadre, forgé par Ezéchiel, d'une célébration de Dieu sur son trône de gloire. Compte tenu du fait que la *Qedusha* est l'inspiratrice, sinon la source et le modèle, du *trisagion* dans la liturgie chrétienne, la conclusion pointe que la liturgie céleste d'Apocalypse 4 n'est pas due à l'imagination gratuite de l'auteur ; Jean s'inspire d'un modèle liturgique chrétien, qu'il attribue aux quatre adorateurs de Dieu.

Cette reconstitution de l'origine du texte est d'une importance théologique colossale. Si Jean le visionnaire place sur les lèvres des quatre êtres célestes l'hymne chanté par les chrétiens de son temps, il faut comprendre en retour que la liturgie chrétienne a une saveur d'éternité. Je le dis autrement. L'apocalypticien a dressé une fresque de l'histoire du monde, hier,

---

[7] Es 6, 3 : « Saint, saint, saint est Yahveh Sebaoth, sa gloire remplit toute la terre ». Le texte d'Ap 4, 8 non seulement traduit Yahveh Sebaoth par « le Seigneur tout-puissant », mais ajoute « Dieu » ; il se libère en outre d'Es 6, 3 après cette titulature, en insérant une formule stéréotypée du visionnaire de l'Apocalypse : « Celui qui était, qui est, qui vient » ; cf aussi 1, 8 et 11, 17.

aujourd'hui et demain, une fresque aux dimensions de la terre et du ciel ; or, il existe pour lui un lieu sur la terre où retentit la louange céleste, un lieu où se dit la vérité cachée du monde, et ce lieu est le culte. Peu importe que ce lieu soit contesté, déserté ou méprisé par le monde ; il est l'endroit où la prière croyante prend une saveur d'éternité. Le culte est l'endroit où retentit une parole étrange, venue d'ailleurs, qui désacralise tout pouvoir (fût-il religieux), pour révéler que le vrai pouvoir est caché, qu'il est le Dieu. Car l'Apocalypse vit de cette conviction que le visible n'est pas à confondre avec le vrai ; si le monde est le lieu du déploiement visible des puissances de mal, le vrai sera manifesté lors du jugement final ; mais le culte, aujourd'hui déjà, est une anticipation du vrai. Force inviolable de l'espérance !

Quand la pesanteur du présent

Juive ou chrétienne, l'espérance apocalyptique ne surgit pas n'importe quand. Elle vient quand la pesanteur du présent se fait écrasante et que l'histoire s'opacifie, quand les croyants sont humiliés, quand Dieu semble s'être retiré du monde. Alors, dans ce temps de crise pour la foi, où les formules traditionnelles ne suffisent plus à calmer l'inquiétude des croyants, l'Esprit souffle à des visionnaires et entrouvre pour eux les mystères de l'avenir. N'attendons pas d'eux un calendrier de la fin des temps. Mais ce message, soufflé par l'Esprit, et qui déploie une espérance aux dimensions du monde, a de quoi nous travailler.

CHAPITRE 11

L'ESPRIT ET LA PAROLE
(Jésus, Paul, Luc et Jean)

Où le lecteur apprendra que le Nouveau Testament ne présente pas de bout en bout une conception uniforme de l'Esprit — Jésus est avant Pâques le seul charismatique — Paul : l'Esprit crée la vie (deux critères : l'Esprit fait naître la foi et l'Esprit se fait reconnaître dans l'amour) — Les Actes d'apôtres : l'Esprit est feu (Il construit l'Église ; il n'est pas à l'origine des miracles, mais à l'origine d'une parole ; il agit dans l'histoire) — Jean : l'Esprit est souffle (Le Paraclet vient relayer la présence de Jésus en actualisant son enseignement).

Assigné en résidence surveillée à Rome, l'apôtre Paul, raconte le livre des Actes, fait venir les notables de la ville pour leur exposer les motifs de sa présence dans la capitale (Ac 28, 16-22). Puis, lors d'une seconde visite en foule plus nombreuse, il tente de les convaincre à propos de Jésus « à partir de la Loi de Moïse et des prophètes » (28, 23). Mais devant leur désaccord, et au moment où ils le quittent, Paul leur cite le fameux texte d'Esaïe 6, 9-10 : « *Va trouver ce peuple et dis-lui : vous aurez beau entendre, vous ne comprendrez pas ; vous aurez beau regarder, vous ne verrez pas ; car le cœur de ce peuple s'est épaissi, ils sont devenus durs d'oreille...* » Or, Paul introduit ainsi la citation d'Esaïe (je traduis au plus près du texte grec) :

Il a bien parlé à vos pères, le Saint Esprit,
par Esaïe le prophète, quand il disait... (28, 25).

Voilà posé le couple Esprit Saint et Écriture, et d'une façon singulière. Nulle part ailleurs dans les Actes, Luc ne porte une citation scripturaire au compte de l'Esprit ; il nomme plutôt avec précision l'écrit dont elle provient[1]. Quel sens a ici la mention, surajoutée, de l'Esprit à côté d'Esaïe ? On constate d'abord que conformément à la doctrine juive de l'inspiration, à laquelle Luc donne son assentiment, la médiation humaine s'efface devant l'origine divine de la parole : l'Esprit parle quand le prophète ouvre la bouche. Mais le discours est dit inspiré parce que la parole prophétique garde sa pertinence dans le présent. Non qu'elle se transformât en vérité intemporelle : les pères d'autrefois ont été les premiers destinataires, et c'est de leur endurcissement qu'il est question. Mais les fils sont comme les pères (Ac 7, 51), ils s'obstinent dans le refus ; voilà pourquoi l'Esprit a *bien* parlé : la parole de naguère fait sens à nouveau aujourd'hui.

L'Esprit Saint et l'Écriture forment donc un couple en tension, où l'Esprit n'est pas cantonné à la naissance du discours (son inspiration), mais assure sa validité pour d'autres destinataires. On pourrait, à l'aide de ce modèle, relire bon nombre de dérives doctrinales qui balafrent l'histoire de la chrétienté, pour noter que lorsqu'un seul des pôles est retenu, la dynamique du couple se pétrifie. Quand le pôle de l'Écriture seule est retenu, la foi se fait pure redite de l'écrit ; l'Esprit Saint une fois congédié, l'Écriture se fige dans un seul sens, que la foi embaume comme on conserve un corps mort. Durcissement typiquement fondamentaliste, ou alors, mais pour d'autres raisons, lié à une lecture strictement historico-critique du texte. Quand l'autre pôle, uniquement l'Esprit, est retenu, la foi se dissout en fantasmes religieux ; l'Écriture, dont le sens historique ne régule plus la lecture, est confisquée pour devenir la surface projective des besoins religieux. Ce risque de faire divorcer l'Esprit et l'histoire est couru par le christianisme charismatique.

---

[1] Voir Ac 1, 20 ; 2, 16.25.34 ; 3, 22 ; 7, 42.48 ; 8, 32 ; 13, 33.40 ; 15, 15. Une seule exception : 4, 25, où l'Esprit saint place des paroles dans la bouche de David.

Comment s'est joué, chez les premiers chrétiens, le rapport de l'Esprit et de l'Écriture ? Nous avons déjà traité de la relecture chrétienne de la Bible hébraïque[2]. J'aimerais saisir la question à ce point précis où elle a fait problème pour la première et la seconde générations chrétiennes, c'est-à-dire dans le rapport entre l'Esprit et la tradition de Jésus (la mémoire de ses paroles et de ses actes).

Le premier christianisme a oscillé entre ouvrir toutes grandes les vannes de l'Esprit (Corinthe) ou se mettre à l'école des érudits de l'Écriture, tels qu'on les découvre derrière le premier évangile (les scribes chrétiens). L'apparition des quatre évangiles, dans le court espace de 30 ans (entre 65 et 95), trouve une explication dans la volonté de stabiliser la tradition de Jésus face aux débordements des prophètes chrétiens.

A ce moment-là, il est prématuré de parler des évangiles comme d'une Écriture, au sens d'un espace régulé par le canon. Je reformule donc : quel rapport, chez les premiers chrétiens, entre l'Esprit Saint et la parole concernant Jésus ? Comment se joue le renvoi de l'Esprit à la parole prêchée et témoignée ? Et comment se fait le renvoi de la Parole à l'Esprit Saint[3] ?

Jésus, le charismatique

Lorsque nous pensons à l'Esprit dans le Nouveau Testament, un texte vient immédiatement en mémoire : *Pentecôte* (Ac 2), qui est le porche d'entrée du livre des Actes, mais qui est aussi la porte d'entrée dans l'histoire de l'Église.

Le lecteur décidé à lire le livre des Actes est invité à passer par ce porche qu'est Pentecôte, posé au début du livre, de telle manière qu'il n'ignore pas que l'Église universelle, dont les Actes vont relater l'expansion, ne surgit pas de convictions humaines, mais qu'elle surgit du souffle de Dieu. Je dirais : ce porche d'entrée que représente Pentecôte, au seuil du livre des Actes,

---

[2] Je renvoie le lecteur, s'il n'a pas encore dévoré mon chapitre 4, à le faire sans tarder !

[3] Ce qui suit a été publié sous une première version sous le titre : « L'Esprit saint et l'Écriture selon le Nouveau Testament », *ABC Écritures*, 4, 1989/1, p. 23-37.

pose comme condition initiale la naissance de l'Église à partir du souffle de Dieu. Et lorsque Luc, l'auteur des Actes, donne cette valeur fondatrice au récit de la Pentecôte, il restranscrit une conviction commune à tout le christianisme primitif ; cette conviction est que l'effusion de l'Esprit a été un événement tout à fait décisif, et que cet événement s'est produit après Pâques. L'effusion de l'Esprit n'a pas été le fait du Jésus terrestre, mais du Christ ressuscité.

Les auteurs du Nouveau Testament sont unanimes sur ce constat. Ils varient dans la façon de le dire. La conclusion de l'évangile de Jean a cette belle image du Christ ressuscité soufflant sur ses disciples pour leur remettre l'Esprit (20, 22s ; voir aussi 7, 39). Luc détache le don de l'Esprit des récits d'apparition, où ce don est promis par le Ressuscité (Lc 24, 49 ; Ac 1, 8). La finale secondaire de Marc spécifie le pouvoir charismatique dévolu aux disciples par le Christ de Pâques (16, 17-18). Paul identifie le Seigneur glorifié à l'Esprit (2 Co 3, 17) ; depuis sa résurrection, le Christ est devenu un « Esprit qui donne la vie » (1 Co 15, 45).

Corollairement, si l'Esprit représente pour les disciples un don pascal, *Jésus, avant Pâques, est le seul charismatique*. Jésus est l'unique porteur de l'Esprit.

L'essor des mouvements charismatiques, notamment américains, a donné lieu à la publication de quelques livres présentant Jésus comme le modèle du croyant charismatique. Je pense bien que, d'une certaine manière, il l'est ; mais à cette réserve près, que Luc a bien soulignée : si Jésus a été avant Pâques le seul charismatique, il l'a été d'une manière singulière et unique. Luc le souligne de deux façons : d'une part, dans l'Évangile de l'enfance, par l'affirmation de la naissance virginale (Lc 1, 35) ; d'autre part, dans la première prédication de Jésus à Nazareth, cette prédication programmatique où Jésus applique à lui-même la promesse d'Esaïe 61 : « L'Esprit du Seigneur est sur moi... » (Lc 4, 16-21).

Ces deux insistances de l'évangéliste Luc signalent un trait important de sa christologie : Jésus n'est pas seulement le charismatique par excellence, avant Pâques, mais Jésus vient de l'Esprit par la conception virginale. Il est créé par l'Esprit, entendez : il est d'une façon unique habité par l'Esprit. Cette habitation par l'Esprit, signifiée à la prédication de Nazareth, va se concrétiser aussi bien dans la force thérapeutique du geste (c'est la guérison) que dans la force thérapeutique de la parole (c'est la prédication). *Jésus est donc le seul charismatique avant Pâques, mais il l'est d'une manière tout à fait unique et singulière.*

Par contre, l'Église naît d'un événement par lequel l'Esprit lui est communiqué, et par le Christ. Se pose alors la question : de quelle manière l'Esprit est-il communiqué aux croyants ? Comment s'articulent dans la communauté la réception de l'Esprit et la tradition de Jésus ?

Lorsqu'on adresse cette question aux textes, on s'aperçoit que les théologiens du Nouveau Testament — et voilà qui est fort intéressant — suivent des voies différentes. Non pas contradictoires, mais différentes. De son côté, *l'apôtre Paul* va déployer une conception de l'Esprit qui ne recouvre pas celle de *l'évangéliste Luc dans les Actes*, et nous esquisserons encore la position particulière de *l'évangéliste Jean.* Il y a une cohérence à dégager de ces perceptions de l'Esprit, qui ne foisonnent pas anarchiquement. Mais admirons au passage le simple fait de cette diversité, car la pluralité théologique dénote l'intensité de la réflexion des premiers chrétiens sur la question de l'Esprit.

Paul : l'Esprit crée la vie

Pour l'apôtre Paul, l'activité de l'Esprit est une évidence. Dans les églises qu'il a fondées, l'Esprit agit, l'Esprit anime la vie de la communauté, l'Esprit fait vivre (Rm 8, 10). C'est même devenu à Corinthe une évidence bruyante : la communauté de Corinthe a connu une telle richesse, comme on sait, une telle exubérance charismatique, qu'elle a contraint Paul à intervenir et préciser sa conception de l'Esprit. Les chapitres 12 à 14 de la première lettre aux Corinthiens retracent pour nous le débat.

Visiblement, Paul doit faire face à une richesse étourdissante de manifestations de l'Esprit. La jeune communauté, enthousiasmée par le message de Pâques, séduite par la victoire de la vie sur la mort, tente de s'emparer de la plénitude entrevue. Elle attend de l'Esprit qu'il l'arrache aux duretés du quotidien.

Par force, la spiritualité corinthienne développe une spirale élitaire : l'Esprit est essentiellement associé à certaines capacités particulières, de type extatique, qui sont le parler en langues, les dons de guérison ou la prophétie, si bien que d'autres dons de l'Esprit s'en trouvent totalement dévalués. Au fond, dans cette conception élitaire de l'Esprit héritée du spiritualisme hellénistique, croire signifie détenir des dons exceptionnels comme le parler en langues ou le don de guérison ; en être dépourvu dénonce l'insuffisance de la foi. Paul a donc affaire à une richesse charismatique admirable, mais en même temps, à une confiscation de l'Esprit pour certaines performances spirituelles, qui pèse sur l'intégrité de la communauté et la menace d'éclatement. La division en chapelles est déjà dénoncée au début de la lettre (1, 10-17 ; 3, 1-4, 13).

Voilà Paul contraint par ces débordements de préciser sa conception de l'Esprit ! Il ne va en aucune manière, notons-le, émettre un doute sur la richesse charismatique qui anime la communauté ou sur la présence puissante de l'Esprit qui l'habite. Mais il va profiler les signes distinctifs de l'Esprit :

> Pour ce qui est des choses spirituelles, frères, je ne veux pas vous voir dans l'ignorance. Quand vous étiez païens, vous le savez, vous étiez entraînés comme au hasard vers les idoles muettes. C'est pourquoi je vous le déclare : personne, parlant dans (ou par) l'Esprit de Dieu, ne dit : « Anathème à Jésus », et nul ne peut dire « Jésus Seigneur » si ce n'est par (ou dans) l'Esprit Saint. (12, 1-3)

« Jésus Seigneur » est l'expression du credo la plus ramassée qui soit : Jésus de Nazareth est le Seigneur, le Christ élevé. Impossible de dire la foi chrétienne plus courtement : l'homme de Nazareth est le Messie de Dieu. Or, cette confession de foi est le produit, le pur produit de l'Esprit : « ... *si ce n'est par l'Esprit Saint* » (12, 3). *L'Esprit a donc cette fonction de faire naître la foi.* Ce que Actes 2 présente en dimension communautaire — l'Esprit fait naître l'Église —, l'apôtre Paul le dit en termes individuels. Ainsi, à la position corinthienne qui réserve l'Esprit à une élite spirituelle, Paul réplique que tout croyant est charismatique. Tout croyant est habité par l'Esprit, traversé par l'Esprit, par le fait même qu'il énonce la confession de foi la plus élémentaire.

La thèse que Paul met en avant, au seuil du long développement des chapitres 12 à 14, est donc que la dignité charismatique est le fait de tout chrétien. Elle l'est dès le moment où la confession de foi surgit de ses lèvres et de son cœur. Or, cette confession de foi, « Jésus Seigneur », l'Esprit la fait naître sur la base d'une parole, qui est l'Évangile, témoignage des disciples relayé par la tradition apostolique. Esprit et Évangile, Esprit et parole se liguent ainsi à la genèse de la foi.

Après ce premier critère (l'Esprit génère la foi sur la base d'une parole), Paul explique comment l'Esprit crée la communauté. Il produit des dons mis au service de tous, ou bien, si l'on préfère, il conduit l'homme et la femme à accueillir leurs compétences comme des dons et à les investir « en vue du bien de tous » (12, 7). L'Esprit donne des pouvoirs : la sagesse, le don de guérir, la connaissance théologique, la foi. On est frappé de constater que, dans la liste des neuf charismes que Paul déploie en 12, 8-11, figure la foi, la foi ordinaire[4], à côté d'autres dont étaient nettement plus friands les Corinthiens, comme le don de prophétie ou de parler en langues.

Le second critère de l'Esprit est donc le critère de l'amour. L'Esprit se fait reconnaître, non pas à la pointe d'exhibitions spirituelles, mais dans sa capacité de mobiliser l'homme et la femme et susciter en eux ce qui servira au bien de tous. La jouissance de l'Esprit n'est pas un plaisir solitaire, ni une performance de l'individu ; elle n'est pas acquise, mais donnée. En Romains 12, Paul continuera de démocratiser l'Esprit en lui attribuant les dons de présider, d'exhorter, d'enseigner, même de donner...

Que l'Esprit crée, que l'Esprit donne, est une conviction si forte que l'apôtre le répète ailleurs dans sa correspondance. Aux

---

[4] Il s'agit bien de la foi ordinaire, et non de la foi « à un degré extraordinaire », comme le pensent les traducteurs de la TOB (note ad 1 Co 12, 9). Réserver le statut de charisme à la foi exceptionnelle ruinerait la thèse posée par Paul en 12, 3, selon laquelle la confession chrétienne normale (confesser « Jésus Seigneur ») fait de tout croyant un charismatique ! Lorsque Paul veut parler d'une foi spéciale, il l'indique explicitement comme en 13, 2 : une foi à transporter les montagnes.

chrétiens de Galatie, il dresse un tableau affligeant des « œuvres de la chair » qui sont libertinage, impureté, débauche, idolâtrie, magie, haines et bien d'autres vices (Ga 5, 19-21). « Mais voici, dit-il, le fruit de l'Esprit : amour, joie, paix, patience, bonté, bienveillance, foi (encore !) », etc. (5, 22). Vous avez bien lu : Paul parle *des* œuvres de la chair, mais *du* fruit de l'Esprit. Ce singulier n'est pas dû au hasard. Paul désigne par là le comportement du croyant mais il ne se borne pas à indiquer que l'Esprit va l'orienter dans un sens favorable. Non, Paul discerne dans la vie de foi *un fruit de l'Esprit*, si bien que l'amour, la paix, la patience, la bonté doivent être reconnus par le croyant comme une production de l'Esprit en lui, traversant et renouvelant sa personne.

Une autre manière de dire cette œuvre créatrice de l'Esprit se découvre en Galates 4, 6. Comme il y a difficulté de compréhension, je traduis littéralement :

> *Parce que vous êtes fils, Dieu a envoyé l'Esprit de son fils dans vos cœurs, criant : Abba, Père.*

La difficulté de sens se loge dans l'expression : « parce que vous êtes fils ». Faut-il comprendre : parce que vous avez été baptisés (ou parce que vous avez accompli l'acte de foi), alors l'Esprit de son fils vient, qui crie « Abba, Père » ? Il y aurait alors une relation de cause à effet, et c'est à partir de l'acte de foi ou de l'octroi du baptême que l'Esprit serait donné. Ou faut-il comprendre au contraire que l'Esprit du fils, qui crie « Abba, Père », est le signe, l'attestation de notre état de fils ou de fille de Dieu ? Je pense qu'il faut l'entendre dans ce second sens, en corrélation avec 1 Corinthiens 12 et ce que Paul dit de l'Esprit à la racine de la foi. La présence de l'Esprit du Fils, qui crie « Abba, Père », est la manifestation chez le croyant de son état d'enfant de Dieu. Passer de l'esclavage de la Loi à la filialité se concrétise dans *cette présence en soi de l'Esprit du Fils*, qui n'est donc pas une sorte de récompense à l'acte de foi. Dit autrement : la foi créée par l'Esprit trouve sa concrétisation dans le don de l'Esprit du Fils, qui creuse en l'homme la reconnaissance que sa vie a son origine dans le Dieu-père. Dans cette perspective, la condition chrétienne régie par l'Esprit est de n'avoir jamais fini de découvrir son état de fils ou de fille de Dieu, de n'avoir jamais achevé d'être conformé au Fils.

Paul le dira ailleurs d'une manière très concrète, et corporelle, en 1 Corinthiens 6, 19 : « *Ne savez-vous pas que votre corps est le temple de l'Esprit Saint qui est en vous ?* ». L'habitation de l'Esprit valorise le corps au point que l'on peut parler de la transcendance du corps, de son altérité foncière. L'Esprit s'oppose ici à la réduction chosifiante du corps.

Je conclus. Ce que Paul dit de l'Esprit est, d'une part, que l'Esprit fait naître la foi en relation avec une parole ; d'autre part, que l'Esprit est une dynamique qui traverse l'homme, et qu'elle mobilise ses capacités en vue de l'amour. L'Esprit travaille pour faire naître *son* fruit, un fruit dont l'homme ou la femme ne pourraient s'emparer pour exhiber leur obéissance devant Dieu — le fruit de l'Esprit est pure gratuité. Le terme qui correspond le mieux à la conception paulinienne de l'Esprit est le terme de *vie* : l'Esprit crée la vie et rend vivant.

Les Actes d'apôtres : l'Esprit est feu

Ouvrir le livre des Actes d'apôtres[5] en quête de la perception de l'Esprit Saint, c'est se préparer à un certain nombre de différences. J'en vois, par rapport à la conception paulinienne, trois. La première est que, selon les Actes, l'Esprit ne crée pas la foi de l'individu, comme le dit Paul ; l'Esprit construit l'Église. La deuxième différence : jamais dans le livre des Actes, l'Esprit n'est dit à l'origine d'un miracle, alors que Paul parle du charisme de guérison ; l'Esprit est toujours à l'origine d'une parole. Troisième différence : Paul décrit l'œuvre de l'Esprit dans la communauté chrétienne, tandis que Luc montre aussi l'Esprit en action dans l'histoire.

Je vais détailler ces trois différences. Elles sont utiles à percevoir, parce que notre conception de l'Esprit est souvent globale, synthétique, et qu'il est important de retrouver la singu-

---

[5] Je me suis expliqué sur ce titre plus haut, dans mon chapitre 9, p. 176. Je reprends ici, mais sous un angle différent, les thèmes abordés dans ce chapitre.

larité des diverses compréhensions de l'Esprit qu'offre le Nouveau Testament.

D'abord, *le Saint Esprit dans les Actes construit l'Église.* C'est évident à partir du récit de Pentecôte. Mais l'événement de Pentecôte est annoncé par le Ressuscité, dans une déclaration qui constitue d'ailleurs le programme de l'ensemble des Actes : « *Vous allez recevoir une puissance, celle du Saint Esprit qui viendra sur vous. Vous serez alors mes témoins à Jérusalem, dans toute la Judée et la Samarie, et jusqu'aux extrémités de la terre* » (1, 8). A partir de Pentecôte, le groupe des Douze, puis la mission chrétienne issue d'Antioche, vont déployer la parole missionnaire à Jérusalem, dans toute la Judée, en Samarie, et jusqu'à Rome ; et à partir de ce centre du monde, la Parole parviendra aux extrémités de la terre. Mais ce programme énoncé par le Christ, dont le livre des Actes narre la réalisation, est comme anticipé à Pentecôte, devant ce kaléidoscope des nations que représentent les juifs de la diaspora venus de toute la terre. Les disciples en effet se font comprendre de chacun. Ils témoignent du Christ et parlent des langues que comprennent les juifs venus du monde entier et résidant à Jérusalem. Les apôtres sont d'emblée faits missionnaires.

Mais il faut bien percevoir ici l'effet de l'Esprit. Il ne vient pas créer la foi là où elle n'était pas. L'Esprit qui s'empare des disciples ne les amène pas de l'incroyance à la croyance. L'Esprit est la force de Dieu accordée aux croyants, et qui fonde leur témoignage. J'insiste. L'Esprit ne conduit pas de l'incroyance à la croyance, il conduit de la foi au témoignage. C'est différent. On m'objectera les conversions de Pentecôte (2, 41). Certes. Mais les conversions de Pentecôte ne portent pas, pour Luc, la signature de l'Esprit ; elles sont l'œuvre de la parole des disciples, provoquée par l'Esprit de Dieu. L'Esprit, ici, habilite les disciples au témoignage. Et c'est trop peu de dire que l'Esprit permet le témoignage du croyant, comme on l'entend généralement. L'Esprit *est* témoignage. Le don de l'Esprit, à Pentecôte, *est* ce pouvoir de témoigner de Jésus.

On constatera ainsi que l'Église créée à Pentecôte est missionnaire, non pas par vocation, mais *par définition.* L'Église n'est pas créée comme un groupe qui recevrait, après coup, une vocation missionnaire, mais elle est créée en tant que communauté missionnaire. L'Église est missionnaire de naissance. Retirer la capacité évangélisatrice des disciples à Pentecôte, effacer la dimension missionnaire du groupe de Pentecôte, c'est nier le sens même de ce rassemblement. Tout au long du livre des Actes, l'évangéliste Luc va montrer comment Dieu conduit cette Église, et étend cette Église, sous la poussée de l'Esprit.

Un peu comme une fièvre, les poussées successives de l'Esprit vont conduire les disciples à faire sortir l'Église de son espace originaire, le judaïsme, pour gagner la Samarie (Ac 8 : Philippe et l'Éthiopien). Puis c'est la rencontre de Pierre et Corneille (Ac 10), où il ne s'agit pas du tout de la conversion de Corneille, mais de la conversion de Pierre, forcé par Dieu d'accepter le don de l'Esprit fait à un païen ! Le salut ne passe plus désormais par l'appartenance à Israël. Une nouvelle poussée de l'Esprit conduit l'Église-mère de Jérusalem à reconnaître le bien-fondé et la légitimité de la mission paulinienne hors la Loi, auprès des non-juifs (Ac 15). C'est encore l'Esprit qui, par secousses, conduira l'apôtre Paul à Rome, cœur du monde, où la Parole parvient selon la promesse du Ressuscité.

L'Esprit est véritablement l'agent secret de la mission. Mais voyez la différence avec Paul : l'Esprit n'est pas considéré ici comme ce pouvoir qui traverse le croyant individuel, et l'ouvre à la foi ; il est la puissance de Dieu faisant de la communauté des disciples une Église missionnaire.

La seconde différence que je relève est que dans les Actes d'apôtres, *l'Esprit n'est pas à l'origine des miracles, mais à l'origine d'une parole.* Ce trait caractéristique est souvent passé sous silence, car il semble aller de soi que l'Esprit est l'auteur du miracle. Mais, aussi surprenant que cela paraisse, les guérisons sont plutôt mises au compte du « nom de Jésus-Christ » (3, 6.16 ; 4, 10.30 ; 16, 18 ; 19, 13). L'Esprit, lui, pousse l'Église à proclamer la Parole. C'est déjà le cas à la Pentecôte. Le récit d'Ac 2, 1-13, que Luc a recueilli de sa tradition, devait à l'origine parler d'une manifestation de glossolalie. L'auteur, ou la tradition juste avant lui, a transformé cet événement de glossolalie en événement d'évangélisation, où il ne s'agit plus d'un parler en langues inintelligibles, mais au contraire d'un parler totalement compréhensible (2, 7-11) — et c'est là le miracle !

Cet événement de communication réussie de la Parole est l'œuvre de l'Esprit.

Dire que l'Esprit met en avant une parole, c'est reconnaître que Luc considère l'Esprit, à la manière de l'Ancien Testament, comme un esprit de prophétie. Dans les dix premiers chapitres des Actes, « être rempli du Saint Esprit » revient, pour la communauté, à « proclamer la Parole avec assurance » (4, 8.31 ; 6, 3-5 ; 7, 55 ; 9, 31). Ce terme d'assurance *(parrèsia)* désigne étymologiquement le fait de tout dire *(pan-rhèsia)* ; il reprend en régime chrétien un terme de la vie politique grecque, qui signifie le droit de dire tout ce qu'on pense dans l'assemblée publique d'une cité. La *parrèsia* est l'audacieuse liberté qu'octroie l'Esprit.

A la fin du chapitre 4 des Actes, alors que Pierre et Jean viennent d'être relâchés par le sanhédrin qui les a fait comparaître, la communauté prie (4, 23-31). Que demande-t-elle ? Elle prie pour la poursuite du témoignage missionnaire et demande à son Seigneur de pouvoir dire la Parole « avec une totale *parrèsia* » ; elle demande aussi à Dieu d'étendre sa main « pour que se produisent des guérisons, des signes et des prodiges par le nom de Jésus » (v. 30). A la fin de la prière, la terre est ébranlée, ce qui est un signe d'exaucement, comme on l'apprend aussi en 16, 26. Puis, note Luc, « ils furent tous remplis du Saint Esprit et ils disaient avec *parrèsia* la parole de Dieu » (v. 31). Le texte confirme ce qui vient d'être dit : l'exaucement est noté à propos du témoignage, pas à propos des guérisons. La demande de dire la Parole avec *parrèsia* correspond à la promesse faite par Jésus à ses disciples de leur accorder l'assistance de l'Esprit en cas de persécution (Lc 12, 12). Le lien se fait entre l'Esprit et la prédication ; les miracles sont rapportés au « nom de Jésus »[6].

Plutôt que d'appeler le livre des Actes « l'Évangile du Saint Esprit », comme certains l'ont fait, je pense plus juste de dire que ce livre est *le livre de la Parole*, la Parole faite chair, une

---

[6] Le lien entre l'Esprit et les miracles dans les Actes est une question délicate. Cf. D. MARGUERAT, « L'œuvre de l'Esprit. Théologie et pratique dans les Actes des apôtres », in : *Pratique et théologie*, Volume publié en l'honneur de C. Bridel, Genève 1989, p. 141-161, surtout p. 148-150.

Parole inscrite dans la chair des apôtres et que les témoins font parvenir jusqu'à nous. Plutôt que l'Esprit, c'est la Parole qui est au premier rang du livre des Actes, une Parole poussée en avant par l'Esprit, stimulée par lui, une Parole que l'Esprit rend performante. On a là un motif proche de l'évangile de Jean, qui lui aussi, nous le verrons, parle de l'œuvre de l'Esprit comme d'une œuvre de parole.

Une troisième caractéristique du livre des Actes, qui constitue une nouvelle différence avec la théologie paulinienne, est la façon de *montrer l'action de l'Esprit dans l'histoire*. Luc raconte comment l'Esprit conduit les apôtres dans l'histoire, en premier lieu l'apôtre Paul, qui est le héros du livre des Actes, et comment le Seigneur utilise les obstacles qui se dressent devant les apôtres pour servir son plan.

Luc est émerveillé, et il nous fait partager son émerveillement, de voir comment Dieu fait progresser la Parole, non pas malgré les obstacles — les arrestations, les émeutes populaires, la résistance de la synagogue —, mais comment il utilise ces obstacles mêmes pour faire triompher son plan. L'exemple fameux, et le plus puissant, est le voyage de Paul à Rome. Paul a fait appel à l'empereur, après avoir été traîné de cachot en cachot durant deux ans, et il est transféré comme prisonnier de Césarée à Rome (Ac 25-28). Ce qu'on pourrait décrire comme le périple pitoyable d'un enchaîné, Luc en fait le voyage triomphal de la Parole, qui avec l'apôtre parvient à Rome. Ce n'est pas *malgré* le martyre de Paul, c'est *à cause* du martyre de Paul, grâce à lui, porté par lui, que la Parole parvient à Rome. Il y a là, je dirai, une subversion de sens, une volonté de donner sens théologique à l'histoire d'un proscrit, qui doit nous faire réfléchir aujourd'hui.

Je le montre encore en un autre passage : c'est le moment où la Parole portée par Paul et Silas passe d'Asie en Europe (Ac 16, 6-9). « *Paul et Silas parcoururent la Phrygie et la région galate, car le Saint Esprit les avait empêchés d'annoncer la Parole en Asie. Arrivés au limites de la Mysie, ils tentèrent de gagner la Bithynie, mais l'Esprit de Jésus ne les laissa pas faire. Ils traversèrent alors la Mysie et descendirent à Troas. Une nuit, Paul eut une vision : un Macédonien lui apparut, debout, qui lui faisait cette prière : "Passe en Macédoine, viens à notre secours !''* » Paul et Silas passent alors en bateau de Troas à Philippes, et là, dans la ville de Philippes, ils donnent le baptême à Lydie, la marchande de pourpre, première convertie d'Europe. Sur le chemin de Philippes, à deux reprises — dit le narrateur — Paul et Silas ont eu leur route barrée : « Le Saint Esprit les avait empêchés d'annoncer la Parole en Asie » et « ils tentèrent de gagner la Bithynie, mais l'Esprit de Jésus ne les laissa pas faire ». En fait, on aurait pu raconter cela tout à fait différemment. Car ces deux empêchements sont l'histoire d'un échec. Ils essaient d'évangéliser l'Asie, et n'y parviennent pas. S'agit-il d'une résistance de la synagogue ? d'une émeute populaire ? ont-ils été arrêtés, sont-ils tombés malades ? Personne ne sait. Ils essaient de se tourner ailleurs, vers la Bithynie, et ne réussissent pas non plus. Alors ils reviennent à Troas, et là, en rêve, le Macédonien les appelle dans son pays.

Ces péripéties, qui sont à proprement parler l'histoire d'un double échec, pourraient fonder un discours apitoyé sur l'accablement des missionnaires ou encore, comme le feront plus tard les actes apocryphes des apôtres, s'émerveiller de la force victorieuse des héros de Dieu. Luc, de son côté, défend avec détermination une lecture théologique de l'histoire, qui regarde même les échecs comme des événements où passe l'Esprit Saint pour permettre la réalisation du plan de Dieu. De ces événements, qui sont des refus de la Parole, Dieu s'empare pour faire avancer son Règne. Il a le dernier mot sur l'histoire.

Mais je conclus ce parcours des Actes. Dans la théologie de Luc, l'Esprit construit l'Église. Son œuvre est une œuvre de parole. L'Esprit utilise les obstacles, les dénis, les refus, comme des moyens pour faire avancer la Parole. Et dans ce sens, si l'Esprit Saint chez Paul peut être qualifié par « la vie », je choisirai le *feu* pour la perception de l'Esprit dans les Actes ; car le feu embrase, il consume, il s'impose et fait reculer la nuit.

Jean : l'Esprit est souffle

On ne peut passer sous silence ce troisième théologien de l'Esprit dans le Nouveau Testament qu'est l'auteur de l'évangile de Jean. Toutefois, sa position mieux connue, et aussi plus linéaire, nous permettra de progresser plus rapidement.

La surprise chez Jean est créée par un changement de nom. L'Esprit Saint est appelé Paraclet. A vrai dire, le quatrième évangile sait appeler l'Esprit de son nom commun à toute la tradition chrétienne : le *pneuma*. Il nomme ainsi l'Esprit de Dieu (Jn 1, 32), l'Esprit que reçoit Jésus (3, 34 ; 4, 23s), celui que Jésus donne (1, 33 ; 6, 63 ; 7, 39). Le passage le plus célèbre de la série est l'entretien avec Nicodème (Jn 3), où la dépossession de soi qu'implique la foi est dépeinte par une métaphore à résonnance baptismale : naître d'eau et d'Esprit (3, 5). L'Esprit personnifie ici la possibilité d'accéder au salut, que Dieu seul peut faire éclore en l'homme.

Mais jusque-là, grosso modo, Jean a suivi la conviction pneumatologique de la tradition chrétienne. Son originalité pointe dans la nouvelle dénomination de l'Esprit, dont l'évangile présente en tout et pour tout quatre occurrences, groupées en constellation entre les chapitres 14 à 16 (14, 16.26 ; 15, 26 ; 16, 7)[7]. Apprécions d'abord le contexte. Les chapitres 14 à 16 font partie d'une longue séquence dite des discours d'adieu (Jn 13-17), où Jésus, qui s'en va vers la croix, donne ses instructions aux disciples. Cette forme de testament met en place la vie croyante pour le temps de l'absence de Jésus. La question qui gouverne les discours d'adieu est de savoir comment les disciples garderont leur fidélité au Christ. Comment, en terme johannique, *demeurer* dans le Christ — alors que Jésus s'en va ? Toute la question de la fidélité du christianisme à sa tradition fondatrice se profile derrière ces propos. A cette problématique, précisément, s'articule la théologie du Paraclet. Les linguistes et les exégètes, pour l'instant, échouent toujours sur la question de savoir d'où vient ce nom « Paraclet » et comment le traduire. *Paraclètos* évoque l'aide, l'intercesseur, l'avocat, le consolateur — bref, quelqu'un dont la fonction est de se tenir aux côtés d'un autre pour l'appuyer. Faute de mieux, je continuerai à dire Paraclet. Dans son étrangeté, le terme rappelle que nous nous trouvons dans un autre vocabulaire, et par là, dans une autre configuration de l'Esprit qu'avec Paul ou Luc.

---

7 On peut y ajouter 1 Jn 2, 1.

Jean 14, 16 : « *Moi, je prierai le Père* », dit Jésus, « *il vous donnera un autre Paraclet qui restera avec vous pour toujours* ». Voyez de quelle façon, pour ainsi dire immédiate, *l'Esprit vient ici relayer la présence de Jésus*. L'Esprit est, après Jésus, un second Paraclet. Il restera avec les disciples pour toujours, à la différence de Jésus, dont la croix marque la fin. « *Si je ne pars pas, le Paraclet ne viendra pas à vous* » (16, 7). La pensée se fait plus insistante : sans la mort de Jésus, ce relais de la présence ne sera pas offert. Donc, le Paraclet prend vraiment la suite de la présence de Jésus, et sa venue est commandée par le départ du Seigneur. Voilà répétée cette conviction commune au christianisme primitif : l'effusion de l'Esprit est liée à l'absence de Jésus.

Mais quelle est la fonction de ce Paraclet, qui vient ainsi relayer la présence de Jésus ? Il s'avère que sa fonction ne se réduit pas à être une pure prolongation de Jésus. Le Paraclet va rester, sauvegardant le rapport des disciples à leur Dieu. Mais aussi, le Paraclet va enseigner. Notez bien la différence. Dans la pensée paulinienne, l'Esprit crée la foi et suscite l'obéissance. Selon l'auteur des Actes, l'Esprit donné est le pouvoir de témoigner de Jésus avec assurance. Selon Jean, le Paraclet enseigne, et le Christ johannique use d'une expression forte pour décrire cette activité d'enseignant : « *Il vous fera vous ressouvenir de tout ce que je vous ai dit* » (14, 26). Il vous fera vous ressouvenir. Ce n'est pas simplement un rappel ; il fera se ressouvenir, il réactivera la mémoire, pour y chercher quelque chose qui y était inscrit. Le Paraclet réanimera, en eux, le souvenir des paroles de Jésus.

Ou encore Jn 16, 13 : « *Lorsque viendra l'Esprit de vérité, il vous conduira dans toute la vérité.* » C'est le mot « toute » qui est important. Le Paraclet conduira la compréhension des paroles de Jésus jusqu'à leur sens plénier. La perspective est celle d'un accomplissement, d'un épanouissement de sens, rendu possible à la lumière de Pâques.

Le Paraclet est donc présenté dans les discours d'adieu comme un maître, dont la double tâche consiste à rappeler les paroles de Jésus et à leur conserver leur actualité. Le Paraclet assure l'actualité du Christ dans la communauté, il l'assure par une œuvre de communication de parole. En définitive, la présence de Jésus se trouve relayée par l'enseignement de l'Esprit-Paraclet. Nul doute que Jean a considéré sa tâche de théologien comme l'une des médiations du Paraclet, puisque son œuvre s'est concrétisée dans la production d'un écrit, le quatrième évangile, qui précisément fait mémoire des paroles du Christ, les sauve de l'oubli, les interprète et établit leur pertinence pour sa communauté.

Un rabbin médiéval, Hayen de Vologine, a défini la tâche d'interprétation, avec ce génie de l'expression métaphorique qui caractérise les sentences rabbiniques : « Le texte est une braise sous la cendre de ses lettres. La vivacité de la flamme qu'on en tire dépend de la longueur du souffle de celui qui l'anime. » L'auteur du quatrième évangile, pour décrire ce souffle qui donne vie à la chair morte de l'écrit, parlerait du Paraclet. Il apporte en effet cette dimension absente des deux autres théologiens de l'Esprit que sont Paul et Luc : la dimension du souffle donné à l'Écriture. L'Esprit est pour lui ce souffle donné aux paroles de Jésus, et qui éveille la vérité lovée dans les dits du passé. A la fin de l'évangile, l'Esprit Saint n'est-il pas donné aux disciples dans un souffle (20, 22) ?

L'Esprit crée la *vie*, montre Paul.
L'Esprit est *feu*, raconte Luc.
L'Esprit *souffle* par l'Écriture, dit Jean.

Ici prend fin le passage en revue des trois théologies de l'Esprit dans le Nouveau Testament. On peut se réjouir de leurs convergences, qui nous permettent d'articuler l'Esprit à l'Écriture dans une perspective doctrinale. Il faut en tout cas s'émerveiller de leurs divergences d'approche, qui nous retiennent de verrouiller le souffle de Dieu dans un rôle si précis qu'il ne nous préparerait plus aucune surprise. Car, pour bien parler de L'Esprit, ne faut-il pas qu'il nous ait entraînés, par surprise, dans les profondeurs de la Parole ?

CHAPITRE 12

CROIRE EST UN CHEMIN
(Le quatrième évangile)

Où l'on découvre avec Umberto Eco comment un auteur construit
la compétence de son lecteur — Le quatrième évangile, une écriture
destinée à provoquer la foi ; mais comment ? — Les glissades de Nicodème — Jean est un maître de l'ironie, ce qui est une manière de rendre son lecteur complice — Le langage symbolique nous apprend à lire
l'évangile — On assiste à une formidable recomposition du croire.

« Voyageur, il n'y a pas de chemin... le chemin se fait quand
on marche. » Ce qu'a dit un poète latino-américain, on peut
le dire de la foi. Saviez-vous que croire est aussi un chemin
qui se fait quand on marche ? A force d'entendre dire que Jésus
est « la réponse », on oublierait que Dieu, le plus souvent, surgit
dans nos vies comme une question. Et cette question sonne
comme un appel au voyage[1].

Curieusement, l'évangile qui nous le fait comprendre est plutôt réputé pour ses longues palabres. Le quatrième évangile est
à l'opposé du récit de Marc : il regorge de paroles, alors que
le Jésus de Marc se mure dans le silence. A suivre les discours
du Christ johannique, que cet évangile fait couler comme un
long fleuve tranquille, on se sent dans la position de l'élève à
qui le maître dicte pesamment la conduite à suivre. Fausse
impression. Nous allons voir que ces eaux apparemment tran-

---

[1] Une première version de ce texte a été dédiée à Jean Delorme dans :
Le temps de la lecture. Mélanges offerts à Jean Delorme (Lectio divina 155),
Paris, 1993, p. 305-324.

quilles grouillent d'invitations insoupçonnées. A notre insu, lire cet évangile nous entraîne dans un voyage où se succèdent les heurts, les chocs et les appels à changer.

Mais avant de feuilleter l'évangile, un détour théorique s'impose. Comment fait-on pour repérer la vie cachée sous un texte apparemment calme ?

Comment est construit le lecteur

La linguistique nous apprend deux choses. D'abord, qu'un texte est toujours orienté vers un lecteur, même imaginaire ; ensuite, que l'auteur a organisé son texte en vue d'agir sur ce destinataire. Un texte didactique, comme l'est un évangile, n'est pas destiné à un individu, mais à un cercle de lecteurs et de lectrices. Même si nous ne sommes pas les lecteurs initialement prévus par l'évangéliste Jean, le simple fait de lire, ou d'entendre, son évangile nous introduit dans le cercle de ses lecteurs, comme si nous prenions place sur un siège disponible. Au fur et à mesure que le texte se déroule, il agit sur nous, selon que l'auteur l'a voulu. Encore une fois, le texte n'est pas une substance morte : il fourmille d'intentions que la lecture libère, exposant du même coup le lecteur, la lectrice, à des impulsions qui vont les travailler.

Est-il exagéré que je parle ainsi de la lecture ? Ne risque-t-on pas de faire passer l'art de lire pour une incantation, que psalmodierait l'initié sur son chaudron magique ? Mais il suffit d'avoir été un jour ému à la lecture d'un poème, ou tenu en haleine par un roman policier, pour le savoir : ce petit paquet de mots étalé sur la page détient, lorsque la lecture s'est emparée de lui, le plus grand des pouvoirs...

Umberto Eco, le sémioticien italien, a parlé de la lecture comme d'un travail de coopération entre le texte et celui qui le lit[2].

---

[2] U. Eco, *Lector in fabula ou la Coopération interprétative dans les textes narratifs*, Paris, 1985 ; pour ce qui suit, je me réfère à son concept de Lecteur Modèle aux p. 64-86. Sur le phénomène de réception dans la lecture, voir *Les limites de l'interprétation*, Paris, 1992, p. 19-47. Jean Delorme a de semblables accents dans *Au risque de la parole. Lire les évangiles* (Parole de Dieu), Paris, 1991, p. 157.

Car lorsqu'il rédige son texte, l'auteur se souhaite un lecteur, une lectrice, disponible à ce qu'il va faire de lui. Se borne-t-il à se souhaiter des lecteurs ? Eco pense que non, et que non content de se souhaiter un lecteur qui lui convienne, l'auteur le met en chemin, capte ses facultés, et les met en œuvre. Il se tisse ainsi, de part et d'autre du texte, une silencieuse complicité. Bref, sans que le lecteur s'en doute, le texte lui construit une compétence de lecture — exactement à la façon d'un guide de montagne guidant discrètement son client dans les passages difficiles. Exemple : lorsque Jean commente l'étonnement de la Samaritaine devant la demande de Jésus en écrivant : « *les Juifs en effet ne veulent rien avoir de commun avec les Samaritains* » (4, 9), ou lorsqu'il traduit un terme hébreu (19, 17), il vient au-devant de l'ignorance du lecteur et lui glisse au passage l'information opportune.

La précision du guidage diffère évidemment au gré de l'intention du texte. Une intention didactique se traduira par un guidage précis : l'auteur cherche à réduire au maximum les risques d'errance, sous peine d'être un mauvais enseignant. Le poète, à l'inverse, fera jaillir entre les mots une infinité de sens possibles, car la poésie vit de la multiplicité des images que le mot suscite dans l'imaginaire.

Mais revenons à l'évangile de Jean. Je disais que derrière une façade de discours empesés couraient des appels et des questions, des murmures, des clins d'œil. A quelle aventure le lecteur, la lectrice de Jean sont-ils conviés ? Où doit les conduire ce voyage ? On ne peut pas reprocher à l'évangéliste de camoufler son intention : Jean la déclare à deux reprises, en s'adressant directement à ses lecteurs.

Une écriture à provoquer la foi

C'est à l'occasion du récit de la Passion (19, 35) que pour la première fois, celui qui lit est apostrophé. Jésus vient de mourir. Le flanc du supplicié a été transpercé d'un coup de lance. Du sang et de l'eau ont jailli. L'évangéliste ajoute : « *Celui qui a vu a rendu témoignage, et son témoignage est véridique, et celui-là sait qu'il dit vrai, afin que vous aussi vous croyiez.* »

La vérité du fait est donc explicitement confirmée : sang et eau ont coulé. Mais le plus intéressant est que la finalité de ce témoignage est annoncée : il vise à provoquer, chez ceux qui lisent, la foi.

La même expression revient dans la première conclusion de l'évangile, à la fin du chapitre 20 : « *Jésus a opéré sous les yeux de ses disciples bien d'autres signes qui ne sont pas rapportés dans ce livre. Ceux-ci l'ont été pour que vous croyiez que Jésus est le Christ, le Fils de Dieu, et pour que, en croyant, vous ayez la vie en son nom* » (20, 30-31). L'évangéliste signe ici son œuvre — le chapitre 21 s'ajoutera postérieurement — en formulant l'intention rhétorique de tout l'évangile : « pour que vous croyiez ». Mais il ajoute deux choses. D'une part, le contenu de cette foi est notifié ; il s'agit d'adhérer à la présentation du Christ déployée dans l'évangile : l'homme de Nazareth est le Fils venu d'En-haut. D'autre part, la conséquence de cette foi est formulée : discerner en Jésus le Fils, grâce à la lecture de l'évangile, c'est recevoir la vie authentique, la vie éternelle, qui équivaut chez Jean au salut (3,15s ; 3,36 ; 6,40 ; 17,3).

La fonction de l'évangile est ainsi posée, et du même coup l'enjeu de sa lecture. L'évangile se présente comme *une écriture destinée à provoquer la foi* — du moins, la foi telle que l'auteur la conçoit et l'expose, vraisemblablement au nom d'une école johannique[3]. A la lumière de cette conclusion de l'évangile, la lecture programmée par le texte ne sera ni une prise d'information, ni une écoute à distance ; le lecteur envisagé par le texte est un homme ou une femme que l'auteur compte amener à la foi telle que l'expose l'évangile. Comment y parvient-il ? J'ai choisi, pour le montrer, trois moyens rhétoriques caractéristiques du quatrième évangile : le malentendu, l'ironie, la

---

[3] La majorité des chercheurs s'accorde aujourd'hui à voir dans la composition du quatrième évangile non pas l'œuvre d'un individu isolé, mais le fruit d'un long processus de méditation et d'élaboration théologiques, ayant eu pour cadre une école de théologiens gérante d'une tradition qui remonte à l'apôtre Jean. Cette composition par stratification explique les tensions littéraires et théologiques qui balafrent l'oeuvre dans son état final ; elle a dû s'achever dans les années 90, peut-être dans la région d'Ephèse.

symbolique[4]. Commençons par le malentendu. Il est une spé-cialité de Jean.

La glissade de Nicodème

Le quatrième évangile est émaillé de ces malentendus où un audi-teur de Jésus se méprend sur une de ses paroles, en lui don-nant un sens propre, alors qu'il fallait l'entendre au sens figuré. Dans le dialogue avec la Samaritaine (chapitre 4), Jésus lui offre l'eau vive, mais la Samaritaine la prend pour l'eau du puits ; et quand elle croit avoir compris, elle se réjouit de recevoir une eau qui lui épargnera de venir puiser chaque jour (4, 15) ! Au chapitre 8, Jésus dit : « *Je m'en vais... (et) là où je vais, vous ne pouvez aller* » (8, 21) ; ses interlocuteurs se méprennent et répondent : « *Aurait-il l'intention de se tuer ?* » (8, 22). Au cha-pitre 11, quand Jésus affirme « *Notre ami Lazare s'est endormi, mais je vais aller le réveiller* » (11, 11), les disciples croient qu'il s'agit d'un simple sommeil alors que Jésus annonce sa mort, et du coup, ils banalisent la situation ! On constate au travers de ces trois exemples que le malentendu johannique frappe aussi bien des interlocuteurs privilégiés de Jésus que les foules jui-ves, et, notons-le bien, les disciples. Mais comment fonctionne le malentendu ? Pour le découvrir, regardons de près le dialo-gue avec Nicodème (Jn 3).

Nicodème est annoncé dans le récit comme un notable des juifs, membre du parti pharisien. Il vient à Jésus porteur d'une confession de foi imposante : « *Tu es un maître venu de la part de Dieu* » (3, 2). Jusqu'ici, seul Nathanaël en avait dit plus (1, 49). Mais le lecteur est mis en alerte par le fondement de la foi de Nicodème ; en effet, il croit en Jésus à cause de ses mira-cles : « *Personne ne peut faire les signes que tu fais si Dieu n'est pas avec lui* » (3, 2). Or, juste auparavant (2, 23-25), le narrateur a parlé des nombreux qui croyaient en Jésus à cause des signes qu'il faisait, mais il ajoute immédiatement que Jésus,

---

[4] Ma recherche s'inspire des voies tracées par R.A. Culpepper, *Anatomy of the Fourth Gospel. A Study in Literary Design*, Philadelphia, 1983, 2e éd. 1987, p. 99-202.

lui, ne croyait pas en eux ! Ce jeu de ping-pong sur le verbe « croire » est impressionnant. Jésus se méfie d'une foi fondée sur la séduction du merveilleux, il n'y « croit » pas, et l'auteur nous dit pourquoi : Jésus « savait ce qu'il y a dans l'homme » (2, 25). Voilà le lecteur averti. Effectivement, le malentendu se produit aussitôt : confronté à l'exigence de la nouvelle naissance, Nicodème rétorque qu'on ne peut pas naître deux fois (3, 4).

Que s'est-il passé ? Jésus lui disait : « *si quelqu'un ne naît pas "anôthen", il ne peut voir le Royaume de Dieu* » (3, 3). Ce mot grec « *anôthen* » est un adverbe que nos traductions bibliques ne parviendront jamais à rendre correctement, car il joue sur deux sens : « de nouveau » et « d'en haut », l'un expliquant l'autre (ce qui est nouveau ne peut venir que de Dieu). Nicodème glisse sur cette ambivalence comme sur une plaque de verglas. Il ne sélectionne que le sens de la répétition, et se fourvoie, alors que Jésus veut parler d'une nouvelle naissance qui vient de Dieu. Au plan du récit, le malentendu de Nicodème a un effet significatif : il permet au Christ johannique de clarifier dans un long enseignement les conditions de l'authentique régénération, qui vient de l'eau et de l'Esprit (3, 5-21). Faut-il en conclure que Jean dans sa narration attribue à Nicodème le rôle ingrat de l'élève stupide, dont les sottes questions permettent au maître de tenir un discours ? Jean n'enferme pas le maître juif dans ce cliché, car le malentendu exerce essentiellement ses effets sur le lecteur. Quels effets ?

Une foi d'initié

Je discerne deux effets du malentendu johannique sur le lecteur.

Un premier effet : le lecteur, manifestement, n'est pas dupe de la situation. Il sait que Nicodème se trompe et il en rit. Il sait également d'emblée que la Samaritaine se fourvoie en prenant l'eau vive pour l'eau du puits, ou que les disciples errent en imaginant que Lazare fait la sieste. Autrement dit : le procédé rhétorique du malentendu est un procédé d'initié. Il postule une séparation entre des gens à l'extérieur (qui sombrent dans le malentendu) et des gens à l'intérieur (qui déchiffrent le malentendu). Le lecteur, lui, est appelé à rallier le cercle des initiés[5]. Mais on peut se demander où passe la séparation entre le dehors et le dedans.

Le second effet l'indique. On a vu que Nicodème n'est pas typé comme un incroyant. Jésus ne l'invite pas à passer de la non-foi à la foi, mais bien différemment, de passer d'une foi insuffisante (parce qu'axée sur les « signes » de Jésus) à une foi qualitativement supérieure. Jésus invite Nicodème à quitter une foi fascinée par ses miracles pour gagner une foi caractérisée par une compréhension plus profonde du Christ comme l'Envoyé venu d'En-haut (3, 31s). Jésus appelle donc Nicodème à passer non pas de l'incroyance à la foi, mais de la foi à la foi. Le malentendu opère la division entre deux catégories de croyants : ceux du dehors, dont la compréhension du Christ est superficielle, et les initiés, auxquels les lecteurs sont appelés à se joindre. La foi des initiés fait adhérer à la conception johannique de la révélation, vers laquelle pointe l'évangile tout entier ; cette foi obtient la vie éternelle (3, 36 ; 20, 31). Il se vérifie ici un point de vue sur lequel la recherche aujourd'hui s'accorde : si Jean écrit son évangile « *afin que vous aussi vous croyiez* », ce n'est pas pour tirer ses lecteurs et lectrices du paganisme à la foi, mais pour rallier ses lecteurs chrétiens à la foi telle que l'expose le quatrième évangile[6]. Le malentendu sert cette stratégie.

---

[5] La thèse d'une compréhension différenciée de l'évangile, plénière si l'on appartient à la communauté des lecteurs johanniques, fragmentaire si l'on est extérieur, a été formulée par C.H. Dodd, *L'interprétation du quatrième évangile* (LeDiv 82), Paris, 1975. F. Vouga a montré que l'usage rhétorique du malentendu ne prend sens qu'à l'intention de chrétiens johanniques (*Le cadre historique et l'intention théologique de Jean*, Paris, 1977, p. 34-35). La thèse d'un « évangile pour *insider* » a été explorée au niveau sociologique par W.A. Meeks, « Die Funktion des vom Himmel herabgestiegenen Offenbarers für das Selbstverständnis der johanneischen Gemeinde », in : W.A. Meeks, éd., *Zur Soziologie des Urchristentums* (ThB 62), Munich, 1979, p. 245-283 ; à ses yeux, l'univers symbolique déployé par l'évangile fournit une légitimation théologique à l'isolement socio-religieux du groupe johannique dans la société globale ; une fonction importante du livre consiste à consolider l'identité sociale de la communauté (voir surtout p. 280).

[6] Bonne formulation de J. Zumstein : « Le quatrième évangile s'annonce alors comme une tentative de redire la pertinence de la foi en contexte de

On est confirmé dans cette impression quand on voit que pour surmonter l'incompréhension répétée de Nicodème (3, 4-9), Jésus déploie un long enseignement, qui culmine comme tous les discours johanniques dans la christologie (3, 16-21). Jésus y expose « les choses du ciel » (3, 12), qui correspondent à la révélation de son identité. A l'intention de qui parle le Christ johannique ? A l'intention du lecteur, bien évidemment. Le malentendu fournit ainsi l'occasion de déployer son enseignement, et cet enseignement explique quel est ce croire dans lequel le lecteur est enrôlé. Il lui est demandé, sous peine de chuter comme Nicodème, de quitter une compréhension trop immédiate de Jésus pour gagner une foi plus profonde. Il lui est aussi expliqué en quoi consiste ce croire supérieur, qui pointe sur une christologie de l'Envoyé.

Cette démonstration pourrait être consolidée par l'étude d'autres malentendus, qui montrerait à chaque fois la gradation que ce procédé implique dans le croire. Prenons l'exemple du dialogue avec la Samaritaine (chapitre 4), où la femme découvre graduellement quel est celui avec qui elle parle. Le malentendu sur l'eau débouche sur une clarification progressive de qui est Jésus : il n'est au début pour elle qu'un juif donnant à boire à une Samaritaine (4, 9), pour être reconnu ensuite comme un prophète (4, 19), puis comme le Christ (4, 29) — mais le récit continue, et l'on passe au travers de la mission samaritaine à la confession de foi proprement johannique ; elle est énoncée par les Samaritains convertis : « *Nous savons qu'il est en vérité le Sauveur du monde* » (4, 42). Là aussi, le lecteur est entraîné pas à pas sur un chemin où la foi s'approfondit quand on marche.

Jean, maître en ironie

Le malentendu est un procédé patent : à aucun moment, le lecteur n'est dupe. Or, le texte du quatrième évangile recèle un

---

crise, de restaurer le croire des croyants en formulant l'identité décisive du Christ. L'évangile se propose donc comme le moyen de re-cadrer l'identité chrétienne dans des conditions nouvelles. » (« L'évangile johannique : une stratégie du croire », *RSR* 77, 1989, p. 223).

autre moyen rhétorique, différent parce qu'il opère caché ; je veux parler de l'ironie.

Qu'est-ce que l'ironie ? Adoptons une définition simple : l'ironie est un mode de discours qui dit le faux pour faire comprendre le vrai ; l'apparence déclarée par le discours est fausse, mais le lecteur doit comprendre que le contraire est vrai. Quand la Samaritaine clame son incompréhension devant l'offre d'eau vive que lui fait Jésus, elle s'indigne : « *Serais-tu plus grand, toi, que notre père Jacob qui nous a donné le puits ?* » (4, 12a). A ses yeux, la réponse est évidemment négative, mais l'auteur fait un clin d'œil au lecteur, pour lui confirmer que l'inverse est vrai : sans qu'elle s'en doute, il y a en face d'elle plus grand que Jacob !

Au sein du Nouveau Testament, Jean est le maître incontesté de l'ironie. Son art d'ironiste atteint un sommet dans l'histoire de l'aveugle de naissance (chapitre 9)[7]. Le récit débute par la guérison de l'aveugle (9, 1-7) ; mais ce n'est qu'un début, car la guérison le jette dans une confrontation agressive avec les Pharisiens, qui veulent le convaincre du péché de Jésus. Au travers de cette confrontation, graduellement, il parviendra à reconnaître Jésus comme son Seigneur (9, 38). Voilà à nouveau qu'il s'agit de passer du « signe » à la foi christologique ; mais à l'inverse de Nicodème, qui ne décolle pas de la foi aux miracles, l'aveugle guéri est conduit par paliers successifs à confesser que Jésus « vient de Dieu » (9, 16s. 30-33).

Les dialogues du chapitre 9 sont tout entiers tissés d'ironie. Quand les Pharisiens font passer un nouvel interrogatoire à l'aveugle guéri, il leur jette : « *Pourquoi voulez-vous l'entendre encore une fois ? N'auriez-vous pas vous aussi le désir de devenir ses disciples ?* » (9, 27). L'ironie ici est comique. Elle devient tragique quand les Pharisiens s'appuient sur leur foi pour déclarer Jésus pécheur : « *Rends gloire à Dieu !*, disent-ils à l'aveugle, *nous savons, nous, que cet homme est un pécheur* » (9, 24). Glorifier Dieu conduirait à affirmer l'inverse ; les Pha-

---

[7] La construction dramatique de Jn 9 a été bien analysée par M. Gourgues, *Pour que vous croyiez... Pistes d'exploration de l'évangile de Jean*, Paris, 1982, p. 202-224.

risiens ne le savent pas, mais les lecteurs oui. L'ironie peut aussi être sarcastique. On le sent à la fin du texte, quand le Christ johannique conclut : « *C'est pour un jugement que je suis venu dans le monde, pour que ceux qui ne voyaient pas voient, et que ceux qui voyaient deviennent aveugles* » (9, 39). Le sarcasme perce quand l'évangéliste fait dire aux Pharisiens : « *Serions-nous par hasard des aveugles nous aussi ?* » (9, 40). Si le lecteur ne décode pas l'ironie, il devient aveugle lui aussi.

Ressusciter la complicité

On perçoit la différence entre l'ironie et le procédé de malentendu : celui-ci est expliqué par Jésus, l'ironie ne l'est pas. L'ironie reste cachée à qui ne la discerne pas. C'est le moment de rappeler une autre précision de Umberto Eco : pour être lu correctement, l'auteur requiert (et guide) la coopération interprétative du lecteur. Or, dans son travail de déchiffrement du sens, le lecteur s'appuie aussi bien sur ce que le texte dit que sur ce qu'il ne dit pas. Ou si vous préférez, le bon lecteur est celui qui sait lire entre les lignes. L'ironie illustre excellemment ce phénomène. Car par définition, elle joue sur un non-dit. L'ironie prêche le faux pour faire entendre le vrai ; et pour être lue correctement, l'ironie johannique requiert la coopération interprétative du lecteur apte à décoder le non-dit.

Sous son apparence d'eau dormante, disait-on, le texte de Jean fourmille d'appels et de clins d'œil. L'intensité du rapport qui se noue de part et d'autre du texte commence maintenant à apparaître. Comme le malentendu, la fréquence de l'ironie révèle la forte complicité que l'auteur propose à son lecteur ; elle est un clin d'œil fait au lecteur, un langage couvert, *une communication silencieuse* de celui qui écrit à celui qui lit. Et l'on voit bien que c'est le travail du lecteur qui ressuscite cette complicité, enfouie dans le texte il y a 2000 ans comme une potentialité de la lecture. Une connivence se noue entre auteur et lecteur, au détriment des juifs de l'évangile le plus souvent, parfois au détriment des disciples.

Mais il faut en dire plus. L'usage de l'ironie et du malentendu dénote, de la part de l'auteur, le déploiement d'une véritable stratégie d'apprentissage à la lecture. L'ironie attire le lecteur dans l'orbite théologique du johannisme, en l'opposant aux juifs qui cristallisent l'opposition du monde à la révélation ; mais par le décodage que réclame l'ironie, le lecteur est aspiré dans une dynamique qui est la dynamique de la révélation. Je m'explique.

L'ironie n'est pas seulement un langage d'initié. Elle est *un langage d'initiation* : elle apprend au lecteur comment doit être lu le texte. C'est ainsi que, peu à peu, s'avançant dans l'évangile avec un sens que sa lecture aiguise, le lecteur découvrira de nouveaux traits ironiques. Autrement dit : plus vous avancez dans la lecture de cet évangile, plus vos sens ont été mis en éveil. Est-ce un hasard si c'est à la fin de l'œuvre, dans le récit de la Passion, que l'ironie johannique s'étale avec une subtilité et une intensité dramatique sans pareilles ? Derrière les mots de Pilate « Voici l'homme » (19, 5), on entend la référence au Fils de l'homme. Quand Pilate expose Jésus aux vociférations de la foule et s'écrie « Voici votre roi » (19, 14), le lecteur sait que paradoxalement, Pilate dit vrai. Dans ce message à double-sens qu'est l'ironie, la clef ne lui échappe pas[8].

Voir ce qui n'est pas du monde

A l'intérieur même de l'acte de lecture, l'ironie crée une dynamique qui est la dynamique de la révélation. Le ressort théologique de l'ironie est en effet fourni par le fameux dualisme johannique ; on entend par là la séparation entre ceux d'en haut et ceux d'en bas, les choses du ciel et les choses de la terre, ce qui est du monde et ce qui n'est pas du monde, la lumière et les ténèbres, etc. Décoder l'ironie, c'est crever l'apparence mondaine pour s'ouvrir aux choses du ciel, ou si on préfère, voir dans le monde ce qui n'est pas du monde. Celui qui reçoit cette parole reçoit aussi le Révélateur venu de Dieu ; au sens johannique, il est passé de la mort à la vie (4, 33s ;

---

[8] Dans la narration johannique de la Passion, saturée d'ironie, on peut relever encore 18, 28-31, 19, 2-3.12.13.19-22, etc. I. de la Potterie a été très attentif à ce procédé dans son petit commentaire : *La passion de Jésus selon l'évangile de Jean* (LIB 73), Paris, 1986.

5, 24 ; 8, 43 ; 18, 37). La parole, rapportée par l'évangile, a pouvoir de révéler ce qui demeure caché au monde : que dans la destinée de cet homme contesté, accusé de blasphème par les prêtres, compris de travers par ses disciples, se manifeste l'icône de Dieu. L'ironie de Jean prend une dimension éminemment théologique.

Cette réflexion conduit tout droit au troisième moyen rhétorique dont use Jean : le langage symbolique.

Le symbole ou comment lire l'évangile

L'usage du langage symbolique n'est pas propre à l'évangile de Jean ; par contre, la symbolisation atteint chez lui une fréquence et une intensité sans égales dans le Nouveau Testament[9]. L'eau vive, la lumière du monde, le pain du ciel, l'agneau de Dieu, le bon berger, le cep : la symbolique johannique a fait fortune dans le langage chrétien. Reposons la question : quel dialogue avec les lecteurs une utilisation aussi intensive du langage symbolique veut-elle construire ?

Un regard porté sur l'usage johannique du symbole fait constater une très forte cohérence avec les deux moyens rhétoriques que nous venons de décrire. A chaque fois, le lecteur est poussé à dépasser le sens apparent pour accéder à un sens plénier du texte, et l'enjeu de cette progression du croire est situé à chaque fois dans le champ de la christologie.

Comme le malentendu et l'ironie, le langage symbolique est un langage d'initié. La Samaritaine du chapitre 4 ne comprend rien au discours de Jésus tant qu'elle n'accède pas au sens symbolique de l'eau qu'il lui offre ; accrochée au sens immédiat, elle reste en-dehors. Tant que les disciples, à la fin du chapitre 4, persistent à penser que Jésus parle de manger alors qu'il parle de la volonté de Dieu comme d'une nourriture qu'il reçoit

---

[9] Sur la symbolique johannique, on consultera J. Painter, « Johannine Symbols : A Case Study in Epistemology », *JTSA* 27, 1979, p. 26-41. La *Lecture de l'Evangile selon Jean* que nous offre X. Léon-Dufour suit avec une grande attention cette filière symbolique du texte (tomes I et II, Paris, 1988 et 1990).

(4, 32-34), ils échouent à passer du croire à un croire plus fondamental.

Comme le malentendu, l'usage du langage symbolique sert une intention didactique ; il apparaît au cœur des grands discours christologiques, par lesquels l'évangéliste expose au lecteur la conception johannique de la révélation.

Comme le malentendu et surtout comme l'ironie, le langage symbolique apprend au lecteur *comment lire l'évangile.* Ayant entendu Jésus se proclamer « lumière du monde » (8, 12 ; cf 1, 9), il comprendra la dimension symbolique de la guérison de l'aveugle de naissance (voir vraiment, c'est croire au Christ, et dans ce sens nous sommes tous aveugles de naissance). Le lecteur comprendra aussi pourquoi Judas quitte Jésus *de nuit* (13.30), pourquoi Marie de Magdala se rend au tombeau alors qu'il fait encore *sombre* (20, 1), ou pourquoi les disciples du chapitre 21 ont pêché *toute la nuit* sans rien prendre jusqu'à ce qu'ils rencontrent le Ressuscité au matin. La métaphore « lumière du monde » fonctionne comme un signal posé au début du livre, qui sensibilise le lecteur à la symbolique lumière/ténèbres chaque fois qu'elle apparaît dans la suite. On pourrait faire la même démonstration avec l'eau, dont le symbole apparaît en Jn 2 (Cana), puis en Jn 3 (Nicodème), en Jn 4 (la Samaritaine), en Jn 5 (le paralysé de Béthesda), etc., jusqu'à la crucifixion où elle sourd du flanc du Christ (19, 34), libérée — ô ironie — par le coup de lance d'un soldat. Cet enrichissement de la lecture par la dimension symbolique explique pourquoi l'évangile doit être sans cesse repris, relu, remédité, afin que le lecteur découvre de nouvelles potentialités symboliques du texte, qui le feront avancer dans la plénitude du sens.

Vers qui pointe le symbole

J'ai noté trois fonctions que le langage symbolique partage avec le malentendu et l'ironie : la connivence avec le lecteur, la visée didactique et la fonction initiatique. J'ajoute une quatrième fonction : le symbole pointe, comme l'ensemble du dispositif rhétorique de Jean, vers le Christ. C'est lui qu'ils servent. Il suffit de rappeler pour cela les fameuses déclarations christologiques en « *Je suis* » (Je suis la lumière du monde, le pain du ciel, le bon berger, la résurrection et la vie...). Comme toute métaphore, les déclarations en « *Je suis* » excitent l'imaginaire du lecteur plutôt que de livrer une abstraction théologique ; elles exposent le mystère du Christ, mais sans l'expliquer ; elles appellent une réponse du lecteur, mais sans le forcer. Sur ce point, les symboles partagent avec les miracles de Jésus, les « signes », une même exigence de lecture : ils ne sont correctement lus, du point de vue de l'auteur, qu'au moment où le lecteur est passé au-delà du sens de surface (le sens qu'ils détiennent en eux-mêmes) pour discerner Celui vers lequel ils pointent : le Christ de l'évangile.

La profonde cohérence qui anime le dispositif rhétorique de Jean devrait apparaître plus clairement. On voit poindre la volonté de construire une compétence de lecture qui conduise le lecteur chrétien vers un croire plus authentique. Que ce soit par une communication ouverte (le redressement des malentendus) ou par une communication silencieuse (l'ironie, la symbolique), l'évangéliste veut déloger son lecteur d'une compréhension jugée insuffisante du Christ pour le faire adhérer à la haute christologie qu'il défend.

Mais il y a un point qui réclame d'être éclairci : quelle est cette foi insuffisante que l'évangéliste s'emploie à falsifier ? En quoi consiste-t-elle, en plus de la fixation sur le merveilleux que nous avons relevée à propos de Nicodème ? Quelle foi le lecteur est-il appelé à quitter, sous peine de passer à côté de la « vie », c'est-à-dire du salut ? Il n'est pas simple de répondre à cette question, car l'évangéliste ne l'aborde pas frontalement. Le chapitre 11 ouvre pourtant une lucarne ; on va s'y engouffrer.

Recomposer la foi de Marthe

Le chapitre 11 de l'évangile de Jean est bien mal intitulé dans nos bibles. On annonce « La résurrection de Lazare » (TOB : « Jésus rend la vie à un mort »), alors que c'est d'abord l'espoir des deux sœurs, Marthe et Marie, que Jésus vient ressusciter. Comment ?

Jésus, à qui les deux sœurs ont appris la nouvelle de la maladie de Lazare, se rend à Béthanie. Mais curieusement, il s'attarde en chemin, si bien que son ami a trépassé lorsque Jésus parvient à la maison. Marthe éclate en reproches : « *Seigneur, si tu avais été ici, mon frère ne serait pas mort* » (11, 21). Et lorsque le maître lui annonce : « *Ton frère ressuscitera* », elle réplique : « *Je sais qu'il ressuscitera lors de la résurrection au dernier jour* » (11, 24). Marthe confesse sa foi dans la résurrection eschatologique : elle s'attend à retrouver son frère lors du grand relèvement des morts, dans le Royaume. Or, ce croire de Marthe est aussitôt dépassé par Jésus qui déclare : « *Je suis la Résurrection et la Vie ; celui qui croit en moi ne mourra jamais. Crois-tu cela ?* » (11, 25). Marthe — et le lecteur ou la lectrice avec elle — est invitée à convertir sa foi résurrectionnelle, à la rapatrier de la fin des temps, pour l'appliquer au moment présent de sa rencontre avec le Christ ; il s'agit de croire que la parole de Jésus fait surgir, dans le présent, une offre de vie que la mort n'atteint pas. Jésus ne *sera* pas la résurrection ; il l'*est*.

Quelle faute a donc commise Marthe ? Quelle croyance le Christ johannique vient-il ici falsifier ? On sait que la foi dans la résurrection des morts aux derniers jours était une conviction commune du judaïsme au premier siècle, à l'exception des Sadducéens. Marthe est-elle appelée à répudier sa croyance juive pour adhérer au Christ ? La réponse serait logique, mais elle se heurte à une difficulté : le texte type Marthe comme une disciple de Jésus (11, 21s). Jean ne la pose pas dans le récit comme une juive en phase de conversion, mais comme une disciple, que Jésus conduit, devant la mort d'autrui, à recomposer sa foi de façon plus adéquate. Mais il faut bien se rendre compte que la foi eschatologique de Marthe coïncide avec la croyance traditionnelle du christianisme au premier siècle, que partagent aussi bien Paul (1 Th 4, 13-17 ; 1 Co 15, 20-28. 49-56) que les évangiles synoptiques (Mc 12, 24-27 ; Mt 12, 38-42 ; Lc 14, 14). En d'autres termes, la foi que le Christ johannique vient falsifier chez Marthe n'est autre que la conviction commune d'un christianisme devenu, pour les communautés johanniques, traditionnel.

Ce mouvement de l'évangile, qui s'appuie sur une théologie connue de ses lecteurs et lectrices pour en marquer le dépassement, reflète l'énorme travail interprétatif de l'école johannique en vue de reformuler adéquatement l'héritage chrétien. Historiquement, ce *débordement d'un croire élémentaire par un croire plus fondamental*, cristallisé dans la théologie de Jean, correspond à la réinterprétation, au sein de l'école johannique, des formulations kérygmatiques de la tradition synoptique. Le quatrième évangile se présente donc comme un plaidoyer pour l'authentique croire. Son audacieux travail de reformulation constitue un chapitre intense de l'histoire du christianisme primitif, qu'il n'est pas indiqué de décrire ici ; d'autres l'ont fait [10]. Ce qui m'intéresse est de constater que la dialogue critique du christianisme johannique avec la tradition synoptique convie aujourd'hui encore le lecteur dans un itinéraire de croissance spirituelle.

Jean 20, l'histoire d'un passage

Une lecture attentive fera repérer ce processus en de nombreuses sections du quatrième évangile [11]. J'en retiens une, qui

---

[10] La recherche est redevable à R.E. Brown d'une hypothèse forte sur la trajectoire johannique, gouvernée par le passage d'une « basse » christologie proche de la tradition synoptique à la haute christologie spécifiquement johannique : *La communauté du disciple bien-aimé* (LeDiv 115), Paris, 1983. Pour un parcours d'ensemble de cette trajectoire théologique, on consultera J.-D. Kaestli, J.-M. Poffet et J. Zumstein, éd., *La communauté johannique et son histoire* (Le Monde de la Bible 20), Genève, 1990.

[11] On assiste au même mouvement dans le récit de l'appel des disciples au chapitre 1. Les versets 35-50 présentent une succession de titres christologiques décernés par les disciples ; tous correspondent à la titulature traditionnelle du christianisme primitif : agneau de Dieu (1, 36), rabbi (1, 38), Messie (1, 41), celui dont témoignent Moïse et les prophètes (1, 45), fils de Dieu (1, 49), roi d'Israël (1, 49). Au sommet de cet inventaire, Jésus déclare à Nathanaël qu'il verra de plus grandes choses et illustre cette annonce programmatique par la promesse de voir le ciel ouvert « *et les anges de Dieu monter et descendre au-dessus du Fils de l'homme* » (1, 51). La formulation est encore traditionnelle, mais Jean la réinterprète à partir de l'eschatologie réalisée : l'évangile réalisera le programme annoncé à Nathanaël en montrant Jésus dans son unité avec le ciel. Déjà au seuil de l'évangile, Jean 1 notifie le débordement d'une christologie classique (celle qui s'étale dans les synoptiques) par une christologie johannique axée sur l'unité du Révélateur avec le Père.

nous fera revenir au point de départ de notre parcours : le chapitre 20 de l'évangile. Pour faire court, on peut dire que ce chapitre 20, récit des apparitions du Ressuscité, organise d'une scène à l'autre une gradation du croire. Il s'agit ici de croire la résurrection. Chaque scène culmine dans un manque, qui invite le lecteur ou la lectrice à se déplacer — non pas avec les personnages, mais à passer avec le narrateur d'un personnage à l'autre.

Premier palier (20, 1-10) : Pierre et le disciple bien-aimé courent au tombeau ; Pierre constate le vide du tombeau, le disciple bien-aimé voit et croit ; mais ce croire reste sans effet : les deux disciples s'en retournent chez eux. *Second palier* (20, 11-18) : Marie de Magdala rencontre le Seigneur, après l'avoir pris pour le jardinier (encore un malentendu) ; elle annonce la nouvelle aux disciples, mais la peur du groupe reste entière (20, 19). *Troisième palier* : le Seigneur apparaît aux disciples réunis et leur remet l'Esprit saint (20, 19-23), mais un des leurs refuse de passer par leur parole pour croire : c'est Thomas. *Quatrième palier* (20, 24-29) : Thomas voit le Ressuscité et croit, mais le texte déborde sa confession de foi en direction du lecteur : « *Bienheureux ceux qui, n'ayant pas vu, ont cru* » (20, 29)[12].

La composition de ce chapitre 20 est tout-à-fait impressionnante ; elle confirme ce que nous avons dit jusque là de la constitution du croire. Le lecteur ou la lectrice est renvoyé de palier en palier, chacun aboutissant à un constat d'insuffisance, jusqu'à l'ultime renvoi où le voir se trouve disqualifié au profit du croire : « *Bienheureux ceux qui, n'ayant pas vu, ont cru.* » Cet ultime renvoi désigne au-delà du texte le temps du lecteur, dont la foi a été composée par écarts successifs. Au terme de ce cheminement, où les personnages de Jean 20 ont progressivement construit le sujet croyant, la place est disponible pour la foi des lecteurs. Nul étonnement si, en conclusion, l'auteur les interpelle directement en rappelant la finalité de son récit : ces faits ont été rapportés « *pour que vous croyiez* » (20, 31).

---

[12] Je résume ici les résultats de la belle étude que Corina Combet-Galland a consacrée à ce chapitre dans : « L'aube encore obscure. Approche sémiotique de Jean 20 », *Cahier biblique* 26, Foi et Vie, Paris, 1987, p. 17-25.

Recomposer le croire

« Un texte est émis pour quelqu'un capable de l'actualiser »[13], dit Umberto Eco. Au terme du parcours, nous constatons que l'évangile a minutieusement construit la compétence interprétative de ses lecteurs. Cumulant les effets de son dispositif rhétorique et de sa gestion des personnages, Jean a constamment poussé ses lecteurs à une recomposition du croire dans les termes de la foi johannique. La conclusion du récit (20, 30s) livre l'assurance de l'auteur qu'une lecture de son œuvre, conforme à celle qu'il a programmée, conduit au croire authentique, et par là, à la vie. Cette assurance n'est pas qu'un espoir ; elle est l'aboutissement de son travail d'écrivain croyant. Le lecteur qui se refuse à cette conclusion aura vu le texte, sans cesse, se dresser contre lui. Celui qui se sait en chemin aura gardé de sa lecture le goût d'une attente et la promesse de dépassements possibles. C'est pourquoi il reviendra à l'évangile, pour enrichir sa lecture de nouvelles plénitudes de sens, et pour donner à sa connaissance du Christ de nouvelles profondeurs. Inlassablement.

---

[13] *Lector in fabula*, p. 67.

LE RISQUE DE L'UNITÉ

Martin Luther, convoqué par l'empereur Charles-Quint à s'expliquer, comparut devant la diète de Worms le 14 avril 1521. Sommé de rétracter ses écrits, qui avaient été déposés devant lui, il répondit par un discours en latin, qu'on lui demanda de répéter en allemand ; il le fit, debout au milieu de l'assemblée, en face de l'empereur : « *Je suis dominé par les Saintes Écritures que j'ai citées et ma conscience est liée par la Parole de Dieu. Je ne peux ni ne veux me rétracter en rien, car il n'est ni sage, ni prudent d'agir contre sa conscience* ». Et à l'official qui lui répond « Abandonne ta conscience, frère Martin, la seule attitude sans danger consiste à te soumettre à l'autorité », Luther rétorque et persiste : « *Me voici, je ne puis autrement. Que Dieu me soit en aide.* »

Curieusement, Martin Luther revendique sa liberté en usant d'un langage de captif : je suis dominé... ma conscience est liée... je ne puis autrement. Je ne vois pas là une ruse pour s'innocenter, car le moine de Wittenberg ne recourt pas à ces pitoyables stratégies de défense ; je vois l'aveu qu'il est embarqué dans une aventure qui l'emporte entièrement : la lecture de la Parole. Et dans cette aventure, le lecteur n'est pas le maître, mais l'Écriture qui s'est emparée de lui. Après Worms, Luther s'enfermera à la Wartburg : captivité voulue, délibérée, en signe de la captivité de la lecture.

Lire n'est donc pas sans danger. On ne sait jamais d'avance où vous entraînera l'aventure de la lecture, si du moins on accepte de s'ouvrir au voyage, à l'inconnu, à la découverte, au lieu de lire en serrant frileusement contre soi un lot de certitudes acquises depuis toujours. Lire n'est pas disposer d'un livre ; le lecteur s'expose au texte, et d'une certaine façon, c'est lui qui est à la disposition du texte et de sa parole. Lire peut être dangereux.

Notre chemin de lecture prend fin ici.

Il est apparu que, des récits de miracle au langage du jugement, de Luc à Paul, des Actes d'apôtres à l'Apocalypse, les images de Dieu sont infiniment plus diverses qu'on le pensait. Le Nouveau Testament n'abrite pas une doctrine, mais étale diverses approches de Dieu, ou plus exactement, il tient ensemble plusieurs tentatives de dire le mystère de Dieu. Il est risqué de lire ; le risque est ici de volatiliser l'unité du Nouveau Testament. Peut-on encore parler d'*un* Dieu des premiers chrétiens ?

Mesurons l'étendue du constat. Ces diverses images de Dieu, exhumées par la lecture, ne sont pas simplement additionnables les unes aux autres, comme si en accumulant les auteurs du Nouveau Testament, en superposant leurs perceptions de Dieu, on obtenait ainsi un portrait complet du Dieu des premiers chrétiens. Il s'est avéré que leurs discours ne peuvent pas être mis simplement bout à bout. L'apôtre Paul a une façon de signifier la grâce, avec sa conviction puissante que la barrière de la Loi est tombée, qui ne s'accorde pas immédiatement avec la théologie de Matthieu, pour qui le Royaume est une fente, une porte étroite à ne pas manquer. Luc s'acharne à percevoir Dieu dans l'épaisseur de l'histoire sociale et politique de son temps, alors que l'Apocalypse vit de la conviction qu'il s'est absenté du monde. Galates 3, 28, perpétuant le geste libérateur de Jésus, abolit toute prérogative de l'homme sur la femme, mais à l'autre bout du Nouveau Testament, les épîtres pastorales dressent le portrait d'une femme assignée au silence, convoquée à se soumettre à l'homme et rendue responsable de la chute (1 Tm 2, 9-15 ; 5, 3-16). L'unité du Nouveau Testament ne se fera pas par addition.

Faut-il donc se résigner au constat d'une Écriture éclatée en positions théologiques irréconciliables ? Le Dieu des premiers chrétiens serait-il l'emblème de théologies disparates ? Je dirais qu'il nous faut consentir à l'irréductible diversité des images de Dieu dans le Nouveau Testament, et que ce consentement passe par un deuil : *le deuil de l'uniformité*. Seul le renoncement à l'utopie de la ressemblance nous fait accueillir la pluralité comme un gain, et non comme une menace. L'unité du Nouveau Testament n'est pas suspendue aux ressemblances qu'entretiendraient entre eux ses auteurs inspirés ; elle tient à *leur commune volonté de rendre compte de l'événement du Christ*. Jésus de Nazareth, parce que vers lui se tendent tous les récits et les discours, cimente l'unité du Nouveau Testament.

Mais attention. Cette unité est en tension. Les premiers chrétiens ont, chacun à leur manière, accueilli et actualisé dans leur situation la mémoire de Jésus. Leur diversité indiquerait-elle que certains ont préservé fidèlement le message du Nazaréen, alors que d'autres l'auraient faussé ? Méfions-nous de ces termes, car la « fidélité à la tradition de Jésus » qui consiste à la figer pour la transmettre mot à mot est en réalité une infidélité fondamentale ; elle fait de la parole de Jésus une parole de musée, une parole à embaumer comme on embaume les morts. Les premiers chrétiens n'avaient pas cette vision figée de la tradition ; la parole de Jésus, parce qu'elle était la parole du Seigneur présent dans l'Église, devait être actualisée dans le présent. Pour eux, *être fidèle à une tradition impose qu'elle évolue et se développe*. La preuve est que l'écriture des évangiles n'a pas tari le flux des traditions orales, signe que même cette imposante cristallisation littéraire n'avait pas exténué la mémoire de Jésus. L'Église ancienne n'a d'ailleurs retenu qu'une partie des écrits chrétiens pour en faire le recueil normatif de sa foi ; bien d'autres ont été écartés, que nous connaissons en partie, et ils amplifient encore considérablement la diversité dont nous parlons ; mais ceci est une autre histoire.

Les premiers chrétiens ont engagé leur fidélité au Christ sur des voies théologiques différentes, et le Nouveau Testament vit de rassembler ces fidélités. Paul est fidèle à la mémoire de Jésus, quand il affirme que la dignité de l'homme lui vient de Dieu seul, et que le salut n'est pas une performance religieuse. Matthieu est fidèle à la mémoire de Jésus, quand il répète obstinément que la foi se concrétise dans le geste et la parole, ou qu'elle n'est pas. Luc est fidèle à la mémoire de Jésus, quand il voit l'Esprit de Dieu à l'œuvre dans les péripéties de la mission. L'auteur de l'Apocalypse est aussi fidèle, quand il prétend que les pouvoirs oppressifs ont été déjà vaincus à la croix, et que leur jugement n'est qu'une question de temps.

Le Nouveau Testament vit d'accueillir ces fidélités, dont la diversité va jusqu'au désaccord, et il les tient ensemble. Il le peut, car les témoignages et les systèmes théologiques qu'il rassemble n'invitent pas à adopter un principe, une norme, une doctrine, mais à *suivre quelqu'un* : Jésus de Nazareth, le Christ, Parabole de Dieu. La fidélité à une personne ne se satisfait pas d'une uniformité, et l'Esprit s'est chargé de le faire comprendre aux premiers chrétiens. Gérer leur héritage aujourd'hui, c'est résister au fantasme totalitaire du discours unique, et risquer à son tour une parole. Une parole qu'on soumettra humblement au témoignage des Écritures, pour savoir si elle prend place, et comment, dans l'espace des fidélités au Christ. Mais une parole qui, et justement si elle s'écarte du discours majoritaire, ne sera peut-être pas totalement la nôtre, parce qu'en elle, un Autre parle, qui fait dire : je ne puis autrement...

POUR ALLER PLUS LOIN

1. Le langage du changement (La parabole)

ASSOCIATION CATHOLIQUE POUR L'ÉTUDE DE LA BIBLE, *Les paraboles évangéliques* (Lectio divina 125), Paris, 1989.

J. DUPONT, *Pourquoi des paraboles ?* La méthode parabolique de Jésus (Lire la Bible 46), Paris, 1977.

D. DE LA MAISONNEUVE, *Paraboles rabbiniques* (Supplément au Cahier Évangile 50), Paris, 1984.

W. HARNISCH, *Die Gleichniserzählungen Jesu,* UTB 1343, Göttingen, 1985.

D. MARGUERAT, *Parabole* (Cahier Évangile 75), Paris, 1991.

D.O. VIA, *The Parabole* Their Existential and Literary Dimension, Philadelphia, 2ᵉ éd. 1974.

H. WEDER, *Die Gleichnisse Jesu als Metaphern*, FRLANT 120, Göttingen, 1980.

2. Une protestation contre le mal (Le récit de miracle)

J.N. ALETTI, etc., *Les miracles de Jésus* (Parole de Dieu), Paris, 1977.

H. COUSIN, *Récits de miracles en milieux juif et païen* (Supplément au *Cahier Évangile* 66), Paris, 1988.

H.C. KEE, *Medicine, Miracle and Magic in New Testament Times,* SNTS.MS 55, Cambridge, 1986.

A. STEINER, V. WEYMANN, *Miracles de Jésus,* Lausanne, 1979.

G. THEISSEN, *Urchristliche Wundergeschichten*, StNT 8, Gütersloh, 1974.

3. Le Dieu du jugement

G. BORNKAMM, « Enderwartung und Kirche im Matthäusevangelium », in : G. BORNKAMM, G. BARTH, H.J. HELD, *Ueberlieferung und Auslegung im Matthäusevangelium*, WMANT 1, Neukirchen, 5ᵉ éd. 1968, p. 13-47.

Lumière et Vie 183, Lyon 1987 : « et moi je vous dis ». Le sermon sur la montagne dans l'évangile de Matthieu.

D. MARGUERAT, *Le jugement dans l'Évangile de Matthieu* (Le Monde de la Bible), Genève, 1981.

M. QUESNEL, *Jésus Christ selon saint Matthieu* (Jésus et Jésus-Christ 47), Paris, 1991.

J. ZUMSTEIN, *Matthieu le théologien* (Cahier Évangile 58), Paris, 1986.

4. L'ancien et le nouveau (Les lectures chrétiennes de l'Ancien Testament)

S. AMSLER, *Le dernier et l'avant-dernier*. Études sur l'Ancien Testament (Le Monde de la Bible 28), Genève, 1993, p. 17-56.

F. BOVON, « Variété et autorité des premières éthiques chrétiennes », in : *Révélations et Écritures*. Nouveau Testament et littérature apocryphe chrétienne (Le Monde de la Bible 26), Genève, 1993, p. 179-195.

C.H. DODD, *Conformément aux Écritures* (Parole de Dieu), Paris, 1968.

P. GRELOT, M. DUMAIS, « Homélies sur l'Écriture à l'époque apostolique », *Introd. à la Bible, Le Nouveau Testament,* éd. A. GEORGE et P. GRELOT, 8, Paris, 1989.

F. VOUGA, « Jésus et l'Ancien Testament », *Lumière et Vie* 144, Lyon, 1979, p. 55-71.

5. Et la résurrection

J. DELORME, « La résurrection de Jésus dans le langage du Nouveau Testament », in : H. CAZELLES, etc., *Le langage de la foi dans l'Écriture et dans le monde actuel* (Lectio divina 72), Paris, 1972, p. 101-182.

P. GUILBERT, *Il ressuscita le troisième jour,* Paris, 1988.

X. LÉON-DUFOUR, *Face à la mort, Jésus et Paul* (Parole de Dieu), Paris, 1979.

Lumière et Vie 107, Lyon 1972 : La résurrection.

Lumière et Vie 179, Lyon 1986 : La question de l'au-delà.

D. MARGUERAT, *Vivre avec la mort*. Le défi du Nouveau Testament, Aubonne, 2ᵉ éd. 1990.

P. DE SURGY, etc., *La résurrection du Christ et l'exégèse moderne* (Lectio divina 50), Paris, 1969.

6. Le Dieu du Crucifié (L'apôtre Paul)

G. BORNKAMM, *Paul, apôtre de Jésus-Christ* (Le Monde de la Bible), Genève, 2ᵉ éd. 1988.

Foi et Vie, Cahier biblique 24, Paris, 1985 : Paul, un travail d'écriture.

E. FUCHS, « Confession du péché et responsabilité éthique », *Lumière et Vie* 185, Lyon, 1987, p. 31-40.

S. LÉGASSE, *Paul apôtre,* Montréal-Paris, 1991.

D. PATTE, *Paul, sa foi et la puissance de l'Évangile* (Initiations), Paris, 1985.

G. THEISSEN, *Psychologische Aspekte paulinischer Theologie,* FRLANT 131, Göttingen, 1983.

7. Saint Paul contre les femmes ? Essor et déclin de la femme chrétienne au premier siècle

Cahiers de l'Institut Romand de Pastorale, n° 4, Lausanne, 1989 : Théologie au féminin.

R. FABRIS, *La femme dans l'Église primitive*, Paris, 1987.

Foi et Vie, Cahier biblique 28, Paris, 1989 : Lectures féministes de la Bible.

L. SCHOTTROFF, « Frauen in der Nachfolge Jesu in neutestamentlicher Zeit », in : *Traditionen der Befreiung*, II, éd. W. SCHOTTROFF et W. STEGEMANN, München-Gelnhausen, 1980, p. 91-133.

E. SCHUESSLER FIORENZA, *En mémoire d'elle*. Essai de reconstruction des origines chrétiennes selon la théologie féministe (Cogitatio fidei 136), Paris, 1986.

B. WITHERINGTON III, *Women in the Ministry of Jesus,*

SNTS.MS 51, Cambridge, 1984 — *Women in the Earliest Churches*, SNTS.MS 59, Cambridge, 1988.

8. Raconter Dieu (L'évangile)

J.N. ALETTI, *L'art de raconter Jésus-Christ*. L'écriture narrative de l'évangile de Luc (Parole de Dieu), Paris, 1989.

D.E. AUNE, *The New Testament in Its Literary Environment*, Philadelphia, 1987.

P. BUHLER et J.-F. HABERMACHER, éd., *La narration*. Quand le récit devient communication (Lieux théologiques 12), Genève, 1988.

M.A. POWELL, *What is Narrative Criticism ?* (Guides to biblical scholarship), Minneapolis, 1990.

P. RICŒUR, « Pour une théorie du discours narratif », in : *La narrativité*, éd. D. TIFFENEAU, Paris, 1980, p. 5-68.

Recherches de science religieuse 73, 1985 : Narrativité et théologie dans les récits de la Passion.

9. Le divin et l'humain se rencontrent (Actes d'apôtres)

F. BOVON, *L'œuvre de Luc*. Études d'exégèse et de théologie (Lectio divina 130), Paris, 1987.

D. JUEL, *Luc-Actes*. La promesse de l'histoire (Lire la Bible 80), Paris, 1987.

D. MARGUERAT, « "Et quand nous sommes entrés dans Rome". L'énigme de la fin du livre des Actes (28, 16-31) », *Revue d'Histoire et de Philosophie Religieuses*, 73, 1993, p. 1-21.

R.I. PERVO, *Profit with Delight*. The Literary Genre of the Acts of the Apostles, Philadelphia, 1987.

B. WILDHABER, *Paganisme populaire et prédication apostolique* (Le Monde de la Bible), Genève, 1987.

10. Une logique de l'espérance (L'Apocalypse de Jean)

E. CORSINI, *L'Apocalypse maintenant* (Parole de Dieu), Paris, 1984.

E. Cuvillier, *L'apocalypse... c'était demain*. Les apocalypses du Nouveau Testament, un manifeste pour l'espérance, Aubonne, 1987.

Lumière et Vie 160, Lyon 1982 : Écriture apocalyptique.

H. Mottu, « Espérance et lucidité », in : *Initiation à la pratique de la théologie,* éd. B. Lauret et F. Refoulé, IV, Paris, 1983, p. 318-355.

J.P. Prevost, *Pour lire l'Apocalyspe*, Ottawa-Paris, 1991.

P. Prigent, « *Et le ciel s'ouvrit* ». Apocalypse de saint Jean (Lire la Bible 51), Paris, 1980.

11. L'Esprit et la parole (Jésus, Paul, Luc et Jean)

M.A. Chevallier, *Souffle de Dieu. Le saint-Esprit dans le Nouveau Testament* (Le Point théologique 26, 54, 55), 3 tomes, Paris, 1978, 1990, 1991.

B. Gillièron, *Le Saint-Esprit, actualité du Christ* (Essais bibliques 1), Genève, 1978.

D. Marguerat, « L'œuvre de l'Esprit. Théologie et pratique dans les Actes des apôtres », in : *Pratique et théologie,* volume publié en l'honneur de C. Bridel, Genève, 1989, p. 141-161.

A. Kleinknecht, etc., *Esprit* (Dictionnaire biblique G. Kittel), Genève, 1971.

W. Rebell, *Erfüllung und Erwartung*. Erfahrungen mit dem Geist im Urchristentum, München, 1991.

Supplément au Dictionnaire de la Bible, éd. J. Briend et E. Cothenet, XI, Paris, 1987, article : Saint-Esprit, col. 156-398.

12. Croire est un chemin (Le quatrième évangile)

R.A. Culpepper, *Anatomy of the Fourth Gospel*. A Study in Literary Design, Philadelphia, 2e éd. 1987.

Ch. L'Eplattenier, *L'Évangile de Jean* (La Bible, porte-Parole), Genève, 1993.

M. Gourgues, *Pour que vous croyiez...* Pistes d'exploration de l'évangile de Jean (Initiations), Paris, 1982.

J. D. Kaestli, J.M. Poffet et J. Zumstein (éd.), *La communauté johannique et son histoire* (Le Monde de la Bible 20), Genève, 1990, p. 97-151.

J. Zumstein, *L'apprentissage de la foi*, Aubonne, 1993.

TABLE DES MATIÈRES

Récemment paru chez Labor et Fides :

Denis Müller, *Les lieux de l'action*
Jérôme Koechlin, *Villes du Golfe après la tempête*
Christian Demur et Denis Müller, *L'homosexualité*
Bernard Chevalley, *La foi en ses termes*
Olivier Abel, *La justification de l'Europe*
Pierre Gisel, *Corps et esprit*
Jean-Paul Willaime, *La précarité protestante*
Francis Higman, *La diffusion de la Réforme en France*
Histoire et théologie chez Ernst Troeltsch, (Pierre Gisel éd.)
Ethique et natures, (Eric Fuchs et Mark Hunyadi éd.)
Pury, *Bonjour*
Martin Luther, *Œuvres T. XIV, Explication du prophète Jonas et du prophète Habaquq*
Henri Lindegaard, *La Bible des contrastes*
François Bovon, *Révélations et écritures*
Charles L'Eplattenier, *L'Évangile de Jean*
André Lelièvre, *La sagesse des Proverbes*
René Péter-Contesse, *Lévitique 1 — 16*
Pierre Gisel, *La subversion de l'Esprit*
Nancy Auer Falk et Rita M. Gross éd., *La religion par les femmes*
Georges Haldas et Etienne Sordet, *Les entretiens de l'aube*
Samuel Amsler, *Le dernier et l'avant-dernier*
Dora C. Valayer, *Le respect des hôtes*
James H. Cone, *Malcolm X et Martin Luther King*
Samuel Ngayihembako, *Les temps de la fin*
Jean Burnier Genton, *Le rêve subversif d'un sage*
Noureddine Zaza, *Ma vie de Kurde*
Jean-Denis Kraege, *Les pièges de la foi*
Jacques Waardenburg, *Des dieux qui se rapprochent*
David Banon, *Le bruissement du texte*
Pour sortir l'œcuménisme du purgatoire, Olivier Fatio et coll.
Maurice Baumann, *Jésus à 15 ans*
Arthur Rich, *Ethique économique*
René Simon et alii, *Nature et descendance*.

Achevé d'imprimer par Corlet, Imprimeur, S.A.
14110 Condé-sur-Noireau (France)
N° d'Imprimeur : 748 - Précédent dépôt : septembre 1990 - Dépôt légal : novembre 1993
Imprimé en C.E.E.